De pers over de boeken van James Patterson:

'Ga naar de dichtstbijzijnde boekwinkel, koop dit boek, begin snel met lezen en ga heerlijk genieten.' – CRIMEZONE.NL

'Patterson weet net als zijn medeauteurs Thomas Harris en John Sandford geloofwaardige, geslepen psychokillers en heldhaftige politieagenten neer te zetten.' – THE EXAMINER

'Ik wilde even lezen voor het slapen gaan, maar dat lukte gewoon niet in dit boek. Na elk hoofdstuk weet Patterson me weer zo nieuwsgierig te maken dat ik gewoon verder wil lezen. Steeds word ik op het verkeerde been gezet en het slot van dit gruwelijk goede boek is dan ook zeer verrassend.' – VROUW.NL

'Erg verslavend.' – SATURDAY MIRROR

'Patterson weet hoe hij onze diepste angsten moet bespelen... Zijn verbeeldingskracht kent geen grenzen.' – THE NEW YORK TIMES BOOK REVIEW

'Verveelt geen moment.' – BN/DE STEM

3465

Bezoek onze internetsite www.awbruna.nl
voor informatie over al onze boeken.

James Patterson

Belofte maakt schuld

Zwarte Beertjes
Utrecht

Oorspronkelijke titel: Honeymoon
© 2004 by James Patterson
Vertaling: Maaike Bijnsdorp
Omslagontwerp: De Weijer Design BNO
Omslagbeeld: Fresh Images
© 2010 A.W. Bruna Uitgevers B.V., Utrecht

ISBN 978 90 461 1367 7
NUR 313

Tweede druk, maart 2010

Proloog

Wie deed wat?

De dingen zijn niet altijd wat ze lijken.

Het ene moment voel ik me prima.

Het volgende klap ik dubbel en grijp ik gek van de pijn naar mijn buik.

Wat moet dit in vredesnaam voorstellen?

Ik heb geen idee. Het enige wat ik weet is wat ik voel en wat ik voel kan ik niet geloven. Het is net alsof de binnenkant van mijn maag wordt weggevreten door een bijtend gif. Ik kerm en schreeuw, maar bovenal bid ik. Ik smeek dat hier een eind aan komt.

Dat gebeurt niet.

Het bijten gaat door. Er vormt zich een schroeigaatje waardoor de gal mijn maag uitdruppelt met een knetterend drup... drup... drup... over mijn ingewanden heen. De stank van mijn eigen smeltende vlees vult de ruimte.

Ik ga dood, zeg ik tegen mezelf.

Maar nee, het is erger. Veel erger. Ik word levend gevild, van binnenuit. En dat is nog maar het begin.

De pijn schiet als vuurwerk omhoog en ontploft in mijn keel. Hij snijdt me de adem af en ik hap naar lucht.

Dan begeven mijn benen het. Mijn armen kunnen niet bewegen, zijn niet in staat mijn val te breken. Mijn hoofd slaat tegen de hardhouten vloer en mijn schedel barst open. Bloed, donkerrood en dik, stroomt uit een wond boven mijn rechterwenkbrauw. Ik knipper een paar keer met mijn ogen, meer niet. De gapende wond heeft daar niet eens iets mee te maken. Die paar hechtingen die ik nodig heb, zijn wel de minste van mijn problemen op het moment.

De pijn wordt erger, verspreidt zich verder.

Door mijn neus. Naar mijn oren. Regelrecht mijn ogen in, waar ik de bloedvaten voel knappen als bubbeltjesplastic.

Ik wil opstaan. Dat gaat niet. Als het eindelijk lukt, wil ik weglopen. Tot veel meer dan strompelen ben ik niet in staat. Mijn benen voelen aan als lood. Het toilet is drie meter verderop. Het lijkt wel drie kilometer.

Op de een of andere manier lukt het me er te komen. Zodra ik er ben, doe ik de deur achter me op slot. Mijn knieën begeven het en weer ga ik onderuit. De koude tegelvloer begroet mijn wang met een gruwelijk 'krak' op het moment dat een van mijn kiezen in tweeën breekt.

Ik zie de wc, maar net als alles hier beweegt hij. Alles draait en ik strek mijn wild zwaaiende armen uit naar de wastafel om hem vast te grijpen. Dat mislukt. Mijn lichaam begint te schokken alsof er duizend volt door mijn aderen slaat.

Ik kruip naar de wc.

De pijn is nu echt overal, tot in mijn vingernagels die in de groeven tussen de tegels klauwen en me centimeter voor centimeter vooruit trekken. Wanhopig graai ik naar de voet van de wc en weet met een uiterste krachtsinspanning mijn hoofd boven de pot te trekken.

Een paar tellen lang opent mijn keel zich en ik hap naar adem. Ik moet kokhalzen en de spieren in mijn borstkas spannen zich en kronkelen. Een voor een scheuren ze, alsof scheermessen ze doorsnijden.

Er wordt op de deur geklopt. Als gebeten draai ik mijn hoofd om. Het wordt harder en harder. Het is nu meer bonzen.

Was het de man met de zeis maar, die me uit mijn martelende lijden kwam verlossen.

Maar hij is het niet, nog niet in elk geval, en op dat moment realiseer ik me opeens dat ik misschien wel niet weet wat mij vanavond vermoordt, maar dat ik donders goed weet wíé dat doet.

Deel 1

Ideale paren

1

Nora voelde dat Connor naar haar keek.

Het was altijd hetzelfde liedje als zij haar koffers aan het pakken was voor een van haar reizen. Dan leunde hij met zijn een meter tachtig lange lijf tegen de deurpost van de slaapkamer, zijn handen diep in de zakken van zijn Dockers en een diepe frons in zijn voorhoofd. Hij kon de gedachte dat ze gescheiden zouden worden niet verdragen.

Maar hij zei meestal niets. Hij stond daar dan alleen maar zwijgend toe te kijken hoe Nora haar koffer pakte en hoe ze af en toe een slokje Evian nam, haar favoriete drankje. Die middag hield hij dat eenvoudigweg niet vol.

'Ga toch niet weg,' zei hij met zijn lage stem.

Nora draaide zich met een liefdevolle blik om. 'Je weet dat ik niet anders kan. Ik vind het ook heel akelig.'

'Maar ik mis je nu al. Zeg toch gewoon dat je niet kunt gaan, Nora. Ga niet weg. Laat ze toch stikken.'

Van meet af aan had Nora het fascinerend gevonden dat Connor zich zo kwetsbaar opstelde tegenover haar. Het contrasteerde zo enorm met hoe hij zich buitenshuis presenteerde. Daar was hij de steenrijke en gedreven vermogensbeheerder die een bloeiend eigen bedrijf had in Greenwich en een filiaal in Londen. Zijn trouwe hondenogen stonden in scherp contrast met het feit dat hij gebouwd was als een leeuw. Sterk en trots.

Connor heerste op de relatief jonge leeftijd van veertig als een vorst over zijn imperium. En in de 33-jarige Nora had hij zijn vorstin gevonden, zijn ideale wederhelft.

'Ik kan je natuurlijk vastbinden, zodat je niet weg kunt,' zei hij plagerig.

'Lijkt me leuk,' speelde Nora het spelletje mee. Ze tilde het deksel van de koffer die ze aan het inpakken was op. Ze zocht iets.

'Kun je me dan eerst even helpen om mijn groene vest te vinden?'

Nu moest Connor toch grinniken. Hij kreeg zo'n kick van haar. Goede grappen, slechte grappen, het deed er niet toe. 'Bedoel je dat met de paarlemoeren knoopjes? Dat hangt in de kast.'

Nora lachte. 'Heb je weer in mijn kleren lopen paraderen?'

Ze liep naar de garderobekast. Toen ze met het vest in de hand terug kwam, stond Connor aan het voeteneinde van het bed. Hij keek haar grijnzend en met glimmende ogen aan.

'O, o,' zei ze. 'Die blik ken ik.'

'Welke blik?' vroeg hij.

'De blik die bedelt om een afscheidscadeautje.'

Nora dacht even na voor ze haar eigen grijns tevoorschijn toverde. Ze liet het vest in haar koffer vallen, liep langzaam op Connor af en bleef een centimeter of tien bij hem vandaan staan. Ze had alleen haar beha en slipje aan.

'Van mij, voor jou,' fluisterde ze in zijn oor.

Er was niet veel meer uit te pakken, maar Connor nam er uitgebreid de tijd voor. Hij kuste Nora's hals voorzichtig, toen haar schouders en met zijn lippen volgde hij een denkbeeldige lijn naar beneden langs de uitstekende rondingen van haar kleine, parmantige borsten. Daar hield hij even stil. Met één hand streelde hij haar arm en de andere sloeg hij om haar heen om haar beha los te maken.

Nora huiverde en voelde haar lichaam tintelen. Lief, grappig en heel goed in bed. Wat wilde een meisje nog meer?

Connor knielde en kuste Nora's buik, waarbij zijn tong rondjes tekende om haar verleidelijk lokkende navel. Daarna trok hij langzaam haar slipje naar beneden waarbij hij met zijn duimen op allebei haar heupen rustte. Hij vinkte elke voortgang van het proces met een kus af.

'Dat... is... erg... lekker,' fluisterde Nora.

Nu was het haar beurt. Connors lange, gespierde lichaam strekte zich voor haar uit en ze begon hem uit te kleden. Snel, handig, maar heel sensueel.

Enige tellen lang bleven ze roerloos staan. Spiernaakt. Elkaar helemaal in zich opnemend. God, was er iets beters dan dit?

Opeens schoot Nora in de lach. Ze gaf Connor een snel, plagerig duwtje, waardoor hij op het bed viel. Hij was in volledige staat van opwinding.

Als een enorme menselijke zonnewijzer lag hij daar op het dekbed.
Nora pakte een zwarte riem van Ferragamo uit haar openstaande koffer
en trok die strak tussen haar handen.

Pets!

'Wat zei je nou net over iemand vastbinden?' vroeg ze.

2

Een halfuur later liep Nora in een ochtendjas van roze badstof de brede trap af van Connors koloniale woning in neoclassicistische stijl van drie verdiepingen hoog en met een woonoppervlakte van duizend vierkante meter. Zelfs gemeten naar de maatstaven van Briarcliff Manor en de andere omliggende stadjes van het welvarende Westchester was het een indrukwekkend huis.

Het was ook voorbeeldig ingericht. Elke kamer was een ingenieus mengsel van vorm, functionaliteit, stijl en comfort. Het beste uit de crème de la crème van de antiekwinkels van New York stond hier naast het mooiste van die van Connecticut: Eleish Van Breems, New Canaan Antiques, de Silk Purse, de Cellar. Originele werken van Monet, Thomas Cole, de grondlegger van de Hudson River School, Magritte, een George III secretaire in de bibliotheek die ooit het eigendom was geweest van J.P. Morgan. Een humidor die ooit door Castro aan Richard Nixon geschonken was met de oorspronkelijke eigendomspapieren. Een wijnkelder met ruimte voor vierduizend flessen, die bijna volledig gevuld was.

Oké, Connor had dan ook een van de beste binnenhuisarchitecten van New York ingehuurd. Sterker nog, hij was zo onder de indruk van haar geweest, dat hij haar mee uit gevraagd had. Zes maanden later had ze hem vastgebonden in bed.

En hij had zich nog nooit eerder in zijn leven zo gelukkig, zo opgewonden en zo energiek gevoeld.

Vijf jaar eerder was hij ook verliefd geweest, had hij ook verwonderd stilgestaan bij het geluk dat hem ten deel was gevallen en had hij het gekoesterd, maar zijn verloofde Moira was aan kanker gestorven. Hij had niet gedacht ooit weer zo'n grote liefde te zullen vinden, maar daar was ze opeens ten tonele verschenen: de verbazingwekkende Nora Sinclair.

Nora liep door de marmeren gang en langs de eetkamer. Voor ze weg moest, was er nog wel even tijd voor enig mededogen met de eetlust die ze had opgewekt bij Connor.

Ze liep de keuken binnen, haar favoriete ruimte in huis. Voor ze aan haar studie binnenhuisarchitectuur was begonnen, had ze overwogen om kok te worden. Ze had zelfs wat lessen gevolgd aan het Cordon Bleu Instituut in Parijs.

Hoewel ze voor haar beroep huizen aankleedde in plaats van borden, was koken nog steeds een van Nora's grootste passies. Het ontspande haar en haar hoofd werd er leeg van. Zelfs als ze zoiets doodgewoons klaarmaakte als Connors lievelingsgerecht: een grote, sappige dubbele cheeseburger met ui, gevuld met kaviaar.

Een kwartier later riep ze hem. 'Lieverd, het is bijna klaar. Jij ook?'

Met zijn shorts en polo weer aan kwam hij de trap af en ging hij achter Nora bij het fornuis staan. 'Er is geen plek op aarde...'

'... waar ik liever ben,' vulde ze braaf aan. Dat was iets van hun tweeën. Een van hun mantra's. Kleine getuigenissen waarmee ze alles haalden uit hun tijd samen die, gezien hun drukke carrières, schaars was.

Hij keek over haar schouder mee hoe ze een grote ui snipperde. 'Daar ga je nooit van huilen, hè?'

'Nee, nou je het zegt.'

Connor ging aan de keukentafel zitten. 'Wanneer komt de taxi je ophalen?'

'Binnen een uur.'

Hij knikte en friemelde aan een placemat. 'En waar woont die klant van je die jou op zondag laat werken?'

'Boston,' antwoordde ze. 'Hij is net met pensioen en heeft een enorm herenhuis in Back Bay gekocht en verbouwd.'

Nora sneed een wit bolletje door en legde er de nog sissende dubbele cheeseburger en de uien op. Ze haalde een Amstel Light voor Connor en een Evian voor haarzelf uit de koelkast.

'Beter dan bij Smith & Wollensky,' zei hij na de eerste hap. 'En door een veel mooiere kok klaargemaakt, mag ik wel zeggen.'

'Ik heb ook nog Graeter's voor je. Framboos.' Graeter's was het beste ijs dat ze ooit geproefd had, zo heerlijk dat ze het ervoor over had om het helemaal uit Cincinnati te laten komen.

Nora nam een slokje water en zag hem korte metten maken met haar staaltje kookkunst. Zo ging dat altijd. Hij had een prima eetlust. Zo mocht ze het graag zien.

'Jezus, wat hou ik van je,' stootte hij opeens uit.

'En ik van jou.' Nora bleef stil zitten en keek hem in zijn blauwe ogen. 'Echt. Ik ben stapelgek op je.'

Hij stak zijn handen in de lucht. 'Waar wachten we dan eigenlijk nog op?'

'Hoe bedoel je?'

'Ik bedoel dat je hier al meer kleren hebt hangen dan ik.'

Nora knipperde een paar keer met haar ogen. 'Moet dat een aanzoek voorstellen?'

'Nee,' zei hij. 'Dít moet een aanzoek voorstellen.'

Hij zocht in de zak van zijn shorts en haalde er een klein zeeblauw doosje uit. Connor knielde en overhandigde het haar. 'Nora Sinclair, jij maakt me zo ongelooflijk gelukkig. Ik kan bijna niet geloven dat ik je gevonden heb. Wil je met me trouwen?'

Volkomen overdonderd maakte Nora het doosje open en ze zag een gigantische diamant. Er welden tranen op in haar groene ogen.

'Ja, ja, ja! Jemig-ja!' riep ze uit. 'Natuurlijk trouw ik met je, Connor Brown! Ik hou van je.'

De champagne knalde open. Dom Perignon '85, die hij al van tevoren koud had gezet. Hij had ook een fles Jack Daniels voor zichzelf gekocht, voor het geval Nora nee zou hebben gezegd.

Connor schonk twee glazen vol, hief het zijne en bracht een toast uit. 'Op een lang en gelukkig leven,' zei hij.

'Een lang en gelukkig leven,' herhaalde Nora. 'Op jemig-ja!'

Ze klonken, dronken en hielden elkaars hand vast. Hoteldebotel en duizelig van geluk vielen ze elkaar in de armen en kusten elkaar.

Al snel werd het feestje echter verstoord door getoeter op de oprit. Nora's taxi was gearriveerd.

Even later, toen de limousine wegreed, riep Nora naar Connor door het openstaande achterraam. 'Ik ben de gelukkigste vrouw op de hele wereld!'

3

Nora kon het grootste gedeelte van de rit naar het vliegveld van West-chester haar ogen niet van de schitterende ring afhouden. Connor had de juiste ring gekocht. De diamant was minstens vier karaat, perfect rond, minstens een D of E kleur en geflankeerd door baguettes. Dit alles prachtig in platina gezet. Hij stond haar fantastisch, vond ze. Alsof hij voor haar gemaakt was.

'Wilt u als u terugkomt ook weer opgehaald worden, mevrouw Sinclair?' vroeg de chauffeur, toen hij haar de auto uit hielp bij de ingang van de terminal.

'Nee, dat is al geregeld,' zei ze. 'Maar bedankt.' Ze gaf de man een royale fooi, klapte het handvat van haar koffer uit en reed hem naar binnen, langs de ellenlange rij voor de toeristenklasse naar de eersteklasbalie. Bij elke stap hoorde ze Connors stem een van hun gemeenschappelijke mantra's opzeggen.

'Meer gemak...' zei hij.

'...is altijd meer geld waard,' maakte zij de zin dan altijd af.

Na een soepel verlopen start en na de klim tot kruishoogte scheurde Nora uiteindelijk haar blik los van haar verlovingsring. Ze sloeg het laatste nummer van *House and Garden* open. Een van de hoofdartikelen ging over een huis dat zij ingericht had voor een klant in Connecticut. 'Durf in Darien' luidde de titel. De foto's waren prachtig en het begeleidende artikel was vol lof. Het enige wat ontbrak was de vermelding van haar naam.

Precies zoals ze het wenste.

Anderhalf uur later landde het toestel op Logan Airport. Nora haalde haar huurauto af, een Chrysler Sebring cabrio. Met het dak naar beneden en haar zonnebril op ging ze op weg naar het Back Bay-gedeelte van Boston.

De voorgeprogrammeerde zenders op de radio maakten haar twee dingen duidelijk. Op de eerste plaats waren er te veel praatzenders. En op de tweede plaats was de vorige huurder niet op zijn plaats geweest in deze auto. In een cabrio luisterde je naar muziek.

Ze drukte het zoekknopje in en vond muziek die naar haar zin was. Met los in de wind wapperende haren en de zomerzon op haar nu al gebruinde huid zong ze mee met een klassieker: '*I Only Have Eyes For You*' van The Flamingos.

Even daarna stopte Nora voor een schitterend oud herenhuis op Commonwealth Avenue met uitzicht op het park. De relatieve rust van een zomerse zondagmiddag leverde haar nog een voordeeltje op: een parkeerplaats voor de deur. 'Mazzel.'

Ze zette de auto in zijn vrij en keek nog even in het spiegeltje hoe haar haar zat. Speld? Geen speld? Speld! Voor ze haar hand uitstak om het portier open te maken, keek ze op haar horloge. De voorstelling kon beginnen.

4

Toen ze de treden opliep naar de dubbele voordeur van het hoge herenhuis, grabbelde Nora in haar tas naar de sleutel die Jeffrey Walker haar had gegeven toen hij haar in de arm had genomen. Omdat het huis zo groot was en het mechanisme om de deur op afstand open te doen soms kuren had, had hij haar gezegd dat ze zichzelf kon binnenlaten. In haar hoofd hoorde ze een stemmetje zacht fluisterend om aandacht vragen.

'Hallo? Is daar iemand?' riep Nora, toen ze naar binnen stapte. 'Hallo? Meneer Walker?'

Ze bleef midden in de hal staan om te luisteren. In de verte hoorde ze het geluid van Miles Davis en zijn indrukwekkende trompet van de eerste verdieping naar beneden sijpelen.

Ze riep nog eens. Deze keer hoorde ze voetstappen boven.

'Ben jij dat, Nora?' klonk een stem boven aan de trap.

'Had je iemand anders verwacht?' antwoordde ze. 'Ik mag hopen van niet.'

Jeffrey Walker kwam naar beneden gesneld. Vervolgens nam hij Nora in zijn armen. Hij zwaaide haar in het rond terwijl ze elkaar een minuut lang kusten. Vervolgens kusten ze elkaar nog eens.

'God, wat ben je toch waanzinnig mooi!' zei hij, toen hij haar uiteindelijk weer op de grond neerzette.

Ze gaf hem met haar linkerhand een speelse stomp in zijn maag. Connors vierkaraats diamant was al ingewisseld voor Jeffreys zeskaraats saffier, in een bijzonder fraaie zetting tussen twee diamanten in.

'Dat zeg je zeker tegen al je vrouwen,' zei ze.

'Nee, alleen tegen de prachtexemplaren zoals jij. God, wat heb ik je gemist, Nora. Hoe kan het ook anders?'

Ze lachten en kusten elkaar weer, lang en vol passie.

'En? Hoe was je vlucht?' vroeg hij.

'Best. Voor een lijndienst. Hoe vlot het met je nieuwe boek?'

'Het is geen *Oorlog en Vrede*. En ook geen *Da Vinci Code*.'

'Dat zeg je altijd, Jeffrey.'

'Het is ook altijd waar.'

De 42-jarige Jeffrey Walker was een internationaal zeer succesvolle schrijver van historische fictie. Hij had miljoenen fans, van wie het merendeel vrouwelijk was. Ze vielen op zijn stijl en zijn sterke vrouwelijke hoofdpersonen, maar zeker ook op zijn ongepolijste knappe trekken die op de achterkant van zijn boeken afgebeeld stonden. Nooit eerder hadden warrig blond uitgebleekt haar en een eendagsbaard zo'n fraai plaatje opgeleverd.

Opeens zwierde hij Nora in één beweging over zijn schouder. Ze gilde het uit, terwijl hij de trap beklom.

Jeffrey liep naar de slaapkamer, maar Nora greep in het voorbijgaan een deurklink vast, waardoor hij de bibliotheek binnen getrokken werd. Ze had haar oog laten vallen op zijn lievelingsstoel, de stoel waar hij altijd in schreef. 'Je zegt altijd dat je daar je beste prestaties in levert,' zei ze. 'Laat maar eens zien dan.'

Hij liet haar op de versleten bruine zitting zakken en zette muziek op. Norah Jones, een van zijn favorieten.

Terwijl de krachtige hese stem van de zangeres langzaam sterker werd en de kamer in bezit nam, leunde Nora achterover en ze stak haar benen in de lucht. Jeffrey trok haar sandalen uit, haar capri broek en haar slipje. Hij hielp haar uit haar lievelingsvest, het groene, terwijl zij haar hand in zijn spijkerbroek stak.

'Mijn knappe, briljante echtgenoot,' fluisterde ze, terwijl ze zijn broek naar beneden trok.

5

Die avond kookte Nora penne met wodkasaus, die ze klaarmaakte met wat ze in de keuken aantrof. Een salade erbij en een fles Brunello uit Jeffreys wijnkelder en klaar was de maaltijd. Niet te veel fratsen. Precies zoals Jeffrey het wilde.

Ze aten en praatten over zijn nieuwste roman, die zich afspeelde tegen de achtergrond van de Franse Revolutie. Jeffrey was net een paar dagen terug uit Parijs. Hij hechtte er erg aan dat alle details in zijn werk klopten en wilde altijd per se de plaatsen bezoeken die hij beschreef. En aangezien Nora haar eigen drukke werkschema had, waren ze vaker niet dan wel bij elkaar. Ze waren zelfs op een zaterdag getrouwd, in het Mexicaanse Cuernavaca en waren op zondag weer naar huis teruggevlogen. Geen toestanden, geen poespas en geen registratie in de Verenigde Staten. Het was een erg modern huwelijk.

'Weet je, Nora, ik heb eens zitten denken,' zei hij en hij zette zijn vork in het restje penne op zijn bord. 'We zouden er echt eens samen op uit moeten gaan.'

'Misschien kun je me eindelijk die huwelijksreis geven, die je me beloofd hebt.'

Hij legde zijn hand op zijn hart en lachte. 'Lieve schat, elke dag samen met jou is als een huwelijksreis voor me.'

Nora lachte terug. 'Leuk geprobeerd, meneer de beroemde schrijver, maar zo gemakkelijk kom je er niet van af.'

'Oké. Waar wil je heen?'

'Wat dacht je van Zuid-Frankrijk?' opperde ze. 'Dan kunnen we onze intrek nemen in het Hotel du Cap.'

'Of Italië?' zei hij, zijn glas heffend. 'Toscane?'

'Ik weet het goed gemaakt. Waarom doen we het niet allebei?'

Jeffrey wierp zijn hoofd in zijn nek en bulderde het uit. 'Daar ga je weer,' zei hij en hij stak vermanend zijn wijsvinger in de lucht. 'Je wilt altijd het onderste uit de kan. En waarom ook niet?'

Terwijl ze verder aten, bespraken ze nog meer mogelijke bestemmingen voor de huwelijksreis. Madrid, Bali, Wenen, Lanai. Het enige wat ze uiteindelijk besloten, nadat ze samen een beker Cherry Garcia van Ben & Jerry's hadden opgegeten, was dat ze een reisbureau in zouden schakelen. Tegen elven lagen ze dicht tegen elkaar aan in bed. Man en vrouw. Hevig verliefd.

6

De volgende dag om even na twaalven tussen de middag gilde een vrouw
het uit op de hoek van 42nd Street en Park Avenue, voor het Grand Central Station. Een andere vrouw keek om en schreeuwde ook. De man
naast haar mompelde 'godallemachtig'. Vervolgens zochten ze allemaal
gehaast dekking.

Er was iets gruwelijks aan de gang. Een treinramp net buiten een van de
beroemdste stations ter wereld, zou je kunnen zeggen.

De kettingreactie van angst en verwarring zorgde ervoor dat het op de
stoep binnen de kortste keren uitgestorven was. Op drie mensen na.

De een was een dikke man met bakkebaarden, kalend en met een zwarte
snor. Hij had een slechtzittend bruin pak aan met brede revers. Zijn
glanzende blauwe das was zelfs nog breder. Aan zijn voeten stond een
middelgrote koffer.

Naast de dikke man stond een knappe jonge vrouw van ongeveer 25 jaar.
Ze had rood steil haar tot op haar schouders en een heleboel sproeten. Ze
droeg een kort rokje met Schotse ruiten en een wit topje. Een versleten
rugzakje hing over haar schouder.

De dikke man en de jonge vrouw hadden er niet verschillender uit kunnen zien. Maar op dit moment was er iets wat hen stevig bond.

Een pistool.

'Als je nog één stap dichterbij komt, schiet ik haar neer,' grauwde de dikke man met een vet Arabisch accent. Hij drukte het koude staal van de
loop hard tegen haar slaap. 'Ik zweer dat ik haar doodschiet. Daar zal ik
geen moment over aarzelen. Echt niet.'

Het dreigement was bestemd voor de derde en laatste persoon op de
stoep, een jongen die op dik drie meter afstand van de twee stond met
een grijze skatebroek en een zwart T-shirt. Hij zag eruit als een typische
toerist. Uit het westen misschien? Oregon? De staat Washington? Hij

zou een hardloper kunnen zijn. In elk geval iemand met een goede conditie.

En ook hij trok een pistool.

De toerist deed een stap naar voren en richtte het pistool op het voorhoofd van de dikke man met de snor. Precies op het midden ervan. De toerist leek er niet om te malen dat de jonge vrouw in zijn vuurlijn stond. 'Mij kan ze ook niks schelen,' zei hij.

'Staan blijven, zeg ik!' zei de dikke man. 'Kom niet dichterbij. Blijf waar je bent.'

De toerist deed net of hij hem niet hoorde. Hij deed nog een stap naar voren.

'IK ZWEER JE DAT IK HAAR VERMOORD!'

'Dat doe je niet,' zei de toerist kalm. 'Want als jij haar doodschiet, schiet ik jou dood.' Hij deed nog een stap naar voren, maar bleef toen staan. 'Denk er maar eens goed over, maat. Ik weet dat je je niet kunt veroorloven de inhoud van die koffer kwijt te raken. Maar is dat je je leven waard?'

De dikke man knipperde met zijn ogen en leek opeens door iets gekweld te worden. Hij leek na te denken over de woorden van de toerist. Of misschien ook niet. Toen gleed er een krankzinnige lach over zijn gezicht. Hij spande de haan van zijn pistool.

'Neeeeee,' smeekte de jonge vrouw, die hevig trilde. 'Neeeeee.' De tranen stroomden over haar gezicht. Ze kon zichzelf nauwelijks nog overeind houden.

'KOP DICHT!' schreeuwde de dikzak in haar oor. 'HOU GODVERDOMME JE KOP DICHT! IK KAN MEZELF NIET HOREN NADENKEN!'

De toerist bleef doodkalm en hield zijn ogen maar op één ding gericht: de vinger om de trekker.

Hij was niet blij met wat hij zag.

Een trilling!

Die vetzak ging dat meisje toch niet echt doodschieten? Dat kon hij niet toelaten.

7

'Ho, ho,' zei de toerist bezwerend met opgeheven hand. 'Rustig aan, nou.' Hij deed een stap naar achteren en grinnikte zachtjes. 'Wat maak ik mezelf nou wijs? Zo'n goede schutter ben ik nou ook weer niet. Ik kan niet garanderen dat ik jou raak en niet het meisje.'

'Precies,' zei de dikzak, die het meisje nog wat steviger tegen zich aantrok met zijn mollige rechterarm. 'Vertel me dan nu maar eens even wie hier de touwtjes in handen heeft.'

'Jij,' zei de toerist, eerbiedig knikkend. 'Zeg maar wat je wilt dat ik doe, vriend. Ik wil ook best mijn pistool op de grond leggen.'

De man keek de toerist indringend aan. Hij begon weer met zijn ogen te knipperen. 'Oké, maar wel heel langzaam,' zei hij.

'Natuurlijk. Kalm aan, dan breekt het lijntje niet. Ik zou het niet eens anders willen.'

De toerist liet zijn pistool langzaam zakken en meteen hoorde hij iemand naar adem happen achter een nabijgelegen telefooncel. Hetzelfde geluid klonk achter een bestelwagen die op 42nd Street geparkeerd stond. De toeschouwers die dekking gezocht hadden, maar móésten kijken hoe dit af ging lopen, dachten allemaal hetzelfde. Doe dat niet, man. Leg dat wapen niet weg. Hij zal je vermoorden! En haar ook!

De toerist zakte door zijn knieën en hurkte neer. Hij legde het pistool uiterst behoedzaam op de stoep.

'Zie je wel, voorzichtiger kan niet,' zei hij. 'Wat wil je nu dat ik doe?'

De dikke man begon te lachen waarbij zijn pluizige, onverzorgde snor zich tot een bosje samentrok. 'Wat ik wil dat je doet?' zei hij. En hij lachte nog harder. Hij kon zichzelf nauwelijks meer beheersen.

Opeens hield hij op met lachen. Zijn gezicht trok strak. De man stak het pistool opeens recht voor zich uit. 'Wat ik wil, is dat jij sterft.'

Op dat moment sloeg hij toe.

De toerist.

Met één efficiënte beweging trok hij een Beretta 9 mm uit de scheenhol-
ster in zijn broekspijp. Razendsnel strekte hij zijn arm naar voren en
vuurde. De knal weerklonk vóór iemand in de gaten had wat er gebeurde. Inclusief de dikke man.

Het gat in zijn voorhoofd was zo groot als een muntje van tien-dollarcent
en heel even versteende hij als een standbeeld, een enorm boeddha-
beeld. De toeschouwers schreeuwden, de jonge vrouw met het rugzakje
zakte door haar knieën en met een gruwelijke klap viel de man voorover
op de vieze, met rotzooi bezaaide stoep. Zijn bloed spoot als een fontein
in de rondte.

En de toerist? Die stopte zijn Beretta terug in de holster en het andere
pistool in zijn heuptasje. Hij stond op en liep naar de koffer. Die pakte
hij op en hij droeg hem naar een blauwe Ford Mustang die dubbel geparkeerd stond. De motor had de hele tijd stationair gedraaid.

'Nog een prettige dag samen,' zei hij tegen de mensen die verbluft zwijgend naar hem hadden staan kijken. 'U hebt geluk gehad, dame,' groette
hij de vrouw, die haar rugzak stijf tegen haar borst geklemd hield.

Vervolgens nam de toerist plaats achter het stuur van de Mustang en reed
weg.

Met de koffer.

8

Het licht sprong op groen en de New Yorkse taxichauffeur stampte het gaspedaal in alsof hij een torretje wilde pletten. Wat hij in werkelijkheid bijna plette, was een fietskoerier, dat zeldzame mengsel van durf en doodsverlangen dat van mening is dat rode lichten en stoptekens slechts een niet serieus te nemen suggestie vormen.

De taxichauffeur ging midden op de kruising op zijn rem staan, de koerier zwenkte opzij en fietste gewoon door waarbij hij met zijn voortrazende fiets op een haartje na de bumper van de taxi miste.

'Stomme debiel!' schreeuwde de taxichauffeur die zijn middelvinger opstak. Hij keek even achterom naar Nora op de achterbank en schudde vol walging het hoofd. Toen gaf hij weer plankgas, alsof er niets gebeurd was.

Nora moest glimlachen.

Fijn om weer thuis te zijn.

De taxichauffeur zette zijn wildwestrit over Second Avenue voort in de richting van Lower Manhattan. Na een paar blokken in relatieve stilte gereden te hebben, zette hij de radio aan. Het was het nieuws.

Een man met een lage, fluweelzachte stem was nog een verslag aan het afronden over de laatste begrotingscrisis van de gemeente toen hij dat opeens onderbrak voor het laatste nieuws uit het centrum. Hij gaf het woord aan een verslaggeefster ter plekke.

Een halfuur geleden had zich hier op de hoek van 42nd Street en Park Avenue, net voor het Grand Central Station, een zenuwslopend, maar enigszins bizar drama afgespeeld.

De journaliste beschreef hoe een man een jonge vrouw gegijzeld had gehouden met een pistool op haar slaap om vervolgens zelf doodgeschoten te worden door een andere man van wie omstanders meenden dat hij een agent in burger moest zijn geweest, ware het niet dat toen de politie uiteindelijk arriveerde, duidelijk werd dat de man niets met de politie van New York te maken had. Het was tot op heden nog niet duidelijk wie hij dan wel was. Na zijn schot was hij van het toneel verdwenen, maar niet voordat hij zich een grote koffer had toegeëigend die van de dode was geweest.

Terwijl de verslaggeefster toezegde terug te komen, zodra er meer bekend was over de zaak, zuchtte de chauffeur diep en keek in zijn achteruitkijkspiegel. 'Daar zit deze stad nou echt op te wachten,' zei hij. 'Weer zo'n burger die zelf het heft in handen neemt.'

'Ik denk niet dat dat erachter zit,' zei Nora.

'Hoezo niet?'

'De koffer. Wat er gebeurde, en waarom, heeft kennelijk met de inhoud daarvan te maken.'

De taxichauffeur haalde zijn schouders op en knikte. 'Dat zal het wel zijn, ja. Wat zou er dan in gezeten hebben?'

'Geen idee,' zei Nora. 'Maar in elk geval geen vuile was.'

9

Iemand had ooit geschreven 'Je echte leven is bijna nooit het leven dat je leidt' en dat was Nora uit het hart gegrepen.

Maar voor haar gold dat in elk geval niet.

In Soho, op de hoek van Mercer en Spring, rekende ze af met de taxichauffeur, daarna reed ze haar koffer de twee verdiepingen hoge marmeren hal binnen van het flatgebouw waar ze woonde. Het was een chic, tot appartementencomplex verbouwd pakhuis. Een paradox die alleen in New York gebezigd kon worden.

Ze bezat er een penthouse dat de helft van de bovenste verdieping besloeg en in één woord gigantisch was. Een andere woord ervoor was 'stijlvol'. Meubilair van George Smith, glanzend gewreven Braziliaans hardhouten vloeren, een Poggenpohl keuken. Rustig, stil en elegant. Dit was haar toevluchtsoord. De plek waar ze het liefste was.

Nora vond het heerlijk om mensen die haar echt interesseerden hier rond te leiden.

Bij de voordeur stond Nora's bewaker: een twee meter hoge sculptuur van een naakte man door Javier Marin.

Er waren twee intieme zithoeken: één van kostbaar wit leer en de ander in zwart, allebei door Nora zelf ontworpen.

Ze was gek op alles wat er stond. Ze had er antiekwinkels voor afgeschuimd, vlooienmarkten en galerieën, van Soho tot de Pacific Northwest, van Londen en Parijs tot de kleinste dorpjes in Italië, België en Zwitserland.

Haar verzamelobjecten stonden overal.

Zilver: verschillende kostbaarheden van Hermes, een stuk of twaalf zilveren kommen, waar ze helemaal verliefd op was.

Glas: Franse fotolijstjes van Gallé-glas; opaalglazen witte, groene en turkooizen doosjes.

Schilderijen van een select groepje veelbelovende kunstenaars uit New York, Londen, Parijs en Berlijn.

En natuurlijk haar slaapkamer met zijn drukke, weelderige inrichting, niet bepaald slaapverwekkend. Donkerrode muren, vergulde muurkandelaars en spiegels, een met krullen versierd antiek houten hoofdeind van het bed.

Oké, dit is mijn huis, vertel me maar wat voor iemand ik ben.

Nora haalde een fles Evian uit de koelkast en pleegde vervolgens een paar telefoontjes, waarvan er één naar Connor was, die ze haar Onderhoudsman noemde. Even later ontving ook Jeffrey een soortgelijk telefoontje.

Even na achten die avond liep Nora bij Babbo naar binnen, in het hart van Greenwich Village. Het was echt heerlijk om weer thuis te zijn.

Of het nou maandag was of niet, Babbo zat stampvol. Het geroezemoes van hippe New Yorkers gecombineerd met het gerinkel en gekletter van bestek, glazen en borden vormde het opwindende achtergrondgeluid van het split-level restaurant.

Nora zag dat haar beste vriendin Elaine en Allison, een andere dierbare vriendin, er al waren. Ze zaten aan een tafeltje tegen de muur van de wat informelere begane grond. Ze liep de gastvrouw voorbij en beende op hen af. Er werd druk op wangen gezoend. God, wat was ze gek op die meiden.

'Allison is verliefd op onze ober,' kondigde Elaine aan zodra Nora was gaan zitten.

Allison sloeg haar grote, bruine ogen ten hemel. 'Ik zei alleen maar dat ik hem zo'n schatje vond. Hij heet Ryan. Ryan Pedi. Zelfs zijn naam is schattig.'

'Lijkt me behoorlijk verliefd,' speelde Nora het spelletje mee.

'Zie je nou wel, een corroboratieve verklaring!' zei Elaine die bedrijfsjuriste was bij Eggers, Beck & Schmiedel, een van de meest vooraanstaande firma's van de stad. Hun specialiteit was vooral declarabele uren.

Als je het over de duivel hebt... De jonge ober, lang en donker, kwam aanlopen om te vragen of Nora iets wilde drinken.

'Alleen water graag,' zei ze. 'Met bubbels.'

'Nee, vanavond drink je met ons mee, Nora. Geef haar maar een *Cosmopolitan*.'

'Komt eraan.' Met een knikje draaide hij zich om en hij liep weer weg.

Nora bracht een hand naar haar mondhoek en fluisterde: 'Hij is echt een schatje...'

'Dat zei ik toch,' zei Allison. 'Jammer dat hij nog te jong is om te mogen drinken.'

'Ik dacht meer aan rijden,' zei Elaine. 'Of komt het alleen doordat wij zoveel ouder worden dat zij nou zoveel jonger zijn?' Ze liet haar hoofd hangen. 'Nou ben ik meteen depressief.'

'Ander onderwerp! Snel!' riep Nora. Ze wendde zich tot Allison. 'Wat voor zwart krijgen we de komende herfst?'

'Geloof het of niet, maar het zou echt wel eens zwart kunnen worden.'

Allison was moderedactrice bij *W*, of zoals zij graag zei, bij het enige tijdschrift dat je een gebroken teen kon opleveren, als je het liet vallen. Hun formule was simpel, zoals ze een keer had uitgelegd: grote advertenties met graatmagere modellen die designkleren dragen, raken nooit uit de mode.

'Heb jij nog nieuws, Noor?' vroeg Allison. 'Volgens mij ben jij voortdurend op stap de laatste tijd. Je lijkt wel onzichtbaar.'

'Ja, erg hè? Het is een gekkenhuis. Iedereen wil tegenwoordig een tweede huis.'

Allison zuchtte. 'Ik kan de hypotheek van mijn eerste al nauwelijks opbrengen. O ja, had ik jullie al verteld over mijn nieuwe buurman?'

'Die beeldhouwer die de hele tijd new age-muziek draait?' vroeg Elaine.

'Nee, die niet. Die is alweer maanden geleden verhuisd,' zei ze met een geringschattend gebaar. 'Nee, deze man heeft kortgeleden het appartement op de hoek gekocht.'

'En hoe luidt het oordeel?' vroeg Elaine, altijd de advocate.

'Alleenstaand, aanbiddelijk en oncoloog,' zei Allison. Ze haalde haar schouders op. 'Er zijn ergere dingen in het leven dan een rijke arts aan de haak slaan.'

Ze had die woorden nog niet uitgesproken of ze sloeg geschrokken haar hand voor haar mond.

Ze vielen alle drie stil.

'Niks aan de hand, jongens,' zei Nora.

'Wat stom van me,' zei Allison gegeneerd. 'Ik flapte het er zo uit.'

'Je hoeft je niet te verontschuldigen.'

'Ander onderwerp! Snel!' riep Elaine.

'Jullie moeten niet zo raar doen. Alleen omdat Tom arts was, hoeven we het onderwerp dokters niet voor altijd te mijden.' Nora legde haar hand op die van Allison. 'Vertel eens wat meer over die oncoloog van je.'

Dat deed Allison en de drie praatten verder in de overtuiging dat ze nu lang genoeg bevriend waren om zo'n onhandige verspreking de avond niet te laten bederven.

De jonge ober kwam terug met een *Cosmopolitan* voor Nora en vertelde hun wat het dagmenu was. De drie vriendinnen dronken, aten, lachten en roddelden geanimeerd. Nora leek volkomen op haar gemak. Tevreden en ontspannen. Zelfs haar vriendinnen hadden niet in de gaten waar Nora de rest van de avond eigenlijk met haar gedachten was: bij de dood van haar eerste echtgenoot, dr. Tom Hollis.

Of liever gezegd, de moord op hem.

10

Een groot glas water en een aspirientje. Dat was het preventieve medicijn dat ze altijd slikte als ze wat gedronken had bij de etentjes met Elaine en Allison. Nora werd nooit dronken. Ze gruwde van het idee dat ze zichzelf niet meer in de hand zou hebben. Maar dankzij de vrolijke sfeer en het goede gezelschap van haar vriendinnen was ze na vanavond toch behoorlijk aangeschoten.

Twéé glazen water en twéé aspirientjes.

Daarna trok ze haar katoenen pyjama aan en trok de onderste la van de ladekast op haar slaapkamer open. Onder een stapeltje kasjmieren truien van Polo lag een fotoalbum verstopt.

Nora sloot de la weer en deed alle lichten uit, op de lamp op haar nachtkastje na. Ze klom in bed en sloeg de eerste bladzijde van het album open.

'Hoe het allemaal begon,' fluisterde ze.

De foto's waren in chronologische volgorde ingeplakt, een fotografische tijdbalk van haar relatie met de eerste grote liefde van haar leven, de man die ze dokter Tom noemde. Hun allereerste weekendje weg naar de Berkshires, een concert in Tanglewood, plaatjes van hen samen in hun suite in de Gables Inn in Lennox.

Op de volgende pagina zaten de foto's van de medische conferentie in Phoenix waar hij haar mee naartoe genomen had. Ze hadden gelogeerd in het Biltmore, een van haar favoriete hotels, maar alleen als je in het hoofdgebouw ondergebracht werd.

Daarna kwamen er wat kiekjes van hun bruiloft in de Conservatory Tent van de Botanische Tuin in New York.

Die foto's werden gevolgd door die van hun huwelijksreis in Nevis. Fantastisch, een van de mooiste weken van haar leven.

Daarna kwamen de andere herinneringen: feesten, etentjes, gekke bekken trekken voor de camera. Nora die met haar tong haar neus aanraakte. Tom die zijn bovenlip omkrulde om op Elvis te lijken. Of moest het Bill Clinton voorstellen?

Toen hielden de foto's op.

In plaats daarvan kwamen de knipsels.

De laatste bladzijden van het album zaten volgeplakt met krantenberichten. De verschillende verhalen en het overlijdensbericht, nu allemaal vergeeld door de tijd die intussen verstreken was. Nora had ze allemaal bewaard.

TOPARTS UIT MANHATTAN STERFT DOOR MEDISCHE MISSER, kopte de *New York Post*. ARTS SLACHTOFFER EIGEN MEDICIJN onthulde de *Daily News*. De *New York Times* hield zich verre van schreeuwende koppen. Die had alleen een eenvoudige necrologie met een zakelijke kop. DR. TOM HOLLIS, BEKEND CARDIOLOOG OP 42-JARIGE LEEFTIJD OVERLEDEN.

Nora sloeg het album dicht en ging liggen, alleen met haar gedachten aan Tom en aan hoe alles gelopen was. Hoe het allemaal begonnen was, eigenlijk. Het begin van haar leven. Vervolgens gleden Nora's gedachten automatisch naar Connor en Jeffrey. Ze wierp een blik op haar linkerhand, ze droeg op dit moment geen van beide ringen. Ze wist dat ze een beslissing moest nemen.

Onbewust begon Nora in gedachten een lijstje te maken. Heel ordelijk en precies. De dingen die haar bevielen van de een tegenover de sterke kanten van de ander.

Connor tegenover Jeffrey.

Ze vormden allebei zulk aangenaam gezelschap. Ze maakten haar aan het lachen en gaven haar het gevoel heel speciaal te zijn. En het viel niet te ontkennen: ze waren allebei geweldig in bed, of waar ze dan ook de liefde wensten te bedrijven. Ze waren lang, in goede conditie en knap als filmsterren. Nee, eigenlijk waren ze nog knapper dan de filmsterren die ze kende.

Eigenlijk hield Nora evenveel van Connor als van Jeffrey. Wat de beslissing alleen maar moeilijker maakte.

Wie van hen moest ze vermoorden?

11

Oké, nu wordt het lastig.

En verdomd gevaarlijk ook.

De toerist zat aan een hoektafeltje van de Starbucks-vestiging in West 23rd Street in Chelsea. Bijna alle tafeltjes waren bezet door leeghoofden en niksnutten, maar de omgeving deed veilig en beschermd aan. Misschien wel juist omdat er zoveel niksnutten en klaplopers zaten en jezus, voor drie dollar zoveel mocht je toch ook wel wat extra's bij je koffie verwachten, wat toegevoegde waarde.

De koffer die hij zich voor het station had toegeëigend, stond tussen zijn benen op de grond en hij wist er intussen al wat meer over.

Eén: hij was open, hij zat niet op slot.

Twee: er zat herenkleding in, waarvan het grootste deel flink gekreukt was en een bruinleren toilettas.

Drie: in de toilettas zat de gebruikelijke scheertroep, maar ook iets interessants. Een Flash Drive, een soort minidiskette. Om die Flash Drive draaide het dus allemaal. Dat moest wel. Hoe ironisch: het ding was nog kleiner dan zijn vinger.

Maar dat onooglijke gevalletje kon een hele hoop informatie bevatten. En dat was hiermee blijkbaar ook het geval.

De toerist had zijn Mac al tevoorschijn gehaald. Nu kwam het moment van de waarheid. Als hij durfde tenminste. En hij durfde.

Daar gaat ie dan!

Hij plugde de Flash Drive in zijn Mac.

Waarom moest zo'n zielige vetzak hiervoor sterven op 42nd Street?

Het pictogram van de drive kwam in beeld: E.

De toerist begon de files van de Flash Drive naar het bureaublad te slepen. Van je één, twee huppekee.

Een paar minuten later kon de toerist de inhoud bekijken.

Maar iets weerhield hem daarvan.

Een knap grietje, helaas met knalrood en zwart geverfde stekels, probeerde vanaf het tafeltje naast hem mee te gluren.

De toerist keek haar aan. 'Ken je die belegen grap niet? Je mag zien wat er op het scherm staat, maar daarna zal ik je moeten doden?'

Het meisje lachte. 'Wat dacht je van: als jij mij de jouwe laat zien, mag jij de mijne zien?'

De toerist lachte terug. 'Jij hebt geen laptop.'

'Helaas voor jou.' Ze haalde haar schouders op en stond op om te vertrekken. 'Je ziet er best leuk uit voor zo'n lul.'

'Ga eens naar de kapper,' zei de toerist grijnzend.

Daarna keek hij eindelijk weer naar zijn scherm.

Daar gaat ie dan!

Wat hij zag staan, leek wel logisch. Min of meer. Als je in deze krankzinnige wereld tenminste van logica kon spreken.

Het document bestond uit namen, adressen en namen van banken in Zwitserland en op de Caymaneilanden. Buitenlandse bankrekeningen.

En bedragen.

De toerist telde ze uit het hoofd op.

Het was niet tot op de komma nauwkeurig, maar nauwkeurig genoeg.

Iets over de één komma vier.

Miljard. Dollar.

12

New York mag dan de stad zijn die nooit slaapt, maar om vier uur 's ochtends waren er toch in elk geval gedeelten die nauwelijks wakker te noemen waren. Een daarvan was de schaars verlichte kelder van een parkeergarage op de Lower East Side. Vijf verdiepingen onder de grond was het er uitgestorven. Een betonnen cocon. Het enige geluid was het hypnotiserende gezoem van de tl-buizen aan het plafond.

Dat, en het ongeduldige tikken van een middelvinger op het stuur door een man in een geparkeerde blauwe Ford Mustang.

In die Mustang keek de toerist hoofdschuddend op zijn horloge. Het tikken met de vinger ging door, zijn middelvinger. Zijn contactpersoon was te laat.

Twee dagen te laat om precies te zijn.

Een gemiste afspraak.

Een teken van onraad? Ongetwijfeld.

Tien minuten later werd de muur tegenover de helling naar de volgende verdieping eindelijk beschenen door een stel koplampen. Er kwam een witte Chevy aan rijden. Op de zijkant stond de naam van een bloemisterij: LUCILLE'S BLOEMENHUIS.

Het zal toch niet waar zijn, dacht de toerist bij zichzelf. Een bloemisterij-auto?

Het busje kwam langzaam op de Mustang af en hield op zo'n zeven meter afstand stil. De motor werd afgezet en er stapte een lange, broodmagere man uit. Hij had een grijs pak aan met daaronder een wit overhemd en een das. Hij liep op de Mustang af. Er zat nog iemand in, maar die kwam niet naar buiten.

De toerist stapte uit en kwam de dunne man halverwege tegemoet. 'Je bent te laat,' zei hij.

'En jij hebt geluk dat je nog leeft,' zei de ander.

'Er zijn mensen die dat als een talent zien.'

'Dat schot was inderdaad niet slecht. Precies midden in zijn voorhoofd heb ik me laten vertellen.'

'Hij had wel een wijkende haarlijn. Een groter doelwit dan normaal dus. Hoe is het met het meisje?'

'Behoorlijk van de kaart, maar daar komt ze wel overheen. Ze is even professioneel als jij.' De dunne man voelde in zijn jaszak. Geen goed teken! Hij trok een pakje Marlboro tevoorschijn en bood er een aan de toerist aan.

'Nee, dank je. Ik ben in de vastenperiode gestopt. Vijftien jaar geleden.' De man stak een sigaret op. Hij schudde het vlammetje van de lucifer uit.

'Wat zeggen ze bij de politie?' vroeg de toerist.

'Niet veel. Ze proberen wijs te worden uit de elkaar tegensprekende getuigenverklaringen.'

'Er zat zeker iemand van jullie mensen tussen?'

'Twee, om precies te zijn. Die hebben allebei verklaard dat je een sikje had en een litteken in je nek.'

De toerist lachte en wreef over zijn onbehaarde kin. 'Dat is niet slecht. En hoe reageert de pers?'

'Die hebben zich er met zijn allen bovenop gestort. Het enige raadsel dat nog groter is dan wie jij bent is wat er in die koffer zit. En nu we het daar toch over hebben...'

'In de kofferbak.'

Ze liepen samen naar de Mustang. De toerist deed de klep open. Hij tilde de koffer eruit en zette hem op de grond. De andere man keek er even naar.

'Kwam je niet in de verleiding om hem open te maken?' vroeg hij.

'Hoe weet je dat ik dat niet gedaan heb?'

'Dat heb je niet gedaan.'

'Maar hoe weet je dat?'

De man blies een kringetje rook. 'Omdat we dan een heel ander gesprek gevoerd zouden hebben.'

'Moet ik begrijpen wat dat betekent?'

'Natuurlijk niet. Jij weet van niks.'

De toerist ging daar verder maar niet op in. 'Wat gebeurt er nu?'

'Nu maak je dat je wegkomt. Je hebt toch wel een andere klus?'

Een klus? 'Ja, ik ben alweer met iets heel interessants bezig. Wie is dat in die bus?'

'Je hebt het goed gedaan. Dat moest ik van hem zeggen. Laten we het daar maar op houden.'

'Ik ben ook goed. Daarom heeft hij mij er ook bij gehaald.'

Ze gaven elkaar een hand en de toerist keek toe hoe de dunne man de koffer naar het busje droeg en wegreed. De toerist vroeg zich af of het op de een of andere manier te zien zou zijn dat hij de inhoud van de Flash Drive bekeken had. Hoe dan ook, hij was nu een van de ingewijden. Al was hij dat veel liever niet geweest.

13

Het was een drukke ochtend voor Nora. Ze had eerst een zalig uurtje doorgebracht bij Sentiments in East 61st Street en nu moest ze voor een cliënte naar ABC Carpet and Home aan Union Square. Daarna moest ze naar de showroom van D&B Building en ten slotte nog naar Devonshire, een Engelse tuinwinkel.

Ze was aan het winkelen voor Constance McGrath, een van haar eerste klanten. Constance, die absoluut het type niet was voor 'zeg maar Connie', was verhuisd vanuit haar chique appartement aan de East Side naar een nog chiquer appartement ten westen van Central Park. Het Dakota om precies te zijn, waar de film *Rosemary's Baby* was opgenomen en waar John Lennon vermoord was. Constance, die vroeger op het toneel gestaan had, hield nog steeds van drama. Ze had haar verhuizing naar de andere kant van Central Park als volgt aan Nora uitgelegd: 'De zon gaat onder in het westen en hier, in mijn laatste appartement, zal dat ook voor mij gelden.'

Nora mocht Constance graag. Ze was uitbundig, uitgesproken en uiterst scheutig met de uitspraak die een lust is voor het oor van iedere binnenhuisarchitect: 'Laat geld vooral geen bezwaar zijn.' En ze had twee echtgenoten overleefd.

'Wel heb ik ooit!' klonk een mannenstem.

Nora draaide zich om en zag Evan Frazer staan met uitgespreide armen in de omhelzingsstand. Evan werkte bij de antiekzaak Ballister Grove die vrijwel de gehele vierde verdieping in beslag nam.

'Evan!' zei Nora. 'Wat leuk om je te zien.'

'En nog veel leuker om jou weer eens te zien,' zei hij. Hij kuste Nora op beide wangen. 'Voor welke wanstaltig rijke cliënt ben je nu weer aan het winkelen?'

Nora zag de dollartekens in zijn ogen verschijnen. 'Die blijft vanzelfsprekend anoniem, maar gelukkig voor jou heeft ze besloten zich te ontdoen van haar barokke Frans voor een wat traditionelere Engelse stijl.'

'Dan ben je hier precies op de juiste plaats,' zei hij met een brede, blikkerende grijns. 'Maar dat is jou ook wel toevertrouwd.'

Het uur daarop liep Evan met Nora mee door zijn complete voorraad Engels meubilair. Hij wist precies wat hij wel en wat hij niet moest zeggen. Vooral wat hij niet moest zeggen tegen Nora Sinclair.

Nora had er een gruwelijke hekel aan als een verkoper tegen haar zei dat iets mooi was. Alsof dát haar op andere gedachten zou brengen. Ze had haar eigen esthetiek. Haar eigen smaak. Deels aangeboren, deels ontwikkeld en aangescherpt door haar ervaring. Daar vertrouwde ze onvoorwaardelijk op.

'Heeft deze één uitschuifblad of twee?' vroeg ze Evan bij een eetkamertafel van beuken met een rand van satijnhout.

'Hij heeft er één,' zei hij. 'Maar er is plaats voor twee en een tweede is zo gemaakt.'

'Eén is genoeg.' Ze wierp een vluchtige blik op de prijs, al was dat alleen maar plichtshalve als je voor Constance McGrath aan het winkelen was. Nora deed een stapje naar achteren, liet haar blik nog één keer over de tafel glijden en sprak toen haar eigen formule uit voor 'die neem ik'. Waarom zou je drie woorden gebruiken als één ook genoeg was en nog krachtiger ook?

'Verkocht!' verklaarde ze.

Evan trok meteen een verkocht-sticker van zijn klembord en sloeg die met een klets op de tafel. Het was de vierde en laatste klets van die ochtend. Opgeteld bij de vitrinekast, de hoge ladekast op pootjes en de canapé die ook van een sticker voorzien waren, was Nora heel tevreden. Ze namen plaats op een grote sofa waar Evan de rekening opmaakte. Er werd niet gesproken over de tien procent provisie die Nora ten deel viel. Dat was een stilzwijgende afspraak.

Nadat ze afscheid genomen had van Evan at Nora nog even wat in een van de restaurants van de winkel, La Mercado. Ze bedacht dat ze niet meer naar D&D en Devonshire toe hoefde. Ze had alles wat ze nodig had al bij Sentiments en Ballister Grove gekocht. Bij een salade met kip en avocado en een flensje met *dulce de leche* als dessert werkte ze wat telefoontjes af.

Ze belde Constance om te jubelen over de aankopen van die ochtend. En ze beantwoordde twee voicemailberichtjes van Jeffrey en Connor om aan haar echtelijke plichten van die dag te voldoen.

14

Nu was er nog een belangrijk klusje af te handelen bij een juridisch adviesbureau in East 49th Street vlak bij de East River.

'Wat kan ik voor u betekenen, mevrouw Sinclair?' vroeg Steven Keppler. Nora lachte hem warm toe. 'Zeg toch Olivia.'

'Dat zal ik doen, Olivia.' Keppler wierp haar een iets te brede lach toe vanachter zijn reusachtige bureau. 'Mijn boot heet ook *Olivia*.'

'Dat meen je niet!' veinsde Nora verbazing. 'Dat beschouw ik als een goed voorteken.'

Wat ze als een nog beter voorteken beschouwde, was de manier waarop Steven Keppler, een fiscaal jurist van middelbare leeftijd met lang sliertig haar dat van links naar rechts over zijn kalende schedel gekamd was, naar haar borsten en haar benen zat te gluren.

Dat was bijna een garantie voor een goede vaart.

De andere mannelijke fiscaal juristen op Nora's lijstje waren allebei de komende twee à drie weken al volgeboekt geweest. Dat had eigenlijk ook voor Steven Keppler gegolden, ware het niet dat er opeens een gaatje in zijn agenda vrijgekomen was door een zieke cliënt. Daar had ze mee geboft. Binnen 24 uur had Nora al terecht gekund. Of liever gezegd, had 'Olivia' al terecht gekund. Voor wat Nora wilde doen, had ze haar moeders naam nodig.

Ze vervolgde: 'Waar ik jou nodig voor heb, Steven, is het opzetten van een onderneming.' En voor alle duidelijkheid: die onderneming zit niet in mijn beha.

'Toevallig ben ik daar nou juist in gespecialiseerd,' zei de jurist.

Nora deed haar uiterste best niet te rillen, toen hij die zin ook nog afsloot met een combinatie van een knipoog en een klakkend geluid vanuit de zijkant van zijn mond.

'En waar moet die onderneming gevestigd zijn?' vroeg hij.

'De Caymaneilanden.'

'Aha,' zei hij en even viel hij stil. Een lichtelijk verontruste blik gleed over zijn gezicht. Deze uiterst aantrekkelijke nieuwe cliënte in haar zijden blouse en korte rok wilde dus de wet omzeilen en geen belasting betalen. 'Ik hoop niet dat dat een punt is?' vroeg Nora.

Kepplers walgelijke geloer werd nog een graadje erger. 'O nee, ik zou niet weten waarom dat een punt... zou moeten zijn,' stamelde hij. 'Het is alleen zo dat je, om daar een onderneming te kunnen starten, de medewerking nodig hebt van een zogenaamde geregistreerde vertegenwoordiger. Eenvoudig gezegd komt het erop neer dat je een inwoner van de Caymaneilanden bereid moet zien te vinden om, alleen in naam, als vertegenwoordiger op te treden voor jouw bedrijf. Ben ik een beetje duidelijk?'

Nora wist dit allemaal al, maar daar liet ze niets van merken. Ze knikte als een overijverige studente. 'En laat ik nou toevallig,' voegde Keppler eraan toe, 'zo'n vertegenwoordiger in dienst hebben.'

'Wat een toeval,' zei Nora.

'Ik neem aan dat je graag wilt dat er daar een bankrekening voor je geopend wordt?'

Bingo.

'Ja, dat lijkt me een goed idee. Kun jij dat voor me doen?'

'Nou nee. Dat kun je alleen maar zelf doen,' zei hij.

Nora schoof weer op haar stoel heen en weer. 'O, wat vreselijk lastig nou toch,' zei ze.

'Dat is het zeker.' Hij boog zich over zijn bureau naar haar toe. 'Ik kan wel kijken wat ik voor je kan regelen. Misschien lukt het me om je de reis te besparen.'

'Dat zou geweldig zijn! Je zou mijn leven redden.'

Hij strekte zijn arm uit naar een dossierkast en trok een stel formulieren tevoorschijn. 'Dan heb ik wel wat informatie van je nodig, Olivia.'

15

De taxi nam die vrijdag even voor de schemering viel de afrit van de drukke Route 9 en reed met een flinke vaart over de schilderachtige Scarborough Road naar de al even fraaie Central Avenue om ten slotte te stoppen voor Connors oprit van Belgische kasseien. De chauffeur was net uitgestapt om het portier voor Nora open te maken, maar Connor die blijkbaar stond te popelen om haar weer te zien, was hem net voor.

'Kom hier, jij!' wenkte hij haar. 'Ik brand van verlangen naar je.'

Nora zwaaide haar voeten naar buiten en sprong meteen in zijn armen. Ze kusten elkaar terwijl de chauffeur, een stoere, oudere Italiaan, de kofferbak openmaakte en Nora's koffer tevoorschijn haalde. Hij deed zijn best niet te staren, maar hij kon het niet laten. De zon ging onder na een prachtige dag en voor een van de schitterendste huizen die hij ooit gezien had, stond dit mooie stel dat blijkbaar tot over hun oren verliefd was. Als dit niet het hoogste is wat je kunt bereiken, weet ik het ook niet meer, dacht hij bij zichzelf.

'Alsjeblieft,' zei Connor. Hij graaide in zijn broekzak en haalde er een stapel biljetten uit. Hij stopte de chauffeur een fooi van twintig dollar toe.

'Dank u beleefd, meneer,' zei de man met een vet accent. 'Dat is heel vriendelijk van u.'

'Wat ben je toch een schat,' kirde Nora, die zijn middel omklemde.

Dat was hij echt, bedacht ze.

De chauffeur grinnikte en liep terug naar zijn auto. 'Nog een mooie avond, kinderen,' riep hij achterom.

Nora en Connor lachten en bleven even staan kijken hoe de auto van de oprit wegreed.

Nora scheurde zich los van Connor. 'Hoe was het op je werk?' vroeg ze.

'Hoewel, nu ik er over nadenk, wil ik eigenlijk helemaal niet over je werk praten.'

'Ik ook niet,' zei hij. 'Trouwens, mensen die alleen maar werken...'

'... zijn stoffig en dodelijk saai.'

Dit was een van hun eerste mantra's en nog steeds een van hun favoriete.

'We zouden het hier en nu moeten doen,' zei ze met een knipoog. 'Gewoon hier op het gazon! Laat de buren maar verrekken. Laat ze maar kijken als ze willen. Misschien krijgen ze zo nog inspiratie.'

Connor stak zijn hand uit naar de hare. 'Eigenlijk heb ik een beter idee.'

'O? Beter dan seks met mij? Wat mag dat dan wel zijn?'

'Een verrassing,' zei hij. 'Kom maar mee.'

16

'Wil je het in de garage doen?' vroeg Nora giechelend.

Connor kon zijn lachen bijna niet inhouden. 'Nee,' zei hij. 'Dat is de verrassing niet. Hoewel het geen slecht idee is.'

Hij nam Nora mee naar de andere kant van het huis en bleef een meter of drie van zijn garage met plaats voor vijf auto's staan. Alle deuren zaten dicht. Nora stond bij hem zonder te weten wat ze kon verwachten.

'Ben je er klaar voor?' vroeg hij.

Hij grabbelde in zijn andere broekzak, die waar geen stapel bankbiljetten in zat, en trok de afstandsbediening voor de garagedeuren tevoorschijn. Die had vijf knoppen. Hij drukte op de middelste.

Langzaam begon de deur omhoog te schuiven.

'Lieve hemel!' gilde Nora.

Achter de deur, met de neus naar voren, stond een fonkelnieuwe, helderrode Mercedes SL500 cabrio met een enorme witte strik op de motorkap.

'En?' vroeg Connor.

Nora was sprakeloos.

'Ik dacht zo, als jij mijn vrouw wordt, zul je toch je eigen wagentje nodig hebben. Vind je ook niet?'

Nora was nog steeds sprakeloos.

Hij kreeg hier een enorme kick van. 'Ik neem aan dat ik je heb weten te verrassen?'

Nora sprong in zijn armen. Toen kwamen de woorden en niet zachtjes ook. 'Je bent geweldig! Dank je, dank je, dank je!' Ze zwaaide met haar linkerhand. 'Eerst al zo'n prachtige ring en nu...'

'Een sleutelring,' zei hij, alsof dat ook een van hun mantra's was. 'Die trouwens al in het contact zit.'

Connor droeg Nora de garage in en zette haar voorzichtig op de bestuurdersplaats. Toen rende hij eromheen naar de andere kant en griste onderweg de strik mee. 'Ik wil voorin!' gilde hij als een schooljongen en hij sprong over het portier de auto in.

Nora zat het interieur van de auto te bewonderen en streek met haar vingers over het gestikte leer van het stuur. 'Wat dacht je ervan als we hem nu dan maar eens gingen inwijden?'

'Natuurlijk. Daar is hij voor.'

Ze keek hem aan met ondeugend krullende mondhoeken. Haar handen waren opeens helemaal niet meer in de buurt van het contact. Ze speelden tussen Connors benen.

'O,' kreunde hij gelukkig en zijn lage stem sloeg over.

Nora klom lenig uit haar stoel naar Connor toe. Boven op hem, met gebogen knieën, begon ze met haar vingers door zijn dikke zwarte haar te strijken, terwijl ze zijn voorhoofd, wangen en ten slotte zijn mond zachtjes kuste. Ze maakte de knoopjes van zijn sportieve overhemd los.

'Hoe ver zou je deze stoelen naar achteren kunnen klappen?' vroeg ze.

'Dat zou ik moeten proberen.'

Hij stak zijn hand uit naar de zijkant van de stoel en met een laag brommend geluid zakte de rugleuning achterover. Ze kleedden elkaar uit en het leek wel alsof hun kleren in brand stonden. Zijn shirt, Nora's blouse en beha. Broek en rok, boxershort en slipje.

'Ik hou van je,' zei Connor terwijl hij in haar ogen staarde. Het was onmogelijk hem niet te geloven en niet zelf iets soortgelijks te voelen.

'Ik ook van jou,' zei ze terug.

En in de garage maakte Nora een proefritje in haar nieuwe auto.

17

'Weet je wel dat er hier in huis maar één kamer is waar we nog niet ge-vrijd hebben?' vroeg Connor. Hij keek alsof hij een hoofdrekensomme-tje aan het maken was.

'Nou ja, de nacht is nog jong,' zei Nora.

Hij trok haar steviger in zijn armen. 'Je bent onverzadigbaar.'

'En jij bent de gelukkige ontvanger.'

Ze waren uiteindelijk uit de garage tevoorschijn gekomen en stonden nu in de keuken, met hun kleren bij elkaar in de armen.

'Over onverzadigbaar gesproken...' zei hij.

Ze onderdrukte een lach. 'Dat had ik kunnen weten. Oké, blote jongen,' zei ze. 'Wat dacht je van een omelet?'

'Lijkt me heerlijk. Maar we kunnen ook buitenshuis gaan eten. Ik kan reserveren bij dat restaurantje in Pound Ridge. Of bij de Iron Horse.'

Nora schudde het hoofd.

'In wat voor omelet heb je zin? Ik wil voor je koken.'

'Verras me maar,' zei hij. 'Laten we dat maar als thema nemen voor deze avond: verrassingen.'

En voor het eerst voelde Nora een steek in haar maag. Het was zover.

Hij ging even snel douchen, maar bracht eerst haar koffer naar binnen, die nog op de oprit stond. Ze maakte hem in de keuken open en haalde er een netjes opgevouwen spijkerbroek en een wit katoenen topje uit.

Toen klonk opeens, als een oude bekende, een klein stemmetje in haar hoofd.

'Kom op, Nora, hou je hersens erbij.'

Ze kleedde zich aan en begon de omelet klaar te maken. Een blik in de koelkast leerde haar dat er een halve ui was, een groene paprika en een plak ham van een halve centimeter dik. Dat was duidelijk: een boeren-omelet dus.

Je hebt je besluit al genomen. Het zijn alleen maar zenuwen. Je weet dat je je daar overheen kunt zetten. Dat heb je al eerder gedaan.

Tegen de wand bij het aanrecht zat een metalen strip voor de keukenmessen. Nora staarde ernaar. Ze hingen keurig naast elkaar, vlijmscherp. Ze pakte de grootste en greep hem stevig beet. Haar vingers gleden zoekend over het licht gebogen heft voor ze ze eromheen klemde.

Vergeet die auto. En de ring. Vooral de ring.

De eieren werden kapot getikt en losgeklopt, de groene paprika gesnipperd. Nora sneed de ham in kleine blokjes. Ze stond bij de snijplank die op het aanrecht lag met haar rug naar de keukendeur. Ze hoorde Connor binnenkomen.

'Ik heb me toch een honger. Ik zou een restaurant kunnen leegeten,' klonk zijn stem bij elk woord iets harder.

Doe het, Nora!

Hij liep op haar af.

Doe het. Nu!

Ze sneed nog een reep ham af en staarde ingespannen naar het mes. Ze had het zo stijf in haar hand geklemd, dat haar knokkels er wit van waren. Het licht van het plafond weerkaatste in het lemmet.

Ze kon nog van gedachten veranderen.

Connors voetstappen waren nu vlak achter haar, steeds dichterbij. Ze voelde zijn warme adem in haar nek. Hij stond binnen handbereik. Ze draaide zich razendsnel om, haar hand opgeheven.

18

'Hoe smaakt dit?' vroeg ze.

Connor deed zijn mond open voor het stukje ham dat tussen haar vingertoppen bungelde. Hij kauwde een paar keer. 'Heerlijk.'

'Mooi, want ik wist niet hoelang het hier al lag,' zei ze. 'Hoe was de douche?'

'Heel lekker. Maar niet zo lekker als jij.'

Nora was klaar met de ham en begon nu de ui te snipperen. Er was nog tijd om de beslissing terug te draaien.

Connor, die een joggingbroek had aangeschoten en zijn natte haar naar achteren had gekamd, liep naar de koelkast en haalde er een Amstel uit. 'Jij ook?' vroeg hij.

'Nee, dank je. Ik heb al water.' Ze hield de fles Evian in de lucht. 'Ik let op mijn lijn. Voor jou.'

Hij maakte het flesje open en nam een teug. Hij keek Nora van opzij aan. 'Is er iets?'

Ze draaide zich naar hem om zodat hij de eenzame traan zag, die een spoor trok over haar wang.

'O,' zei ze, toen ze opeens besefte dat die er zat. Ze veegde hem weg en lachte geforceerd voor ze haar ogen neersloeg. 'Dan moet ik dus toch huilen van uien.'

Nora bakte de omelet op een laag vuurtje, zodat hij niet bruin werd, precies zoals hij het lekker vond. Ze zette hem voor Connor neer op de keukentafel. Hij bestrooide hem rijkelijk met peper en zout en zette zijn vork erin.

'Fantastisch!' meldde hij. 'Dit zou wel eens je beste kunnen zijn.'

'Fijn dat je hem lekker vindt.' Ze ging naast hem zitten. Hij nam nog een paar happen, terwijl zij toekeek.

'En wat zijn je plannen voor morgen?' vroeg hij.

'Weet ik nog niet. Misschien kunnen we een ritje met mijn nieuwe auto maken.'

'Je bedoelt: echt buiten de garage?'

Hij lachte en tilde zijn vork omhoog voor een volgende hap. Maar toen die halverwege zijn mond was, verstijfde Connor...

Van het ene moment op het andere trok al het bloed weg uit zijn gezicht. Hij werd lijkbleek. Zijn hoofd begon te wiebelen. De vork viel met een kletterend geluid op zijn bord.

'Connor? Wat is er?'

'Dat weet ik niet...' Hij kon nauwelijks nog praten. 'Dat weet ik niet,' perste hij er met veel moeite uit. 'Ik voel me opeens zo...'

Hij klapte voorover en greep naar zijn maag alsof hij een gemene dreun gekregen had. Of een messteek. Zijn ogen rolden naar achteren. Hij zakte weg in zijn stoel voor hij er met een gruwelijke dreun vanaf viel.

'Connor!' Nora sprong van haar stoel om hem overeind te helpen. 'Kom maar,' zei ze. 'Sta maar op.'

Hij kwam met moeite overeind, zijn benen leken wel van elastiek. Ze leidde hem naar de wc op de gang. Connor zakte opnieuw in elkaar, viel bijna flauw. Nora deed de bril van de wc omhoog en hij wilde erheen kruipen.

'Ik moet... ik moet overgeven,' stamelde hij tussen twee happen naar adem door. Hij begon te hyperventileren.

'Ik haal even iets voor je,' zei ze met een stem waar de paniek doorheen klonk. 'Ik ben zo terug.'

Ze rende naar de keuken terwijl Connor met veel moeite zijn hoofd boven de pot van de wc manoeuvreerde. Zijn lijf was een borrelende hel en dat gold niet langer alleen voor zijn maag. Het zweet stroomde uit al zijn poriën.

Nora kwam terug met een glas in haar hand. Er zat iets helders en bruisends in. Het zag eruit als Alka-Seltzer. 'Hier, drink dit maar,' zei ze.

Connor nam met trillende handen het glas van haar over. Hij kon het nauwelijks vasthouden, dus hielp ze hem. Hij nam een slokje en daarna nog een.

'Drink nog maar wat,' zei ze. 'Drink het glas maar leeg.'

Hij nam nog een slokje maar greep daarna weer naar zijn maag. Connor hield zijn ogen stijf dicht, klemde zijn kiezen op elkaar, zodat zijn kaakspieren zo strakgespannen waren, dat het leek alsof ze elk moment uit zijn huid konden barsten.

'Help me,' smeekte hij. 'Nora!'

Een paar seconden later leek het alsof zijn gebed verhoord werd. Het vreselijke trillen begon weg te zakken. En zo snel als het opgekomen was, verdween het nu ook weer.

'Ik geloof dat het medicijn werkt, lieverd,' zei Nora.

Connor kon weer normaal ademhalen. Hij had weer iets meer kleur gekregen. Hij deed zijn ogen open, eerst traag, daarna opeens wijd opengesperd. Hij zuchtte lang en diep. 'Wat was dat nou?' vroeg hij.

Op dat moment begon het weer van voor af aan.

Alleen tien keer zo erg. Het trillen was nu een serie wrede stuiptrekkingen die zijn lichaam deden schudden. Het naar adem happen werd een snelle en gruwelijke verstikking. Connors gezicht werd blauw, zijn ogen waren bloeddoorlopen.

Het glas viel uit zijn hand in scherven op de grond. Er joegen stuiptrekkingen door hem heen en hij kronkelde van de pijn. Zijn handen omklemden zijn nek, wanhopig op zoek naar lucht.

Hij wilde schreeuwen. Dat lukte niet. Er kwam niets uit zijn mond.

Hij wilde zich aan Nora vastklampen. Ze deed een stap naar achteren. Ze wilde niet kijken, maar ze kon haar blik niet van hem losscheuren. Het enige wat ze kon doen was wachten tot het schudden en stuiptrekken weer zou ophouden, wat het uiteindelijk deed.

Voorgoed.

Connor lag op de grond van een van de wc's van zijn villa van duizend vierkante meter.

Dood.

19

Het eerste wat Nora deed was de scherven van de toiletvloer opvegen.

Het tweede was de restanten van de omelet in de afvalvernietiger gooien, die aanzetten en vervolgens het bord en de vork grondig afwassen.

Het derde was een flinke borrel voor zichzelf inschenken.

Een half glas Johnny Walker Blue Label. Ze goot hem in een halve seconde naar binnen en schonk nog wat meer voor zichzelf in en ging daarna aan de keukentafel zitten. Ze zette haar gedachten op een rijtje. Oefende wat ze zou gaan zeggen. Haalde diep adem en ademde langzaam weer uit. De voorstelling kon beginnen.

Nora liep kalm naar de telefoon en toetste een nummer in. Ze herinnerde zichzelf er nog eens aan dat de slimste leugenaars geen details geven.

Na twee keer overgaan nam een vrouw op die zei: 'Met de Alarmcentrale, wat kan ik voor u doen?'

'O, god!' schreeuwde Nora in de hoorn. 'Help me alstublieft, hij ademt niet meer!'

'Wie ademt er niet, mevrouw?'

'Ik weet niet wat er gebeurd is. Hij was aan het eten, toen hij opeens...'

'Mevrouw,' onderbrak de telefoniste haar. 'Wíe ademt er niet meer?'

Nora haalde haar neus op en hijgde hoorbaar. 'Mijn verloofde!' jammerde ze.

'Heeft hij zich verslikt?'

'Nee,' riep ze uit. 'Hij voelde zich opeens niet lekker en... en... en toen...'

Nora viel stil. Ze dacht dat onafgemaakte zinnen het beter zouden doen op de opnamen van de alarmcentrale.

'Waar bent u, mevrouw? Wat is uw adres?' vroeg de telefoniste. 'Ik heb een adres nodig.'

Nora wisselde gehakkel af met nog meer snikken tot ze uiteindelijk Connors adres in Briarcliff Manor doorgegeven had.

'Goed, mevrouw, blijf waar u bent en probeer vooral kalm te blijven. Er komt dadelijk een ambulance aan.'

'Laat ze alstublieft opschieten!'

Nora hing op. Ze berekende dat ze nu een minuut of zes, zeven voor zichzelf had. Tijd genoeg voor nog een schoonmaakbeurt.

De fles Johnny Walker mocht op tafel blijven staan, vond ze, net als het glas waaruit ze gedronken had. Niemand zou het haar tenslotte kwalijk nemen dat ze op een moment als dit een borrel nodig gehad had. Het pillenpotje daarentegen moest wel degelijk weggestopt worden.

Ze stopte het terug in haar koffer en begroef het diep in haar toilettas die op zijn beurt weer diep onder haar kleren begraven zat. Mocht iemand het daar ooit vinden en het etiket lezen, dan zou diegene zien dat ze tabletjes van 10 milligram Zyrtec bij zich had voor haar hooikoorts, hoewel het absoluut af te raden zou zijn er eentje van te gebruiken.

Nora ritste de koffer dicht en droeg hem naar de slaapkamer boven. Daar bracht ze nog wat laatste wijzigingen aan voor de manshoge spiegel. Ze trok haar katoenen T-shirt uit haar broek en trok een paar keer aan de hals. Vervolgens wreef ze flink door haar ogen om die rood te maken. Door een paar keer snel achter elkaar met haar ogen te knipperen perste ze nog wat tranen tevoorschijn om haar make-up wat meer door te laten lopen.

Zo, dat moest voldoende zijn.

Nora was klaar voor het volgende bedrijf.

20

Best wel spannend, eigenlijk. Opwindend. Het beslissende derde bedrijf van het stuk.

Zwaailichten en het steeds harder wordende geluid van een sirene vulden de oprit. Nora rende hysterisch gillend via de voordeur naar buiten. 'Snel! Schiet toch op! Alstublieft!'

De ambulancemedewerkers, twee jonge mannen met kortgeschoren haar, grepen hun tas en renden het grote huis in.

Nora wees hun het toilet in de hal waar Connors grote lichaam uitgestrekt op de vloer lag.

Opeens zakte ze op haar knieën, onbeheerst snikkend, haar gezicht tegen Connors borst gedrukt. Een van de ambulancemedewerkers, de kleinste van de twee, moest haar de gang op slepen om plaats te maken voor hemzelf en zijn collega. 'Toe, mevrouw. Laat ons even onze gang gaan. Misschien leeft hij nog.'

De vijf minuten daarna werd alles in het werk gesteld om Connor Brown weer tot leven te wekken, maar alle pogingen waren tevergeefs. Uiteindelijk wisselden de twee ambulancemedewerkers de bekende blik uit, de woordeloze erkenning dat verder handelen zinloos was.

De oudste van de twee keek achterom naar Nora die in de deuropening stond, door de schok kennelijk totaal van de kaart. Zijn gezicht sprak boekdelen. Woorden waren niet nodig, maar toch sprak hij de overbodige tekst: 'Het spijt me.'

Ze begreep wat er van haar verwacht werd en barstte weer in tranen uit. 'Nee!' gilde ze. 'Nee, nee, nee! O, Connor, Connor!'

Enige minuten later arriveerde de politie van Briarcliff Manor. Dat was routine, wist Nora. Omdat Connor ter plekke doodverklaard was, moesten zij gebeld worden. Nog een gillende sirene en meer zwaailichten op de oprit.

Een paar buren stonden op straat toe te kijken. Nog maar een uur geleden hadden Nora en Connor gegrapt over de buren die misschien wel naar hun vrijpartij zouden willen kijken.

De agent die haar te woord stond, heette Nate Pingry. Hij was ouder dan zijn collega, agent Joe Barreiro, en duidelijk degene met de meeste ervaring van de twee. Hun bedoeling was duidelijk: proces-verbaal opmaken van alle gebeurtenissen die hadden geleid tot de dood van Connor Brown en de omstandigheden waaronder die voorgevallen was. Met andere woorden: de vereiste papierwinkel.

'Ik weet hoe moeilijk dit voor u moet zijn, mevrouw Brown, dus we zullen ons best doen dit zo snel mogelijk af te handelen,' zei Pingry.

Nora had haar hoofd in haar handen begraven. Ze zat op de poef in de woonkamer waar de ambulancemedewerkers haar bijna heen hadden moeten dragen. Ze keek op naar de twee politiemannen, Pingry en Barreiro.

'We waren niet getrouwd,' zei ze met een snik. Ze zag hoe de twee agenten een blik wierpen op haar linkerhand en de vierkaraatsring die Connor haar gegeven had. 'We zijn alleen...' Ze viel even stil en liet haar hoofd weer in haar handen zakken. 'We hebben ons onlangs verloofd.'

Agent Pingry pakte het behoedzaam aan. Met hoeveel tegenzin hij dit onderdeel van zijn werk ook verrichtte, hij wist dat het gebeuren moest. Van alle eigenschappen die daarvoor nodig waren, was de juiste hoeveelheid geduld wel de belangrijkste.

Langzaam leidde Nora hem en zijn collega langs alle gebeurtenissen van die avond. Haar aankomst toen het ging schemeren, de omelet die ze voor Connor gebakken had, het moment dat hij aankondigde zich niet lekker te voelen. Ze beschreef hoe ze hem naar het toilet begeleid had en de pijn die hij leek te hebben geleden.

Nora praatte maar door en corrigeerde zichzelf een paar keer. Op andere momenten was ze juist weer heel helder. Ze had in boeken over forensische psychologie gelezen dat mensen die in de rouw waren psychisch en emotioneel meestal nogal instabiel waren.

Nora bekende zelfs aan de agenten dat Connor en zij net gevrijd hadden. Ze maakte er zelfs een punt van dat te vermelden. Het rapport van de forensische lijkschouwer zou nog wel een dag of wat op zich laten wachten, maar ze wist nu al wat er uit de obductie zou blijken. Connor was aan een hartstilstand overleden.

Die zou door de seks veroorzaakt kunnen zijn, ook al was hij nog maar veertig. Dat zou een van de theorieën zijn. Stress veroorzaakt door zijn drukke baan zou een andere zijn. Misschien zaten hartkwalen wel bij hem in de familie. Het zou er in elk geval op neerkomen dat niemand het ooit zeker zou weten.

Precies zoals ze het hebben wilde.

Nadat agent Pingry zijn laatste vragen gesteld had, las hij de aantekeningen die hij gemaakt had nog eens door. Het was een samenvatting van wat Nora hem verteld had en meer had hij ook niet nodig. Behalve natuurlijk het kleine detail over hoe ze Connor vergiftigd had en vervolgens had toegekeken hoe hij was gestorven op de vloer van het toilet.

'Ik denk dat we wel genoeg weten, mevrouw Sinclair,' zei agent Pingry. 'Als u het niet erg vindt, kijken we nog één keer rond.'

'Dat is goed,' zei ze zachtjes. 'Doet u vooral alles wat nodig is.'

De twee agenten liepen de gang in en Nora bleef op de poef zitten, die ze voor net iets meer dan zevenduizend dollar gekocht had bij New Canaan Antiques. Na een minuut stond ze op. Pingry en zijn maat hadden aardig geleken en hadden haar schijnbaar gemeende bezorgde blikken toegeworpen, maar het moment van de waarheid moest nog komen.

Wat dachten ze echt?

Heimelijk volgde Nora de agenten op hun tocht van kamer naar kamer. Dichtbij genoeg om te kunnen horen wat ze zeiden, maar ver genoeg om niet opgemerkt te worden.

Op de overloop van de eerste verdieping hoorde ze wat ze wilde weten. De twee bleven even staan om te praten in Connors werkkamer. De eerste recensies van haar optreden kwamen binnen.

'Shit, man, moet je die apparatuur zien,' zei Pingry. 'Die tv alleen is al meer waard dan wat ik verdien.'

'Die meid stond op het punt een heel grote vis aan de haak te slaan,' zei zijn partner Barreiro.

'Dat is niet misselijk, Joe. Die heeft wel heel dikke pech.'

'Sodeju. Ze had de buit bijna binnen.'

'En toen viel de buit dood neer.'

Nora draaide zich om en sloop zachtjes de trap af. Haar ogen waren bloeddoorlopen en ze zag er vreselijk uit. Maar vanbinnen voelde ze opluchting. Bravo, Nora. God, wat ben je goed.

De politie vermoedde niets.

Ze had de perfecte moord gepleegd.

Alweer.

21

Het geschuifel van voornamelijk eerbiedige vreemden die het huis in en uit liepen, de kakofonie van geluid en de commotie die het veroorzaakte, duurde bijna twee uur. Nora vond het ook nu weer zeer ironisch: het wordt ergens pas echt levendig als iemand onverwacht sterft.

Uiteindelijk hield het op. De ambulancemedewerkers, de politie, de lijkwagen vertrokken allemaal. Nora was eindelijk alleen thuis.

Nu was het tijd om in actie te komen. Dit was wat de politie eigenlijk zou moeten weten, maar waar ze nooit achter zou komen.

Connors werkkamer lag achter in het huis en vormde zowat een aparte vleugel. In navolging van de instructies die ze gekregen had bij hun eerste ontmoeting, had Nora die ingericht als een kamer in een herensociëteit: leren fauteuils, boekenplanken van kersenhout, olieverfschilderijen met jachtscènes die helemaal in waren bij de jongens. In een van de hoeken stond een compleet middeleeuws harnas. In de andere stond een vitrinekast met een verzameling antieke snuifdozen. Een zootje veel te duur betaalde troep en zij kon het weten.

Nora had zelfs nog gegrapt toen ze klaar was: 'Deze kamer is zo mannelijk dat je er niet eens meer een sigaar hoeft te roken.'

Maar nu was ze ironisch genoeg alleen in de kamer. En in zekere zin miste ze Connor ook nog.

Ze ging in de Gainsborough stoel achter Connors bureau zitten en zette de computer aan. Hij had een opstelling met drie beeldschermen, zodat hij meerdere financiële markten tegelijk in de gaten kon houden. Het zag eruit alsof hij zo een raketaanval kon openen. Of op zijn minst een paar jumbojets naar de grond kon praten.

De eerste code die Nora intikte was om toegang te krijgen tot zijn T3-internetverbinding. Daarna kwam de code voor zijn 128-bits gecodeerde VPN, zijn Virtuele Persoonlijke Netwerk. In gewone-mensentaal was dat de best beveiligde route tussen twee punten op de digitale snelweg.

Het ene punt was Connors computer.

Het andere de Internationale Bank van Zürich.

Het had Nora vier maanden gekost om de VPN-code te achterhalen. Achteraf had ze beseft dat ze er binnen vier minuten achter had kunnen zijn. Maar ze had nooit gedacht dat hij zoiets voor de hand liggends zou doen als hem noteren in zijn Palm Pilot. Nog wel onder de R van rekeningnummers.

Natuurlijk was hij niet zover gegaan om daar ook in te zetten welke rekeningen bij welke nummers hoorden. Dat had haar nog een paar nachtelijke uitprobeersessies gekost, terwijl hij had liggen slapen.

In tegenstelling tot de ingewikkelde capriolen die ze had moeten uithalen om zichzelf toegang te verschaffen tot Connors Zwitserse bankrekening, en alle connotaties van rijkdom en privilege die bij zo'n rekening hoorden, was de transactiepagina van de Internationale Bank van Zürich opvallend simpel en zonder poespas. Geen duur uitziend lettertype of een rustgevend achtergrondmuziekje van Honegger.

Drie keuzemogelijkheden maar, in een eenvoudig lettertje, op een verder leeg scherm.

STORTEN.

OPNEMEN.

OVERMAKEN.

Nora klikte op OVERMAKEN en werd onmiddellijk doorgeklikt naar een andere pagina, die al even simpel van opzet was. Connors saldo stond erop met daaronder een vakje waarin je aan kon geven hoeveel geld er overgemaakt diende te worden.

Ze tikte het cijfer in.

Er stond 4,3 miljoen dollar op de rekening. Ze zou niet alles nemen. Om precies te zijn 4,2 miljoen.

Het enige wat ze nu nog moest doen, was het geld ergens heen leiden.

Connor was niet de enige die een VPN had. Nora tikte de code van haar eigen rekening op de Caymaneilanden in. Dankzij de geile fiscaal jurist Steven Keppler zou die binnenkort groots ingewijd worden.

Ze klikte op verzenden en leunde achterover in Connors stoel. Een horizontale balk op het scherm gaf aan hoever de transactie gevorderd was door langzaam vol te lopen. Ze legde haar voeten op het bureau en zag hem volkruipen.

Twee minuten later was het officieel. Nora Sinclair was 4,2 miljoen dollar rijker.

Die dag had ze twee keer met succes toegeslagen.

22

Toen ze de volgende ochtend wakker werd, schuifelde ze geeuwend naar beneden om een pot koffie te zetten. Ze voelde zich helemaal niet slecht. Nora voelde eigenlijk vrij weinig.

Zodra ze het eerste kopje achterovergeslagen had, richtte ze haar gedachten op de dag en op alle belangrijke zaken die afgewikkeld moesten worden. Ze zou mensen moeten bellen, mensen die op de hoogte gebracht moesten worden van Connors dood. En ze moest zich even melden bij Jeffrey.

Ze begon haar belronde bij Mark Tillingham. Hij was Connors advocaat en executeur-testamentair. Hij was ook een van Connors beste vrienden. Toen Nora belde, stond Mark net op het punt te vertrekken voor zijn zaterdagse partijtje tennis. Ze zag het voor zich: hoe hij in het wit gekleed totaal geschokt op het nieuws reageerde. In zekere zin benijdde Nora hem om die emotie.

Vervolgens de directe familie. De lijst familieleden die gebeld moest worden, had niet korter kunnen zijn. Connors ouders leefden niet meer; daardoor restte alleen nog zijn enige zus. Ze was jonger dan hij en heette Elizabeth, maar hij noemde haar Lizzie en soms ook Lizard.

Ze waren erg gehecht aan elkaar ondanks de geografische afstand tussen hen. Lizzie woonde 4.500 kilometer verderop in Santa Barbara en had haar eigen drukke carrière als succesvol architecte. Ze kon bijna nooit tijd vrijmaken om naar de Oostkust te vliegen. De laatste keer dat dat gebeurd was, hadden Nora en Connor elkaar nog niet ontmoet.

Nora schonk zichzelf nog een kop koffie in en dacht na over hoe ze iemand die ze nog nooit ontmoet had, laat staan gesproken, het beste kon vertellen dat haar broer op zijn veertigste was overleden.

Ze wist dat ze niet per se hoefde te bellen. Ze had het ook aan Mark Tillingham kunnen overlaten. Maar Nora wist ook dat iemand die echt van

Connor gehouden had, het zelf zou doen. En dus toetste ze het nummer in dat in de Palm Pilot had gestaan.

'Hallo?' klonk een slaperige vrouwenstem enigszins verstoord. Het was nog maar net na zevenen 's ochtends in Californië.

'Spreek ik met Elizabeth?'

'Ja.'

'Ik heet Nora Sinclair...'

Vreemd genoeg huilde de zus niet aan de telefoon. In plaats daarvan viel er een verblufte stilte, gevolgd door een paar zacht uitgesproken vragen. Nora vertelde haar hetzelfde als ze de politie verteld had. Woord voor woord: haar script. 'Hoewel we natuurlijk niets zeker weten voor er autopsie gepleegd is,' merkte ze op.

Weer was de enige reactie van Lizzie een verbijsterd zwijgen. Misschien, bedacht Nora, had ze last van schuldgevoelens omdat ze haar broer zo lang niet gezien had. Of misschien was het de plotselinge eenzaamheid nu ze opeens het laatste nog in leven zijnde gezinslid was. Misschien was de schok haar te veel, net als bij Mark Tillingham het geval was geweest.

'Ik boek een vlucht voor morgen,' zei Elizabeth. 'Is de begrafenis al geregeld?'

'Ik wilde u eerst op de hoogte brengen. Ik dacht...'

Nu barstte Elizabeth toch in tranen uit. 'Ik hoop dat het niet heel afschuwelijk klinkt, maar het laatste wat ik wil is wel... Ik denk niet dat ik in staat ben om... Zou u het heel erg vinden om het te regelen?'

'Natuurlijk niet,' zei Nora. Ze wilde het gesprek al beëindigen, toen Elizabeth haar snikken inslikte en vroeg: 'Hoelang was u eigenlijk al verloofd met Connor?'

Nora wachtte even. Ze wilde eigenlijk ook een stevige huilbui simuleren, maar besloot daar toch van af te zien. In plaats daarvan zei ze ernstig: 'Een week nog maar.'

'Wat erg. O, wat erg,' zei Elizabeth.

Na het telefoontje naar Elizabeth concentreerde Nora zich de rest van de ochtend op het organiseren van de begrafenis. Van de bloemen tot en met de catering viel veel via de telefoon te regelen, maar er waren een paar dingen in het leven, en vooral in de dood, die beter persoonlijk afgehandeld konden worden. Het uitzoeken van een begrafenisonderneming was daar een van.

En zelfs daar had Nora profijt van haar talenten als binnenhuisarchitecte. Ze koos een kist uit zoals ze elk ander meubelstuk voor een cliënt gekocht zou hebben. Voor Connor betekende dat een vorstelijke kist van walnotenhout met uit ivoor gesneden handvatten. Meteen toen de begrafenisondernemer hem haar liet zien, wist Nora dat dat de kist was die ze zocht.

'Verkocht!' zei ze.

23

'Nora, ik weet dat dit waarschijnlijk een heel ongelukkig moment is,' begon Mark Tillingham. 'Maar er is iets wat ik met je moet bespreken. En het liefst zo snel mogelijk.'

Het moment was dinsdagmorgen net voor de begrafenisdienst; de plaats was de overvolle parkeerplaats bij St. Mary's Church aan de Albany Post Road in Scarborough. Nora staarde Connors advocaat aan door de donkere glazen van haar zonnebril van Chanel. Die kleurde perfect bij haar zwarte pakje van Armani en haar eenvoudige zwarte Manolo's. Ze stonden onder een grote hulstboom naast het grindpad.

'Het gaat over Connors zus. Ze is vanzelfsprekend nogal van streek. Zij en Connor waren zo aan elkaar verknocht. Elizabeth heeft wat twijfels aan jouw bedoelingen.'

'Mijn bedoelingen?'

'Wat betreft de nalatenschap.'

'Wat heeft Elizabeth dan tegen je gezegd? Ach, dat weet ik eigenlijk ook wel. Elizabeth is bang dat ik Connors testament zal aanvechten.'

'Ze is een beetje bezorgd,' zei hij. 'De staat erkent de rechten van verloofden niet, maar dat heeft sommige mensen er toch niet van weerhouden...'

Nora schudde het hoofd. 'Ik zal het heus niet aanvechten, Mark. Hemel! Die hele nalatenschap interesseert me geen bal. Ik hield van Connor. Ik zal duidelijk zijn: ik ben niet geïnteresseerd in Connors bezit. Zeg dat maar tegen Lizzie.'

Marks gezicht was een toonbeeld van gêne. 'Dat spreekt vanzelf,' zei hij. 'Ik vind het echt heel vervelend dat ik hierover moest beginnen.'

'Ontloopt ze me daarom steeds?'

'Nee, ik denk dat ze gewoon erg van streek is. In hun jeugd waren Connor en zij onafscheidelijk. Hun ouders stierven toen ze nog heel jong waren.'

'Puur uit nieuwsgierigheid: wat heeft Connor haar nagelaten?'

Mark staarde omlaag naar zijn zwarte loafers met kwastjes. 'Daar word ik geacht niet over te praten, Nora.'

'Je wordt ook geacht de vrouw van wie Connor hield niet vlak voor de begrafenisdienst van streek te maken.'

Zijn schuldgevoel was duidelijk groter dan zijn beroepsethiek. 'In grote lijnen komt het erop neer dat Elizabeth tweederde van de nalatenschap krijgt, waaronder ook het huis,' zei hij zachtjes. 'Zoals ik al zei, waren ze erg op elkaar gesteld.'

'En de rest?'

'Twee nichten in San Diego krijgen een geldbedrag en de rest gaat naar verschillende goede doelen.'

'Dat is mooi,' zei Nora, die weer wat ontdooide.

'Dat is het zeker,' zei Mark. 'Connor was een goede vent in die dingen. In heel veel dingen, trouwens.'

Nora knikte. 'Connor was geweldig, Mark. We moesten maar eens naar binnen gaan, vind je ook niet?'

24

Het was een mooie dienst, droevig en heel ontroerend. St. Mary's, met de prachtig verzorgde gazons van de Sleepy Hollow Country Club op de achtergrond, was de ideale locatie.

Dat kreeg Nora in elk geval van iedereen te horen. Er was dan wel geen officiële condoleance, maar de meeste mensen namen wel de moeite om even naar haar toe te gaan. Ze kende al een paar van Connors vrienden en zakenrelaties en over anderen had ze verhalen gehoord. De rest stelde zichzelf voor en zocht onhandig naar woorden van medeleven.

Al die tijd, zowel in de kerk als op de begraafplaats, bleef Elizabeth Brown op een afstand. Niet dat Nora nou direct zat te wachten op een toenaderingspoging. Eigenlijk had Connors zus haar een dienst bewezen. Ze had onbedoeld de indruk versterkt dat de laatste persoon die Connor dood gewenst zou hebben de vrouw was die op het punt stond miljoenen rijker te worden door met hem te trouwen.

Pas toen ze weer thuis waren in Westchester, waar de begrafenisgasten bijeen waren gekomen voor een hapje en een drankje en het betuigen van nog meer medeleven, kwam Elizabeth naar haar toe.

'Ik zag dat je niet drinkt. Zelfs niet op een dag als deze,' zei Elizabeth. Nora hiéld een glas bronwater in haar hand. 'Soms wel, hoor. Maar vandaag drink ik liever water.'

'We hebben nog niet echt de kans gehad te praten, hè?' zei Elizabeth. 'Ik wil je graag nog bedanken voor de organisatie hiervan. Ik denk niet dat ik daartoe in staat zou zijn geweest.' Er welden weer tranen op in haar ogen. 'Graag gedaan, hoor. Het was, denk ik, ook wel de meest logische oplossing, omdat ik hier nou eenmaal woon. Ik bedoel niet híér, maar...'

'Ik snap het, Nora. Dat is trouwens ook een onderwerp waar ik het met je over wilde hebben.'

Er kwam een man naar hen toe, een van Connors collega's uit Greenwich, en Elizabeth zweeg even tot hij weer weg was.

'Kom even mee naar buiten,' zei Nora.

Ze ging Elizabeth voor via de voordeur naar het trapje van stapstenen voor het huis. Nu waren ze alleen. Was dit het moment voor een beetje eerlijkheid?

'Goed,' zei Elizabeth. 'Ik heb met Mark Tillingham gesproken en Connor schijnt het huis aan mij nagelaten te hebben.'

Nora's reactie was briljant. 'Echt? O, wat fijn. Ik ben blij dat het nu tenminste in de familie blijft. Vooral bij jou, Lizzie.'

'Dat is heel aardig van je, maar hierheen verhuizen is wel het laatste wat ik wil,' zei Elizabeth. Ze zweeg en liet haar hoofd zakken, niet in staat om verder te praten. De tranen rolden over haar wangen. 'Ik zou echt niet in dit huis kunnen wonen.'

'Dat begrijp ik,' zei Nora. 'Je moet het maar te koop zetten, Lizzie.'

'Dat is het enige wat erop zit, denk ik. Maar ik heb geen haast. En dat is precies waar ik het met jou over wilde hebben,' zei ze. 'Ik wil boven alles dat jij je vrij voelt om het huis te gebruiken zolang je dat wilt. Ik weet dat Connor dat ook het liefste zou hebben gewild.'

'Wat ontzettend aardig van je,' zei Nora. 'Dat had echt niet gehoeven. Ik weet gewoon niet wat ik moet zeggen.'

'Ik heb Mark gevraagd om alle benodigde kosten voor het onderhoud uit de nalatenschap te betalen. Dat is wel het minste wat we voor je kunnen doen,' zei Elizabeth. 'En, Nora, ik wil ook dat jij al het meubilair houdt. Dat heeft jou en Connor tenslotte samengebracht.'

Nora glimlachte. Elizabeths schuldgevoel droop ervan af. Direct na Connors dood had ze aangenomen dat zijn verloofde op zijn geld uit was geweest. Maar nu ze die gedachte had losgelaten, was haar vrijgevigheid haar manier om toe te geven dat ze zich vergist had. En dat had ze ook, bedacht Nora. Technisch gesproken, althans.

Zij had haar geld al binnen.

Ze bleven voor het grote huis nog even verder praten, tot Elizabeth zich opeens realiseerde hoe laat het was. Haar retourvlucht naar Californië zou over bijna drie uur vertrekken. 'Ik moet gaan,' zei ze. 'Dit was de droevigste dag van mijn leven, Nora.'

Nora knikte. 'Voor mij ook. We houden contact.'

Elizabeth nam afscheid, met een omhelzing zelfs, en liep naar haar huurauto die op de oprit stond. Nora keek toe, haar voeten naast elkaar, haar handen over elkaar voor haar buik. Maar onder haar onbewogen uiterlijk bonsde haar hart als een razende. Het was haar gelukt! De moord. Het geld.

Nora maakte een pirouetje op haar Manolo's om het huis weer binnen te gaan. Na twee stappen bleef ze staan. Ze meende iets gehoord te hebben. Een geluid vanuit de heg of de coniferen. Een klikkend geluid.

Ze keek naar de omheining van de tuin en luisterde... niets.

Waarschijnlijk een vogel, dacht ze.

Maar toen ze haar laatste stap op weg naar binnen zette, zong de Nikon D1-X digitale camera nog een laatste liedje vanuit zijn nestje in de rododendron.

Klik. Klik. Klik.

Nora Sinclair was niet de enige met grootse plannen.

Deel 2

De verzekeringsagent

25

De dingen zijn niet altijd wat ze lijken, zoon.

Dat zei mijn vader vroeger vaak tegen me. Natuurlijk zei hij ook vaak dat ik de vuilnis buiten moest zetten, de bladeren moest harken, de sneeuw moest ruimen, mijn schouders niet zo moest laten hangen, mijn rug moest rechten. Maar als het gaat om het drukken van een zinvol stempel stonden al die andere dingen toch op de tweede plaats in vergelijking met die eerste wijze woorden.

Zo simpel en toch, zoals ik door de jaren heen geleerd heb, zo waar.

Maar goed, ik zat in mijn onlangs verworven kantoor, dat meer weg had van een veredelde bezemkast. Het was er zo krap, dat zelfs Houdini geklaagd zou hebben. Op mijn beeldscherm waren de foto's te zien die ik met mijn digitale camera gemaakt had. De een na de ander. Nora Sinclair van top tot teen in chic zwart. Nora bij St. Mary's Church. Op de begraafplaats. Thuis in Connor Browns bescheiden optrekje. De laatste kiekjes waren van haar op de trap bij de voordeur waar ze stond te praten met de zus van die arme kerel, Elizabeth. Elizabeth was lang, blond en zag eruit als een Californische zwemster. Nora was bruin, niet zo lang, maar nog mooier. Allebei waren ze oogverblindend, zelfs in hun rouwkleren. Ze leken te huilen en omhelsden elkaar daarna.

Waar was ik precies naar op zoek?

Dat wist ik niet, maar hoe langer ik naar die foto's staarde, des te vaker hoorde ik de woorden van mijn vader in mijn hoofd weerklinken. De dingen zijn niet altijd wat ze lijken.

Ik greep de telefoon en belde de baas. Via de directe lijn. En na twee keer overgaan...

... klonk het zakelijk 'Susan'. Geen begroeting, geen achternaam, gewoon 'Susan'.

'Met mij. Hoi. Ik heb een klankbord nodig,' zei ik. 'Hoe kom ik over?'

'Alsof je me een verzekering wilt verkopen.'

'Niet te New Yorks?'

'Te opdringerig, bedoel je? Nee.'

'Mooi.'

'Maar praat nog even wat meer voor alle zekerheid,' zei ze.

Ik dacht even na. 'Oké, een ouwe vent gaat dood en gaat naar de hemel,' ging ik verder op dezelfde toon, waar in mijn oren de New Yorkerigheid vanaf droop. 'Zeg het maar, als je hem al kent.'

'Ik ken hem al.'

'Niet waar. Geloof mij nou maar, ik weet zeker dat je moet lachen.'

'Eén keer moet de eerste zijn.'

Ik moet hier even bij vermelden, voor het geval dat nog niet duidelijk was, dat mijn baas en ik een goede onderlinge verstandhouding hebben. Er zijn natuurlijk mannen die er helemaal niet tegen kunnen als ze een vrouw boven zich hebben. Toen Susan op deze afdeling kwam werken, waren er dan ook een man of vier, vijf die het haar vanaf het begin flink moeilijk maakten.

Daarom heeft ze hen toen allemaal ontslagen. Dat meen ik. Zo is Susan.

'Goed, die vent komt dus bij de hemelpoort en ziet daar twee bordjes hangen,' zei ik. 'Op het eerste staat: MANNEN DIE ONDER DE PLAK ZATEN BIJ HUN VROUW. De oude man kijkt eens goed en ziet dat de rij aan die kant zo'n vijftien kilometer lang is.'

'Natuurlijk.'

'Geen commentaar. De man kijkt dus naar het andere bordje. Daarop staat: MANNEN DIE NIET ONDER DE PLAK ZATEN BIJ HUN VROUW. En wel heb ik nou, bij dat bordje staat maar één vent. Langzaam loopt de oude man op hem af. Zeg, zegt hij, waarom sta jij hier? De vent kijkt hem aan en zegt: Geen idee, maar mijn vrouw zei dat ik hier moest gaan staan.'

Ik luisterde goed en inderdaad hoorde ik een klein lachje aan de andere kant van de lijn.

'Nou, wat zei ik? Binnenkort zit ik bij Letterman.'

'Wel aardig,' zei Susan. 'Maar ik zou voorlopig nog maar geen ontslag nemen.'

Ik gniffelde. 'Dat is pas echt grappig, als je bedenkt dat dit mijn werk niet eens is.'

'Bespeur ik daar iets van zenuwen?'

'Ik zou het eerder ongerustheid noemen.'

'Waarom? Je bent er geknipt voor. Jij kunt...' Susan viel opeens stil. 'O, ik snap het al. Het komt omdat het om een vrouw gaat, zeker?'

'Ik zeg alleen, dat het in dit geval anders ligt.'

'Maak je geen zorgen. Jij slaat je er wel doorheen. Niemand kan dit beter dan jij, wie of wat Nora Sinclair ook blijkt te zijn,' zei ze. 'En? Wanneer gaat de grote kennismaking plaatsvinden?'

'Morgen.'

'Mooi zo. Prachtig. Hou me op de hoogte.'

'Doe ik,' zei ik. 'O, en Susan?'

'Ja?'

'Ik stel je motie van vertrouwen zeer op prijs.'

'Wauw.'

'Wat nou?'

'Ik moet nog steeds wennen aan de combinatie van jou en nederigheid.'

'Ik doe mijn best. Meer kan ik niet doen.'

'Weet ik,' zei ze. 'Succes.'

26

De psychiatrische inrichting Pine Woods, een door de staat New York gerunde instelling, lag in Lafayetteville, op ongeveer anderhalf uur rijden van Westchester. Tenzij je natuurlijk Nora heette en in een nieuwe Benz cabrio reed. Ze zoefde met een vaart van meer dan 120 kilometer per uur over de kronkelige Taconic Parkway die dwars door de bossen liep en zag het ziekenhuis ruim vijftien minuten eerder opdoemen.

Nora vond een parkeerplaats en sloot het dak met één enkele druk op de knop af. Cool. Ze keek nog even snel in het spiegeltje en schudde haar haar goed. Haar make-up hoefde niet bijgewerkt te worden. Ze had trouwens ook nauwelijks wat op. Toen moest ze om de een of andere krankzinnige reden aan Connors zus denken, de IJzige Blondine. Iets aan Elizabeth zat haar niet helemaal lekker. Alsof alles nog niet helemaal uitgepraat was tussen hen.

Nora haalde haar schouders op. Ze deed de cabrio op slot, ook al zat ze hier midden in de rimboe. Ze had een spijkerbroek aan en een eenvoudig wit bloesje. Onder haar arm had ze een papieren zak van een boekwinkel. Onderweg naar de ingang van het hoofdgebouw kwam ze geen enkele andere levende ziel tegen.

Ze wist precies wat haar te wachten stond. Veertien jaar lang van maandelijkse bezoekjes stond daar garant voor.

Eerst kwam de verplichte aanmelding bij de receptie. Nadat ze haar identiteitspapieren had laten zien, zette Nora haar handtekening op de bezoekerslijst en kreeg ze een pasje.

Vervolgens liep ze naar de lift, links van de balie. Eén stond er al met de deuren open klaar.

Het eerste jaar dat ze hier kwam, moest ze altijd het knopje van de eerste verdieping indrukken, maar na twaalf maanden was haar moeder verhuisd naar een hogere verdieping. Hoewel niemand het ooit tegen

Nora gezegd had, wist ze wel dat hoe hoger de kamer van een patiënt gelegen was, des te kleiner de kans op ontslag.

Nora stapte de lift in en drukte op de zeven.

De bovenste verdieping.

27

Hoofdzuster Emily Barrows had haar dag niet. Geen wonder. Het computersysteem lag plat, ze werd gek van de rugpijn, de toner van het kopieerapparaat was leeg, ze had barstende hoofdpijn en iemand van de nachtdienst had koffie gemorst op de medicatielijst.

En het was nog niet eens twaalf uur.

Daar kwam nog bij dat ze voor de honderdste keer, en het zou haar niet verbazen als het letterlijk de honderdste keer was, een nieuwe verpleegkundige moest inwerken. Deze was van het type dat te veel lacht. Ze heette Patsy en dat klonk op zichzelf al veel te vrolijk.

De twee vrouwen zaten in de verpleegsterspost van de zevende verdieping. Een van de liften, die daar tegenover lagen, ging open. Emily keek op van de bruin gevlekte pagina van de medicatielijst. Een bekend gezicht kwam op haar af lopen.

'Hallo, Emily.'

'Ha, Nora. Hoe is het met je?'

'Hoe gaat het met haar?'

'Prima, hoor.'

Nora en zij voerden dit gesprekje maandelijks en het eindigde altijd op dezelfde manier. De toestand van Nora's moeder veranderde nooit.

Emily wierp een blik op Patsy. De nieuwe verpleegster, die nietszeggend zat te lachen, keek en luisterde toe bij het gesprek.

'Patsy, dit is Nora Sinclair,' zei Emily. 'Zij is de dochter van Olivia in 709.'

'O,' zei Patsy met een lichte aarzeling in haar stem. Een beginnersfout.

Nora knikte. 'Aangenaam, Patsy.' Ze wenste de nieuwe verpleegster veel succes en liep daarna de lange gang door.

Intussen liet Patsy haar stemgeluid dalen tot een gretig gefluister. 'Olivia Sinclair... dat is toch die vrouw die haar man doodgeschoten heeft?'

Emily's gefluisterde antwoord was feitelijker. 'Dat beweerde de jury wel, ja. Lang geleden.'

'Denk jij dat ze het niet gedaan heeft?'

'O, ze heeft het wel gedaan.'

'Ik snap het niet. Hoe is ze hier terechtgekomen?'

Emily keek de gang in. Ze wilde er absuluut zeker van zijn dat Nora buiten gehoorsafstand was.

'Van wat ik gehoord heb, maar bedenk wel dat het een hele tijd geleden gebeurd is, was er niks mis met Olivia tijdens de eerste jaren van haar gevangenschap. Een modelgevangene. Maar daarna is ze opeens doorgedraaid.'

'Hoe kwam dat dan?'

'Ze verloor al haar besef van realiteit. Begon in een zelfverzonnen taal te praten. Wilde alleen nog maar dingen eten die met de letter b begonnen.'

'De letter b?'

'Het had erger kunnen zijn. Het had ook de x kunnen zijn of zo. Met de b had ze in elk geval brood, boter, bananen...'

Patsy viel haar als een quizkandidaat bij. 'Bavarois.'

Emily knipperde een paar keer met haar ogen. 'Eh... ja, dat ook. Maar goed, daarna probeerde Olivia zelfmoord te plegen. Vervolgens hebben ze haar hierheen gestuurd.' Ze dacht even na. 'Of misschien kwam die zelfmoordpoging wel eerst en daarna het gestoorde gedrag. Dat doet er verder ook niet toe. Het enige wat ik weet is dat Olivia Sinclair nu, twintig jaar later, haar eigen naam niet eens meer weet.'

'Wat treurig,' zei Patsy, die tot Emily's verbazing medeleven kon voelen zonder ooit de lach op haar gezicht te laten verdwijnen. 'Wat denk je dat er met haar gebeurd is?'

'Geen idee. Het lijkt op een combinatie van autisme en de ziekte van Alzheimer. Ze kan nog wel een beetje praten en een paar dingen zelfstandig doen. Maar niets wat ze doet snijdt hout. Zag je bijvoorbeeld dat zakje dat Nora bij zich had?'

Patsy schudde van nee.

'Elke maand brengt Nora een boek voor haar mee. Maar als ik haar zie lezen, houdt ze het boek altijd ondersteboven.'

'Weet Nora dat?'

'Helaas wel.'

Patsy zuchtte. 'Nou ja, het is wel mooi dat ze in elk geval nog steun krijgt van haar dochter.'

'Daar zou je gelijk in kunnen hebben,' zei de hoofdzuster. 'Ware het niet dat ze zelfs Nora niet meer herkent.'

28

'Hallo, mam. Ik ben er weer.'

Nora liep het kamertje door en pakte haar moeders hand vast. Ze kneep er zachtjes in, maar kreeg geen kneepje terug. Niet dat ze dat verwacht had. Nora was eraan gewend geen reactie te krijgen bij deze bezoekjes.

Olivia Sinclair lag op haar bed. Haar rug werd ondersteund door twee kussens. Een wegkwijnend lichaam en een glazige blik. De vrouw was 57, maar zag eruit als 80.

'Hoe voelt u zich nu?' Olivia draaide zich langzaam naar Nora toe. 'Ik ben het, Nora.'

'Je bent heel mooi.'

'Dank u. Ik ben naar de kapper geweest. Voor een begrafenis nog wel.'

'Ik hou van lezen,' zei Olivia.

'Ja, dat weet ik.' Nora haalde de nieuwste John Grisham uit het zakje. 'Kijk, ik heb een boek voor u meegenomen.'

Ze hield het haar moeder voor, maar die pakte het niet aan. Nora legde het op haar nachtkastje en ging op een stoel naast het bed zitten.

'Eet u wel genoeg?'

'Ja.'

'Wat hebt u bij het ontbijt gegeten?'

'Geroosterd brood en ei.'

Nora lachte geforceerd. Dit soort momenten waren het pijnlijkst, als het leek alsof ze een normaal gesprek voerde met haar moeder. Ze wist wel beter. Ze kon het in zo'n geval nooit laten om zichzelf te kwellen met een testje.

'Weet u wie de president is?'

'Ja, natuurlijk. Jimmy Carter.'

Het had geen enkele zin haar te corrigeren, wist Nora. In plaats daar-van vertelde ze haar over haar werk en over enkele huizen die ze had ingericht. Ze praatte haar weer bij over haar vriendinnen in Manhattan. Elaine werkte te hard op haar advocatenkantoor. Allison werkte nog steeds als modebarometer bij *W*.

'Ze zijn echt met me begaan, moeder.'

'Klop, klop,' klonk een stem.

De deur ging open en Emily kwam binnen met een dienblad. 'Tijd voor je medicatie, Olivia.' De verpleegster bewoog zich afgemeten, bijna robotachtig door de kamer. Ze schonk water in een glas uit een kan die op het nachtkastje stond.

'Alsjeblieft, Olivia.'

Nora's moeder nam de pil aan en slikte hem zonder morren door.

'O, is dat zijn nieuwste?' vroeg Emily met een blik op de roman op het nachtkastje.

'Hij is net uit,' zei Nora.

Haar moeder glimlachte. 'Ik hou namelijk erg van lezen.'

'Dat is een ding dat zeker is,' zei Emily.

Nora's moeder pakte het boek op. Ze sloeg het open en begon erin te lezen. Op zijn kop.

Emily draaide zich naar Nora om, die altijd zo dapper was en zo mooi.

'O, ja,' zei Emily, terwijl ze op het punt stond weg te gaan. 'Het koor van de dorpsschool geeft een optreden in de kantine. We brengen zo dadelijk iedereen naar beneden. Als je het leuk vindt, ben je ook van harte welkom, Nora.'

'Dank je, maar ik stond op het punt weg te gaan. Ik heb het nogal druk.'

Emily vertrok en Nora stond op. Ze liep naar haar moeder en gaf haar een zoen op haar voorhoofd. 'Ik hou van u,' fluisterde ze. 'Wist u dat maar.'

Olivia Sinclair zei niets. Ze keek haar dochter na toen ze de deur uit liep. Een paar tellen later, toen er niemand meer was, haalde Olivia de losse kaft van haar nieuwe roman en draaide die om. Met de bladzijden rechtop en de kaft ondersteboven begon ze te lezen.

29

Ik had zojuist de lens van mijn digitale camera voor de derde keer in twintig minuten schoongemaakt.

Daar tussendoor had ik het aantal stiksteken van mijn leren stuur geteld (312), de stand van mijn bestuurdersstoel aangepast (de rugleuning iets hoger en de zitting wat meer naar voren) en was er nu voor eens en altijd achter wat de optimale bandenspanning is voor de BMW 330i (dertig psi voor de voorbanden en vijfendertig voor de achterbanden volgens het handboek in het handschoenenkastje).

De verveling had nu definitief ingezet.

Misschien had ik haar eerst moeten bellen. Nee, vond ik. De kennismaking moest persoonlijk. Oog in oog. Zelfs al liep ik daardoor het risico een slapende kont te krijgen van het wachten.

Als ik had geweten dat ik zo lang zou moeten zitten duimendraaien, had ik wel donuts meegenomen. Of andere koekjes.

Waar blijft ze nou?

Tien minuten later zag ik vanaf de overkant van Central Avenue een knalrode Mercedes cabrio de ringvormige oprit opdraaien van wijlen Connor Brown. Hij stopte voor de deur en daar kwam ze tevoorschijn.

Nora Sinclair. En ik denk dat de toevoeging 'wauw' wel op zijn plaats is. Ze boog zich voorover en haalde een tas met boodschappen van wat voor een achterbank door moest gaan. Tegen de tijd dat ze met haar huissleutel stond te hannesen, was ik al halverwege het gazon.

'Pardon... Eh, mevrouw?'

Ze draaide zich om. Haar zwarte outfit van de begrafenis was vervangen door een spijkerbroek en een wit bloesje. De zonnebril was nog dezelfde. Haar haar was prachtig: dik, glanzend, kastanjebruin. Ik verval in herhalingen, maar... wauw.

Eindelijk stond ik dan voor haar. Ik herinnerde mezelf eraan het accent niet te overdrijven. 'Bent u toevallig Nora Sinclair?'

Zonnebril of geen zonnebril, het was duidelijk dat ze me schattend opnam. 'Dat hangt ervan af, denk ik. Wie bent u?'

'O, jeetje, sorry. Ik had mezelf eerst voor moeten stellen.' Ik stak mijn hand uit. 'Ik ben Craig Reynolds.'

Nora nam haar boodschappen over in haar andere arm en gaf me een hand. 'Hallo,' zei ze, nog steeds op haar hoede. 'U bent Craig Reynolds en... ?'

Ik grabbelde in mijn jaszak en haalde er onhandig een visitekaartje uit. 'Ik werk voor de verzekeringsmaatschappij Centennial One,' zei ik terwijl ik haar het kaartje overhandigde. Ze keek ernaar. 'Mag ik u condoleren met uw verlies?'

Ze ontdooide enigszins. 'Dank u.'

'U bent dus inderdaad Nora Sinclair?'

'Ja, ik ben Nora.'

'Ik neem aan dat u meneer Brown goed kende?'

Het was meteen weer gedaan met de ontdooistand. Ze was weer uiterst achterdochtig. 'Ja. We waren verloofd. Mag ik u vragen wat dit te betekenen heeft?'

Nu was het mijn beurt om verbaasd te reageren. 'Bedoelt u dat u niet op de hoogte bent?'

'Waarvan?'

Ik bleef even stil. 'Van de verzekeringspolis op het leven van de heer Brown. Ter waarde van 1,9 miljoen dollar om precies te zijn.'

Ze keek me met een lege blik aan. Ik had niet anders verwacht.

'Dan neem ik aan dat u ook niet weet, mevrouw Sinclair,' zei ik, 'dat u als enige begunstigde genoteerd staat.'

30

Nora bleef uiterlijk onbewogen.

'Hoe zei u dat u heette?' vroeg ze.

'Craig Reynolds... het staat op het kaartje. Ik ben de manager van de vestiging van Centennial One in deze stad.'

Nora verplaatste haar gewicht om op het kaartje te kunnen kijken, wat ze overigens heel bevallig deed, waardoor haar boodschappen haar ontglipten. Ik sprong naar voren en ving de tas op voor hij op de grond kon vallen.

'Dank u,' zei ze en ze strekte haar handen uit om de boodschappen weer van me over te nemen. 'Dat had nogal een troep kunnen geven.'

'Zal ik ze even voor u naar binnen dragen? Ik zou graag even met u spreken.'

Ik wist wat ze dacht. Een vent die ze niet kende, vroeg of hij mee naar binnen mocht. Een vreemde. Die haar snoepjes aanbood. Hoewel dat in mijn geval neerkwam op een wel heel smakelijke verzekeringssom.

Ze keek nog eens naar mijn kaartje.

'U hoeft niet bang te zijn. Ik ben zindelijk,' grapte ik.

Er kon een heel klein lachje af. 'Sorry hoor. Ik wil niet overdreven achterdochtig overkomen, maar het is gewoon...'

'Een heel moeilijke tijd voor u, ja. Dat kan ik me voorstellen. U hoeft u niet te verontschuldigen. Als u wilt, kunnen we de polis ook een andere keer bespreken. Wilt u misschien liever naar mijn kantoor komen?'

'Nee, dat is niet nodig. Komt u toch binnen.'

Nora liep op het huis af. Ik liep achter haar aan. Tot nu toe verliep alles volgens plan. Ik vroeg me af of ze goed kon dansen. Ze liep in elk geval heel gracieus.

'Vanille-hazelnoot?' vroeg ik.

Ze keek achterom. 'Pardon?'

Ik wees naar het pak koffie dat boven de tas uitstak. 'Hoewel ik onlangs ook op een pak bonen stuitte met crème brulée-smaak dat bijna hetzelfde rook.'

'Nee, het is vanille-hazelnoot,' zei ze. 'Ik ben diep onder de indruk.'

'Ik zou liever een bal met een snelheid van 135 kilometer per uur kunnen gooien. In plaats daarvan heb ik een scherp reukvermogen.'

'Beter iets dan niets.'

'Aha, u bent een optimist,' zei ik.

'Normaal gesproken wel.'

Ik sloeg met mijn hand tegen mijn voorhoofd. 'Jezus, wat stom van me. Dat was wel heel gevoelloos.'

'Dat geeft niet hoor,' zei ze en ze glimlachte er bijna bij.

We liepen naar de treden die naar de voordeur leidden en gingen het huis binnen. De hal was een stuk groter dan mijn flat. De kroonluchter had minstens één jaarsalaris gekost. De oosterse tapijten, de Chinese vazen, jezus, wat poenig allemaal.

'De keuken is daar,' zei ze en ze ging me voor een andere ruimte in. Ook die was weer groter dan mijn flat. Ze wees naar het granieten aanrechtblad naast de koelkast. 'Zet de boodschappen daar maar neer. Bedankt.'

Ik zette de zak neer en begon hem leeg te halen.

'Dat hoeft niet.'

'Het is wel het minste wat ik kan doen om mijn opmerking over dat optimisme een beetje goed te maken.'

'Het hoeft echt niet.' Ze kwam naar me toe lopen en pakte het pak vanille-hazelnoot. 'Mag ik u een kopje hiervan aanbieden?'

'Heel graag.'

Ik zorgde ervoor alleen over koetjes en kalfjes te praten, terwijl de koffie doorliep. Ik wilde niet te hard van stapel lopen. Dan riskeerde ik dat zij mij te veel vragen zou stellen. Ook nu al nam ik aan dat er verschillende vragen op me afgevuurd zouden gaan worden.

'Weet u wat ik nou niet begrijp?' zei ze een paar minuten later. We zaten aan de keukentafel, de bekers koffie in onze hand. 'Connor had geld zat en geen ex of kinderen. Waarom zou hij zich druk hebben gemaakt over een levensverzekering?'

'Dat is een heel goede vraag. Ik denk dat het antwoord ligt in de manier waarop deze polis totstandgekomen is. Ziet u, meneer Brown is niet zelf op ons afgestapt, wij zijn naar hem toe gegaan. Dat wil zeggen, zijn bedrijf.'

'Hoe bedoelt u?'

'Centennial One sluit de laatste tijd steeds vaker bedrijfsverzekeringen af. Om bedrijven over te halen hun polissen bij ons af te sluiten, bieden we de top van die bedrijven gratis levensverzekeringen aan.'

'Dat is niet niks.'

'Ja, onze polissen lopen de laatste tijd ook goed.'

'En voor hoeveel zei u dat Connor verzekerd was?'

Alsof ze dat vergeten was.

'1,9 miljoen dollar,' zei ik. 'Dat is het maximale bedrag voor een bedrijf van die omvang.'

Ze fronste haar voorhoofd. 'En hij heeft mij echt als enige begunstigde opgegeven?'

'Ja, echt.'

'Wanneer was dat?'

'U bedoelt wanneer die polis is afgesloten?'

Ze knikte.

'Dat is nog niet zo lang geleden. Vijf maanden om precies te zijn.'

'Dat zou het wel enigszins kunnen verklaren. Hoewel we toen nog maar heel kort samen waren.'

Ik glimlachte. 'Hij zag het blijkbaar vanaf het begin al helemaal zitten met u.'

Ze probeerde ook te lachen, maar de tranen die haar opeens over de wangen stroomden, verhinderden dat. Ze veegde ze verontschuldigend weg. Ik verzekerde haar dat ik er alle begrip voor had en het helemaal niet erg vond. Om eerlijk te zijn, was de hele scène nogal ontroerend. Of was ze gewoon heel goed?

'Connor had me al zoveel gegeven en nu ook dit nog.' Ze veegde nog een traan weg. 'En wat zou ik er niet voor over hebben om hem terug te krijgen.'

Nora nam een lange teug koffie. Ik deed hetzelfde.

'Wat is nu de bedoeling? Ik neem aan dat ik iets zal moeten tekenen voor er uitbetaling kan plaatsvinden?'

Ik boog me voorover over de tafel en pakte mijn beker met beide handen vast. 'Nou, ziet u, daarom ben ik eigenlijk hier, mevrouw Sinclair. Er is een klein probleem.'

31

Hij kwam wel over als een verzekeringsagent, maar hij had niet het uiterlijk dat daarbij paste, vond Nora.

Om te beginnen vond ze dat hij zich helemaal niet slecht kleedde. De das stond goed bij het pak en het pak was ergens in de afgelopen tien jaar nog in de mode geweest.

Verder was hij gewoon aardig. De paar verzekeringsmensen die ze tot nu toe ontmoet had, hadden ongeveer even veel charisma gehad als een kartonnen doos. Eigenlijk was Craig Reynolds als puntje bij paaltje kwam een aantrekkelijke man. Goedgebouwd. Hij reed ook in een niet onaardige auto rond. Maar goed, bedacht Nora, ze waren hier natuurlijk ook in Briarcliff Manor en niet in de Bronx. Als je in deze omgeving een vestiging leidde van een grote verzekeringsmaatschappij moest je uiterlijk daar ook wel op aangepast zijn.

Toch vond ze het nog te vroeg om zich bloot te geven.

Ze had Craig Reynolds aandachtig bekeken en in gedachten haar bevindingen op een rijtje gezet, vanaf het moment dat hij was komen aanlopen totdat hij zijn handen om de koffiemok had gelegd en had aangekondigd dat er 'een klein probleem' was met Connors polis.

'Wat voor probleem?' vroeg ze.

'Uiteindelijk zal het allemaal wel loslopen, maar het punt is dat ze vanwege de heer Browns jeugdige leeftijd de claim willen onderzoeken.'

'Wie zijn "ze"?'

'Het hoofdkantoor in Californië. Die gaan over dat soort zaken.'

'Hebt u daar niets over te zeggen?'

'In dit geval erg weinig. Zoals ik al zei kwam de polis van de heer Brown voort uit een activiteit van de divisie bedrijfsverzekeringen en die zit op het hoofdkantoor. Degene die de service verleent is wel altijd iemand van de vestiging die het dichtst bij de woonplaats van de cliënt zit, wat wil

zeggen dat, als er geen onderzoek in de planning had gezeten, ik alles afgehandeld zou hebben.'

'En met wie zal ik nu dan te maken krijgen?'

'Dat is me nog niet meegedeeld, maar ik vermoed dat het wel terecht zal
komen bij John O'Hara.'

'Kent u hem?'

'Alleen van reputatie.'

'O, jee...'

'Hoezo?'

'U fronste uw wenkbrauwen, toen u dat zei.'

'Nee, hoor. Het stelt echt niet zoveel voor. O'Hara schijnt nogal een
ploert te zijn, *excusez le mot*, maar dat geldt eigenlijk voor alle verzeke-
ringsrechercheurs. Voorzover ik na kan gaan, draait het hier om een rou-
tineonderzoek.'

Toen Craig Reynolds zijn hand weer uitstak naar de koffie, maakte Nora
nog een mentale aantekening: geen trouwring.

'Hoe vindt u de vanille-hazelnoot?' vroeg ze.

'Smaakt nog beter dan hij ruikt.'

Ze leunde achterover in haar stoel. Ze had de tranenkraan al dichtge-
draaid en nu wierp ze Craig Reynolds een vriendelijke lach toe. Hij
maakte een bezorgde en meelevende indruk. En wat het nog interessanter maakte: toen hij teruglachte, verschenen er schattige kuiltjes in zijn
wangen. Jammer dat hij geen geld had.

Niet dat Nora iets te klagen had. Vanuit haar standpunt bekeken was
Craig Reynolds, de verzekeringsagent, 1,9 miljoen dollar waard. Dat
was een buitenkansje dat ze niet afsloeg. Het enige minder aangename
aspect eraan was dat onderzoek. Het mocht dan waarschijnlijk niet
meer dan een routineklusje zijn, ze kreeg er toch de zenuwen van.

Maar niet heel erg. Haar scenario zat waterdicht in elkaar en was tegen
elk onderzoek bestand. Door de politie, door de lijkschouwer, door alles
en iedereen die haar de weg probeerde te versperren. En dat gold zeker
ook voor een onderzoek door een verzekeringsmaatschappij.

Toch besloot ze voor alle zekerheid, nadat Craig Reynolds het pand die
middag verlaten had, dat het waarschijnlijk het beste was om maar een
paar dagen onder te duiken. Ze werd toch geacht dit weekend met Jef-

frey door te brengen. Misschien zou ze hem wel verrassen door een dag eerder te komen.

Hij was tenslotte haar man.

32

De volgende ochtend, een vrijdag, liep Nora het huis in Westchester uit en liet de kofferbak van haar Benz cabrio openklappen die voor het huis geparkeerd stond. Ze legde haar koffer erin. De weerman op tv had een wolkeloze hemel beloofd, zon en een temperatuur van boven de 25 graden. Als dat geen dag was voor een open dak, dan wist ze het ook niet meer.

Nora drukte op het knopje van de afstandsbediening en het dak van de auto zakte langzaam naar beneden. Op dat moment viel haar oog op een andere auto. Krijg nou wat!

Op Central Avenue, geparkeerd onder de enorme esdoorns en een eik, stond dezelfde BMW die er de dag daarvoor ook had gestaan. En voorin, met zijn zonnebril op zijn neus, zat de verzekeringsagent. Craig Reynolds.

Wat deed híj hier?

Er was maar één manier om daarachter te komen. Nora liep in de richting van zijn auto. Ze bedacht hoe aardig hij was geweest bij zijn eerste bezoek. En nu dit... haar beloeren vanuit zijn auto. Het was eigenlijk best griezelig. Of erger nog: best verdacht. Dat was dan ook de reden dat ze zichzelf waarschuwde niet al te overdreven te reageren.

Craig zag haar aankomen en sprong meteen zijn wagen uit. Hij liep op haar af in zijn lichtbruine zomerkostuum. Hij wuifde haar vriendelijk toe.

Ze ontmoetten elkaar halverwege.

Nora hield haar hoofd scheef en lachte. 'Als ik niet beter wist, zou ik zeggen dat u me aan het bespioneren was.'

'Als dat zo was, had ik wel een betere schuilplaats uit mogen zoeken, hè?' Hij lachte terug. 'Sorry hoor, maar het is niet wat het lijkt. Eigenlijk is het allemaal de schuld van de Mets.'

'Een heel honkbalteam?'

'Ja, inclusief de directeur. Ik stond op het punt uw oprit op te rijden, toen er in *The Fan* werd aangekondigd dat de club een belangrijke uitwisseling van spelers van plan was met Houston. Daarom was ik even aan de kant gaan staan om te luisteren.'

Ze keek hem niet-begrijpend aan. '*The Fan?*'

'Dat is een sportprogramma.'

'Aha. Dus u was niet aan het spioneren?'

'Nee. Ik ben James Bond niet. Ik ben maar een arme seizoenkaarthouder van de Mets die snakt naar een clubsuccesje.'

Nora knikte. Ze ging ervan uit dat Craig Reynolds haar de waarheid vertelde of anders een geboren leugenaar was. 'Waarvoor kwam u bij me langs?' vroeg ze.

'Ik kwam u goed nieuws brengen. John O'Hara, die vent van het hoofdkantoor over wie ik het gisteren had, heeft inderdaad de leiding over het onderzoek naar de dood van meneer Brown gekregen.'

'Ik dacht dat dat nou juist geen goed nieuws was.'

'Nee, het goede nieuws komt nog. Ik heb hem vanmorgen vroeg gesproken en hij dacht dat er geen problemen zouden zijn.'

'Dat is mooi.'

'Beter nog, ik heb hem ervan weten te overtuigen haast te maken met de zaak. Hij hing natuurlijk eerst de keiharde rechercheur uit, die niemand een voorkeursbehandeling geeft, maar ik heb gezegd dat hij mij er een dienst mee zou bewijzen. Ik dacht dat u dat wel even zou willen weten.'

'Dat stel ik zeker op prijs, meneer Reynolds. Dat is een aangename verrassing.'

'Noem me toch Craig.'

'Als jij me dan Nora noemt.'

'Dan wordt het Nora.' Hij keek achterom naar de rode cabrio op de oprit, waarvan de kofferbak nog openstond. 'Ga je op stap?'

'Inderdaad.'

'Is het reisdoel interessant?'

'Dat hangt ervan af hoe je tegen Zuid-Florida aankijkt.'

'Leuk om even langs te gaan, maar ik zou er niet willen stemmen, zoals men zegt.'

Ze grinnikte. 'Die moet ik onthouden voor mijn cliënt in Palm Beach. Of misschien maar beter niet.'

'Wat voor werk doe je, als ik vragen mag?'

'Ik ben binnenhuisarchitecte.'

'Meen je dat nou? Dat lijkt me niet gek. Er zijn tenslotte niet veel beroepen waarbij je andermans geld mag uitgeven.'

'Dat denk ik ook niet.' Ze keek op haar horloge. 'Oeps, ik zal me moeten haasten voor het vliegtuig.'

'Mijn schuld. Ga maar gauw.'

'Nou, nogmaals meneer Rey...' Ze corrigeerde zichzelf. 'Craig. Bedankt voor het langskomen. Dat was heel aardig.'

'Geen punt, Nora. Ik laat het je weten zodra er meer nieuws is over het onderzoek.'

'Heel graag.'

Ze gaven elkaar een hand en Craig stond op het punt weg te lopen. 'O, wacht even,' zei hij. 'Ik bedenk opeens, dat als je op reis gaat het misschien handig is, als ik je mobiele nummer heb.'

Nora aarzelde een fractie van een seconde. Hoewel ze haar nummer helemaal niet wilde doorgeven, wilde ze ook geen verdachte indruk maken tegenover de verzekeringsman.

'Natuurlijk,' zei ze. 'Heb je pen en papier?'

33

Ik belde Susan zodra ik weer in de auto zat. Mijn eerste twee ontmoetingen met Nora waren wel een verslag aan de baas waard.

'Is ze in het echt even knap?'

'Is dat het eerste wat je wilt weten?'

'Zeker,' zei Susan. 'Die meid kan onmogelijk doen wat ze doet als ze geen stoot is. Is ze dat?'

'Is er een manier om daarop te antwoorden en toch nog professioneel over te komen?'

'Ja, dat heet eerlijk zijn.'

'Oké, dan. Ja,' zei ik. 'Nora Sinclair is een zeer aantrekkelijke vrouw. Met de kwalificatie "bloedmooi" zou je er niet ver naast zitten.'

'Varken.'

Ik lachte.

'Wat is je indruk nu je haar gesproken hebt?' vroeg ze.

'Daar is het nog te vroeg voor. Ofwel ze heeft niets te verbergen ofwel ze is een geboren leugenares.'

'Ik zet tien dollar in op het laatste.'

'We zullen zien of dat een verstandige actie zal blijken,' zei ik.

'Als iemand haar kan ontmaskeren, ben jij het wel.'

'Als je nog meer stroop smeert, plak ik aan mijn stoel vast.'

'Ik doe alles als jij daardoor resultaat boekt.'

'Dat snap ik. Je handleiding zegt dat je mijn zelfvertrouwen moet opkrikken.'

'Er bestaat echt geen handleiding voor hoe jij aangepakt dient te worden,' zei ze. 'Waar ben je nu?'

'Voor het huis van wijlen Connor Brown.'

'Heb je ook stap twee al uitgevoerd?'

'Ja.'

'Hoelang duurde het voor ze je zag?'

'Een paar minuten.'

'Mets of Yankees?'

'Mets,' zei ik. 'Steinbrenner houdt het voorlopig bij de ploeg die hij nu heeft. In elk geval tot na de kampioenschapswedstrijden.'

'Zou dat haar iets gezegd hebben?'

'Nee, maar je kunt nooit voorzichtig genoeg zijn.'

'Amen,' zei Susan. 'Geloofde ze je?'

'Ik denk het wel.'

'Mooi. Zie je wel, ik wist wel dat ik jou moest hebben voor deze klus.'

'Getver!'

'Wat is er?'

'Ik plak vast aan mijn stoel.'

'Hou je me op de hoogte?'

'Doe ik, baas.'

'Doe niet zo raar.'

'Ik zal eraan denken, baas.'

Susan verbrak de verbinding.

34

Nora had nog maar amper anderhalve kilometer gereden, toen ze zich door het zeurende stemmetje in haar achterhoofd liet ompraten. Midden op de weg, naast de Trump Golfbaan, gooide ze het stuur van de Benz om en maakte met gierende banden een bocht van 180 graden. Het stuur tolde als een Rad van Fortuin in het rond. Als ze snel was, kon ze hem nog wel inhalen, dacht ze.

Er is iets vreemds met Craig Reynolds.

En dan heb ik het niet over zijn gevoel voor humor.

Nora gaf plankgas en begon aan de weg terug naar Connors huis. Ze racete door een smal straatje met bomen langs de kant van de weg en moest uitwijken voor een trage Volvo. Even verderop wierp een oudere dame die haar cockerspaniël uitliet haar een afkeurende blik toe.

Heel even stond Nora in dubio. Zag ze geen spoken? Was dit wel nodig? Maar het zeurende stemmetje was sterker dan de twijfel. Ze trapte het gaspedaal weer in. Ze was er bijna.

Krijg nou wat!

Nora ging op de rem staan.

Ze was op de hoek van Connors straat en moest twee keer kijken voor ze het geloofde. De zwarte BMW stond er nog steeds. Craig Reynolds was nog niet vertrokken.

Waarom niet? Wat deed hij hier nog?

Ze zette haar auto in zijn achteruit en parkeerde langs de stoeprand bij een stel weelderige heggen en dennenbomen. Die stonden daar heel handig en onttrokken haar auto grotendeels aan het zicht, terwijl zij die van hem wel goed kon zien. Vanaf deze afstand was Craig Reynolds zelf alleen niet meer dan een silhouet. Nora tuurde door het raam. Ze wist het niet zeker, maar ze had het idee dat hij aan het telefoneren was.

Maar niet voor lang. Binnen een minuut zag ze de achterlichten van de

BMW aanflitsen door een wolk uitlaatgas heen. De verzekeringsagent ging eindelijk weg.

Nora had geen idee waar hij heen ging, maar ze was van plan daar wel achter te komen. Jeffrey in Boston kon wachten, zij had een nieuw plan bedacht: de ware Craig Reynolds leren kennen.

35

Daar ging hij.

Nora wist dat ze niet te dichtbij moest gaan rijden. Hij kende haar auto en het feit dat die rood was, was ook niet echt handig. Wat jammer nou dat Mercedes geen camouflagegroene cabrio's had.

BRIARCLIFF MANOR
SINDS 1902

Ook voor ze het bordje aan de kant van de weg zag, had Nora al geweten dat Craig naar het stadscentrum onderweg was. Daar had ze geluk mee. Na een stel rode lichten en door het invoegende verkeer van Route 9A had ze grote moeite hem in het oog te houden. Als hij niet in dit rustige stadje had gereden, was ze hem waarschijnlijk allang kwijt geweest.

Ze kende het stadje goed, omdat ze er verschillende malen met Connor geweest was. De inwoners waren een mengsel van arbeiders en chic, nieuw geld en geen geld. Langs de weg stonden rustieke lantaarnpalen voor de etalages van banken en speciaalzaken. Oude dametjes en jonge supermoeders die de nieuwste buggy's voortduwden liepen op de stoep. Amalfi's, een Italiaans restaurant waar Connor gek op was, bruiste van de lunchactiviteit.

Weer dacht Nora dat ze Craig kwijt was.

Ze zuchtte opgelucht toen ze zijn zwarte BMW nog net in de verte links af zag slaan. Tegen de tijd dat zij bij de hoek was, had hij al geparkeerd en liep hij net de stoep op.

Ze stopte meteen aan de kant van de weg en zag hem een bakstenen gebouw in lopen. Zijn kantoor, nam ze aan.

Langzaam reed ze erheen. Er hing inderdaad een bord boven de ramen van de eerste verdieping. 'CENTENNIAL ONE VERZEKERINGEN' stond erop.

Dat was een goed teken.

Nora keerde en parkeerde een meter of dertig verderop. Tot nu toe klopte alles in elk geval. Craig Reynolds leek te zijn wie hij voorgaf te zijn. Maar helemaal gerustgesteld was ze toch nog niet. Ze had het gevoel dat hij iets te verbergen had.

Ze besloot te wachten en staarde naar het gebouw, een onopvallend blok van twee verdiepingen hoog. Helemaal niet flitsend. Ze wist zelfs niet zeker of die bakstenen wel echt waren. Ze zagen er nogal nep uit, zoals die steenstrips die ze wel eens op tv had gezien.

Ze hoefde niet lang te wachten. Nog geen twintig minuten later kwam Craig het gebouw uit lopen en stapte hij weer in zijn auto. Nora ging overeind zitten en wachtte tot hij weg zou rijden.

Waarheen nu, verzekeringsagent? Wat je doel ook is, je rijdt niet alleen.

36

Restaurant The Blue Ribbon bleek het doel. Dat lag een paar kilometer ten oosten van de stad, niet ver van de Saw Mill River Parkway. Het had alle kenmerken van een klassieke Amerikaanse eettent. Vierkant met accenten van chroom en een gevel van glas.

Nora vond een plekje aan de rand van het parkeerterrein waarvandaan ze uitzicht had op de ingang. Ze keek op haar horloge. Het was al ruim na twaalven.

Ze had het ontbijt overgeslagen en rammelde nu eerlijk gezegd van de honger. En dan kwam uit het ventilatierooster van de keuken de geur van hamburgers en gefrituurde happen haar kant op. Ze ging als een gek op zoek naar een nog halfvol rolletje pepermunt in haar tas.

Een minuut of veertig later kwam Craig het restaurant uit lopen. Terwijl Nora toekeek registreerde ze nog iets. Hij was echt een knappe man met een zelfverzekerde uitstraling. Hij had een zekere rust over zich. Een air van zelfvertrouwen.

Ze zette de achtervolging weer in.

Craig deed een paar boodschappen en keerde vervolgens weer terug naar zijn kantoor. Keer op keer had Nora die middag de neiging om ermee te kappen, maar steeds wist ze zichzelf ervan te overtuigen om hier bij zijn kantoor te blijven posten, anderhalf blok bij de ingang vandaan. Ze was vooral nieuwsgierig naar de nacht. Had Craig Reynolds een sociaal leven? Had hij een vriendin? Waar woonde hij precies?

Om een uur of zes ging het licht ging uit bij Centennial One Verzekeringen en kwam Craig naar buiten gewandeld. Maar er was geen sprake van barbezoek, restaurantplannen of een afspraakje met een vriendin. Deze avond in elk geval niet. In plaats daarvan haalde hij een pizza en reed naar huis.

Dat was het moment waarop Nora ontdekte dat Craig Reynolds toch iets te verbergen had: hij had lang niet zoveel te spenderen als hij de wereld wilde doen geloven.

Aan zijn woning te zien had hij al zijn geld geïnvesteerd in zijn auto en zijn garderobe. Het appartement in Pleasantville was een verwaarloosd hok te midden van een stel even verwaarloosde huisjes. Een paar witte gebouwtjes met muren van kunststof en ramen met zwarte luiken ervoor. Een kleine patio of balkon. Niet bepaald indrukwekkend. Ging Craig gebukt onder een alimentatieregeling? Had hij kinderen te onderhouden? Wat was zijn verhaal eigenlijk?

Nora overwoog om nog wat langer rond te blijven hangen bij de 'Ashford Court Garden Appartementen'. Misschien had Craig nog plannen voor die avond.

Of misschien, bedacht Nora, begon zij te malen omdat ze de hele dag nog niet gegeten had. Toen ze Craig had zien balanceren met de pizzadoos, was haar maag met hernieuwde energie aan het knorren geslagen. Het rolletje pepermunt was intussen alweer een herinnering van lang geleden. Het was tijd om ergens iets voedzaams te gaan halen. Misschien in de Iron Horse in Pleasantville? Alleen naar een restaurant, hoe wonderlijk.

Ze reed weg, tevreden dat ze Craig had gevolgd. Ze wist dat mensen niet altijd waren wie ze leken te zijn. Daarvoor hoefde ze maar in de spiegel te kijken. Wat Nora weer deed denken aan een andere mantra van haar: een gezonde portie achterdocht is nooit verkeerd.

37

Volgens de advertentie in de *Westchester Journal* had dit appartement een spectaculair uitzicht. Ik zou niet weten waarop. De voorkant keek uit op een zijstraat van Pleasantville, terwijl de achterzijde een weidse blik bood op een parkeerterrein compleet met de moeder aller vuilcontainers.

Binnen was het alleen nog maar erger.

Overal zeil op de vloer. Een zwarte nepleren fauteuil en een *love seat* die waarschijnlijk weinig liefde gezien had. Als stromend water en elektriciteit de voorwaarden waren voor 'een moderne keuken', tja, dan was dat wat ik had. Voor het overige had ik zo mijn twijfels of gele formica keukenkastjes weer helemaal hip waren.

Maar het bier was in elk geval koud.

Ik zette de pizza neer en haalde een flesje uit de koelkast voor ik neerplofte op de bank met kuil in het midden van mijn 'ruime woonkamer'. Godzijdank leed ik niet aan claustrofobie.

Ik pakte de telefoon en toetste een nummer in. Ik wist zeker dat Susan nog op kantoor zou zijn.

'Heeft ze je gevolgd?' viel ze met de deur in huis.

'De hele dag,' zei ik.

'Heeft ze je naar binnen zien gaan?'

'Ja.'

'Staat ze nog steeds buiten?'

Ik geeuwde overdreven. 'Moet ik echt van de bank opstaan om te gaan kijken?'

'Natuurlijk niet,' zei ze. 'Neem de bank gewoon mee.'

Ik lachte bij mezelf. Ik was gek op vrouwen die me van repliek konden dienen.

Voor het raam naast de bank hing een morsig rolgordijn dat dicht was. Ik trok het voorzichtig een beetje opzij om de straat in te loeren.

'Hmmmm,' mompelde ik.

'Wat is er?'

Nora had ongeveer één straat verderop gestaan. Haar auto was nu weg.

'Ik geloof dat ze genoeg gezien heeft,' zei ik.

'Dat is mooi. Ze gelooft je.'

'Weet je, ik denk dat ze me ook geloofd zou hebben als ik een fatsoenlijk appartement gehad zou hebben. Iets in Chappaqua misschien?'

'Hoor ik iemand klagen?'

'Het is meer een observatie.'

'Je snapt het niet. Nu denkt ze dat ze je doorheeft,' zei Susan. 'Dat je je te duur kleedt en rijdt maakt je menselijker.'

'Is "gewoon aardig" niet goed genoeg?'

'Nora maakt zeker een "aardige" indruk?'

'Ja. Eigenlijk wel, ja.'

'Dan heb ik niets meer te zeggen.'

'Had ik het al over de gele formica aanrechtkastjes gehad?'

'Het valt vast best mee,' zei Susan.

'Dat kun jij makkelijk zeggen. Jij hoeft hier niet te wonen.'

'Het is maar tijdelijk.'

'Dat is ook mijn enige troost. Jezus, daarom is het natuurlijk ook dit appartement geworden,' zei ik. 'Zodat ik een beetje op zou schieten.'

'Het was een overweging.'

'Jij denkt ook overal aan.'

'Ik doe mijn best,' repliceerde ze. 'Maar even serieus: dat heb je goed gedaan.'

'Dank je.'

Susan gaf me een afsluitende zucht. 'Oké, nu is het dus officieel. Nora Sinclair heeft Craig Reynolds bespioneerd. Wat nu?'

'Dat is simpel,' zei ik. 'Nu is het mijn beurt.'

38

Er was nog maar één vrije stoel in de eersteklas cabine. Onder normale omstandigheden zou Nora het betreurd hebben dat dat niet de stoel naast de hare was. Maar ja, het was ook niet normaal dat ze de armleuning moest delen met zo'n leuke man. Van opzij had hij wel wat weg van Brad Pitt, alleen had hij geen trouwring aan zijn vinger en geen Jennifer aan zijn zij.

Tijdens het opstijgen begluurde Nora, die haar trouwring ook niet om had, haar metgezel bij het raampje. Ze wist haast wel zeker dat hij dat ook bij haar deed. Natuurlijk. Welke man zou dat niet doen? Toen de captain het lichtje voor de veiligheidsriemen doofde, wist ze dat de man klaar was om toe te slaan.

'Ik ben zelf een stapelaar,' zei hij.

Ze draaide zich naar hem toe, schuchter voorwendend dat ze nu pas besefte dat ze niet alleen was. 'Pardon?'

'Op de salontafel daar.' Hij grijnsde breeduit en knikte in de richting van het woontijdschrift op haar schoot. Op de rechterpagina stond een foto van een ruime woonkamer.

'Ziet u hoe de tijdschriften op die tafel liggen?' zei hij. 'Er zijn eigenlijk maar twee soorten mensen op de wereld: stapelaars en spreiders. Wat bent u?'

Nora keek hem zonder met haar ogen te knipperen aan. Wat eerste zinnen betreft moest ze hem wel een paar punten voor originaliteit toekennen. 'Dat hangt ervan af wie degene is die daarin is geïnteresseerd.'

'U hebt helemaal gelijk,' zei hij met een ongedwongen lach. 'Dat soort persoonlijke informatie geef je niet aan de eerste de beste onbekende. Ik heet Brian Stewart.'

'Nora Sinclair.'

Hij stak een sterk ogende, keurig gemanicuurde hand naar haar uit die ze drukte.

'Nu we elkaar kennen, Nora, ben je me nog een antwoord schuldig.'

'In dat geval zal het je deugd doen te horen dat ik een stapelaar ben.'

'Dat wist ik wel.'

'Is dat zo?'

'Ja.' Hij boog zich iets naar haar over, maar niet té. 'Je maakt een zeer georganiseerde indruk op me.'

'Is dat een compliment?'

'Zo is het wel bedoeld.'

Ze glimlachte. Misschien zag de echte Brad Pitt er beter uit, maar Brian Stewart had charme genoeg. Reden genoeg om het gesprek nog even gaande te houden.

'En, Brian, wat staat jou te wachten in Boston?'

'Een stuk of wat investeerders. En een pen.'

'Veelbelovend, hoor. Ik neem aan dat die pen voor je handtekening is.'

'Zoiets, ja.'

Nora wachtte op verdere uitleg, maar die bleef uit. Ze grijnsde. 'Heb ik zoiets intiems onthuld als het feit dat ik een stapelaar ben, ben jij zelf opeens heel terughoudend.'

Hij ging duidelijk geamuseerd verzitten. 'En alweer sla je de spijker op de kop. Oké dan. Vorig jaar heb ik mijn softwarebedrijf verkocht. Deze middag ga ik een nieuw bedrijf oprichten. Saai, hè?'

'Helemaal niet. Gefeliciteerd! En die investeerders, gaan die in jou investeren?'

'Ik zeg altijd maar: waarom zou je je eigen geld ergens in steken, als anderen bereid zijn dat voor je te doen?'

'Helemaal mee eens.'

'En jij, Nora? Wat staat jou te wachten in Boston?'

'Een klant,' zei ze. 'Ik ben binnenhuisarchitecte.'

Hij knikte. 'Woont die klant van je in de stad?'

'Inderdaad. Maar dat is niet het huis dat ik ga inrichten. Hij heeft onlangs een villa gekocht op de Caymaneilanden.'

'Prachtige omgeving.'

'Ik ben er zelf nooit geweest. Maar dat zal binnenkort veranderen.' Nora deed haar mond open, alsof ze nog iets wilde zeggen. Ze viel stil.

'Wat wilde je zeggen?' vroeg hij.

Ze sloeg haar ogen ten hemel. 'Iets doms.'

'Ga je gang. Vind maar uit hoe ik reageer.'

'Nou ja... Toen ik het met een vriendin over die klant had, zei ze dat hij waarschijnlijk op de Caymaneilanden bouwde om een oogje te kunnen houden op het geld dat hij daar voor de belasting verborgen hield.' Ze schudde het hoofd met een overtuigend vertoon van naïviteit. 'Ik bedoel, ik wil absoluut niet verstrikt raken in zaken die niet deugen.'

Brian Stewart glimlachte met een blik van verstandhouding. 'Het is veel minder duister dan je denkt. Je zou ervan staan te kijken als je wist hoeveel mensen bankrekeningen in het buitenland hebben.'

'Echt waar?'

Hij boog zich nog verder naar haar toe tot zijn gezicht zich nog maar op enkele centimeters van het hare bevond. 'Ik beken schuld,' fluisterde hij. Hij pakte zijn champagneglas op. 'Maar dat blijft wel onder ons, hè?'

Nora pakte haar glas ook en proostte met hem. Brian Stewart ontpopte zich tot iemand die ze graag wat beter zou leren kennen.

'Op geheimen,' zei ze.

'Op stapelaars,' zei hij.

39

'Wat wilt u drinken?' vroeg ze.

Ik keek de stewardess aan, die er moe uitzag, dodelijk verveeld en toch een poging deed aardig te zijn. Zij en haar karretje met drank waren uiteindelijk bij mijn stoel beland. 'Een Cola Light, graag,' zei ik.

'Het spijt me, die was tien rijen voor u al op.'

'Ginger Ale dan maar.'

Haar ogen schoten langs de blikjes op het karretje. 'Hmmm,' mompelde ze. Ze boog zich voorover om de ene la na de andere open te trekken. 'Sorry, Ginger Ale hebben we ook niet meer.'

'Waarom doen we het niet andersom?' zei ik met een geforceerd lachje. 'Wat hebt u nog wel?'

'Houdt u van tomatensap?'

Alleen met een flinke scheut wodka en een selderijstengel erin. 'En verder?'

'Ik heb één blikje Sprite.'

'Nu niet meer.'

Het duurde even voor ze doorhad dat dat mijn manier was om 'ja, graag' te zeggen.

Ze schonk ongeveer de helft van het blikje in een bekertje en overhandigde dat samen met een zakje zoutjes aan me. Terwijl zij haar karretje verder duwde, hield ik mijn plastic bekertje in de lucht. Als ik scheel genoeg naar de belletjes keek, leek het bijna op de champagne die Nora nu waarschijnlijk in de eersteklas te drinken kreeg.

Ik stopte een zoutje in mijn mond en probeerde mijn benen te verplaatsen. Dat had ik gedroomd. Met het tafeltje omlaag geklapt zaten ze aan alle kanten klem. Een compleet afgeknelde bloedsomloop was alleen nog maar een kwestie van tijd.

Precies. Op dat moment realiseerde ik me wat het tot nu toe overkoepelende thema van deze opdracht was. In één woord: benauwdheid.

Een benauwd kantoor, een benauwd appartement, een benauwde zitplaats op de laatste rij van de toeristenklasse waar ik de stank van het benauwde toilet direct achter me inademde.

Niet dat alles daardoor meteen verloren was.

Het prettige aan mensen volgen in een vliegtuig was dat je je geen zorgen hoefde te maken dat je ze kwijt zou raken tijdens de vlucht. Op een hoogte van tienduizend meter glipt niemand via een zij-ingang naar buiten.

Ik wierp een blik op het koningsblauwe gordijn in de verte, aan de andere kant van het gangpad. Hoewel de kans gering tot niet aanwezig leek dat Nora enige reden zou hebben zich te mengen onder ons, het plebs in de toeristenklasse, had ik toch het gevoel dat ik op mijn tenen moest lopen.

Niet dat ik die nog voelde.

Op het vliegveld van Westchester, voor de vlucht, had Nora me niet gezien. Dat wist ik zeker. Nou ja, ze had me misschien wel gezien, maar ze had me zeker niet herkend. Behalve mijn Red Sox-petje, zonnebril, joggingpak en gouden ketting, had ik ook mijn nepsnor uit de kast gehaald. Voeg daarbij nog een *Daily News* die ik nooit verder dan dertig centimeter van mijn gezicht vandaan hield en de vermomming was af.

Nee, Nora had er geen idee van dat ze gezelschap had op deze vlucht. Zoveel was zeker. Maar wat ik natuurlijk nog niet wist, was het antwoord op de vraag van de dag.

Wat had ze in Boston te zoeken?

40

Ik volgde Nora en haar kekke koffertje op wieltjes een roltrap af naar beneden en langs de bagageafdeling. Ze zag er weer geweldig uit, zoals altijd, zowel van voren als van achteren. Ze had een heel speciaal loopje en een prachtige lach als het nodig was. Ze keek geen enkele keer rond om te zien waar ze heen moest. Het was duidelijk dat dit niet haar eerste tripje via Logan Airport was.

Ze liep naar buiten waar ze stil bleef staan en om zich heen keek. Wat ze zocht werd al snel duidelijk.

Geen taxi en ook niet de auto van een kennis, maar de shuttlebus van Avis.

Zodra ze was ingestapt, rende ik naar de taxirij.

Taxi!

'Breng me naar Avis!' blafte ik tegen het achterhoofd van de chauffeur.

Hij draaide zich om, en liet een zeemansgezicht met een wegenkaart van rimpels en vouwen zien. 'Wat?'

'Breng me...'

'Nee, ik heb je best gehoord, jongeman. Wat ik bedoel, is dat ze daar shuttlebusjes voor hebben.'

'Ik hou niet van wachten.'

'Ik ook niet.' Met een priemende vinger wees hij door de achterruit. 'Zie je die rij taxi's achter me? Ik heb niet al die tijd gewacht voor een ritje van drie dollar.'

Ik zag door de voorruit Nora's bus in de verte verdwijnen. 'Oké, hoeveel wil je?' zei ik.

'Dertig dollar. Lager ga ik niet.'

'Twintig.'

'Vijfentwintig.'

'Oké. Rijden dan.'

41

De vent schoot ervandoor en ik haalde meteen mijn telefoon tevoorschijn. Ik had de nummers van alle vliegmaatschappijen, hotelketens en autoverhuurbedrijven in het geheugen zitten. Dat moest wel met een baan als de mijne.

Ik belde Avis. Nadat ik me door een serie automatische doorschakelingen heen gewerkt had, kreeg ik een 'beschikbare medewerker' aan de lijn.

'En wanneer hebt u de auto nodig?' vroeg ze.

'Over vijf minuten. Misschien eerder.'

'O.'

Ze zou haar best doen. Voor het geval dat niet goed genoeg was, bracht ik de chauffeur maar vast op de hoogte dat hij misschien nog wel wat meer kwaliteitstijd met me door zou mogen brengen.

Godzijdank hoefde het zover niet te komen.

Nora's buschauffeur was erg lichtvoetig. Terwijl hij voortpruttelde, wisten wij hem zelfs nog te passeren voor we bij het verhuurbedrijf arriveerden. Tegen de tijd dat Nora in een zilverkleurige Sebring cabrio stapte, zat ik al achter het stuur van mijn spacewagon. Inderdaad, een spacewagon. Ik bedoel, niemand verwacht toch door iemand in een spacewagon te worden gevolgd?

Voor alle zekerheid hield ik toch maar enige afstand. Tot het moment dat Nora duidelijk maakte dat zij geen chauffeur van een shuttlebus was. Formule Eén-rijder leek er meer op.

Hoe meer gas ik gaf, hoe harder zij ervandoor leek te gaan. In plaats van dat ik me verscholen kon houden tussen de andere auto's, werd ik gedwongen ze voorbij te scheuren. Daar ging mijn plan met de onopvallende spacewagon.

Shit.

Een rood licht. Ik had een ander al genegeerd, maar dit was op een druk kruispunt. Nora was erdoor en ik niet.

Terwijl zij een stipje aan de horizon werd, zat er voor mij niks anders op dan vloekend te wachten. De gedachte dat ik dit hele eind gevlogen had om haar hier kwijt te raken deed mijn maag omdraaien.

Groen!

Ik gaf luid toeterend gas en trok met gierende banden op. Van achtervolgen was het nu een kwestie van inhalen geworden en het zag er niet goed voor me uit. Ik keek op mijn snelheidsmeter. Negentig, honderd, honderdtwintig kilometer per uur.

Daar! Ik ontdekte haar auto een eind voor me. Ik slaakte een zucht van verlichting en deed mijn best dichterbij te komen. Ik had twee rijstroken tot mijn beschikking en het andere verkeer werkte mee. Ik kon heen en weer ritsen zonder al te veel op te vallen. Het leek de goede kant op te gaan.

Maar dat gold helaas niet voor mij.

42

Ik had het bord op het viaduct moeten zien, het bord dat aankondigde dat er een splitsing aan kwam. Ik had het te druk met de grote vrachtwagen van een matrassenbedrijf voor me die ik wilde passeren.

Stom.

Met mijn rechtervoet tegen de grond gedrukt haalde ik de vrachtwagen langzaam in. Toen ik ernaast reed, kon ik Nora niet meer zien. Ik strekte mijn nek in mijn poging haar ergens te ontdekken.

Maar wat ik zag, was heel wat anders. Grote felgele vaten! Het soort dat ze met water vullen en voor betonnen afscheidingen zetten zodat je geen *boem* zegt maar *plens*.

Ik keek naar de vrachtwagen. We lagen nek-aan-nek en de chauffeur keek vanuit de hoogte omlaag naar me.

Ik keek naar de grote gele vaten. Ze kwam heel snel heel dichtbij.

De rijbanen werden gesplitst. Ik zat op de linkerhelft, Nora op de rechter. Ik moest daar ook heen.

Die verrekte vrachtwagen!

Zodra ik hem een neuslengte voor was, ging hij harder rijden. Ik ramde op de claxon en gaf nog meer gas.

Een eindje verderop passeerde Nora de gele vaten en schoot naar rechts. Ik zat nog steeds vast op de linkerrijbaan en was bezig terrein te verliezen. En snel ook.

Shit.

Ik ging op de rem staan! Als ik er niet via de voorkant langs kon, zou ik er wel achterlangs duiken. De stationwagon schudde vervaarlijk op zijn wielen, terwijl ik besefte dat de matrassentruck, die zo'n tien ton zwaar was, mijn kant op kwam. Op dat moment realiseerde ik me dat hij naar mijn rijstrook wilde.

Ik hoorde het getoeter achter me niet. Noch het gieren van de banden.

Het enige geluid was het bonzen van mijn hart op het moment dat de neus van mijn auto de achterkant van de vrachtwagen raakte, metaal tegen metaal.

De vonken sprongen eraf. Ik verloor de macht over het stuur. Ik tolde in het rond en ging bijna over de kop. Dat zou ook gebeurd zijn zonder dat ene kleine detail.

Plens!

Mijn gezicht sloeg tegen de airbag en de gele vaten deden de rest. Het deed verrekte veel pijn, maar ik wist meteen dat ik enorm gemazzeld had. Het verkeer kwam weer op gang terwijl ik uit de auto stapte. Ook de anderen waren er met wat schrammetjes van afgekomen. Overal lag water, enorme plassen, maar dat was alles.

Sukkel! Ik was woest op mezelf. Na een tijdje kwam ik weer tot mezelf en kon ik bellen.

'Ik ben haar kwijt.'

'Wat?' snauwde Susan.

'Ik zei...'

'Ik hoorde wat je zei. Hoe kon je haar kwijtraken?'

'Ik heb een aanrijding gehad.'

Haar toon schoot meteen in de meeleefstand. 'Hoe is het met je?'

'O, prima.'

'In dat geval: hoe kon je haar nou in godsnaam kwijtraken?'

'Die vrouw rijdt als een idioot.'

'Jij dan niet?'

'Nee, echt. Je had het moeten zien.'

'Dat zal wel,' snauwde ze. 'Je had haar niet kwijt mogen raken.'

Ik deed wat ik kon om kalm te blijven, maar Susan maakte het me niet gemakkelijk. Hoe verleidelijk het ook was om even woedend te reageren, ik besefte dat het beter was haar de andere wang toe te keren.

'Je hebt gelijk,' zei ik. 'Ik heb het verprutst.'

Ze kalmeerde een beetje. 'Denk je dat ze je gezien heeft?'

'Nee. Het was niet omdat ze me kwijt probeerde te raken. Zo rijdt ze gewoon.'

'Hoeveel bagage had ze?'

'Een kleine rolkoffer. Die had ze als handbagage mee.'

'Oké, dan. Verlaat het zinkende schip maar en vlieg terug naar New York. We kunnen er, denk ik, wel van uitgaan dat ze binnenkort terug zal keren naar Connor Browns huis, wat haar plannen ook mogen zijn.'

Ik vond het beter om van onderwerp te veranderen. 'Is het graafwerk goedgekeurd?' vroeg ik.

'Ja, we mogen graven. De benodigde papieren kunnen elk moment binnenkomen,' zei ze. 'Ik laat het je nog wel weten.'

Ik zei haar gedag en wilde ophangen. Maar dan kende ik Susan nog niet. Voor het geval ik nog niet goed begrepen had, hoe ik haar had teleurgesteld, wreef ze het er nog even extra in.

'Nog een prettige vlucht,' zei ze. 'O, en probeer vandaag niet nog meer te verprutsen.'

Ik bleef luisteren hoe ze ophing en schudde toen langzaam mijn hoofd. Ik begon te ijsberen in een poging mijn woede te koelen. Die liet zich niet koelen. Hoe meer ik ijsbeerde, hoe meer hij opvlamde. De spanning verspreidde zich door mijn lichaam en voor ik het wist, had hij zich in mijn vuist verzameld.

Baf!

Opeens had mijn huurauto één ruit minder.

43

Nora keek nog eens in haar achteruitkijkspiegel. Er was iets gebeurd achter haar, een aanrijding misschien.

Als dat zo was, verzekerde ze zichzelf, was dat puur toeval en had het niets te maken met dat vreemde gevoel in haar maag. Dat gevoel dat was komen opzetten toen ze bij Avis was weggereden. Het 'ik ben niet alleen'-gevoel.

Nu ze in het centrum van Back Bay arriveerde, leek het weg te zakken.

Het verkeer op Commonwealth Avenue kroop vooruit of stond helemaal stil. Er werd een of andere demonstratie gehouden in Newbury Street en daar moest elke andere straat voor boeten. Nora moest drie rondjes rijden voor ze een plekje vond.

Ze had zijn trouwring omgedaan toen ze in de shuttlebus vanaf het vliegveld zat. Nadat ze gewoontegetrouw in het spiegeltje van de zonneklep had gekeken, was ze er klaar voor. De koffer werd uit de bagageruimte gehaald, het dak weer omhooggeschoven. Tijd om het toneel op te gaan. Zoals gewoonlijk zat Jeffrey te werken, toen ze zichzelf binnenliet. Ze had zich intussen gerealiseerd dat er maar drie dingen waren die hem van het schrijven af konden houden. Eten, slapen en seks, niet noodzakelijkerwijze in die volgorde.

In plaats van hem te roepen, liep Nora stilletjes naar de achterkant van het huis. Geconcentreerd als hij altijd bezig was en met de achtergrondmuziek die hij op had staan, kon hij haar met geen mogelijkheid horen. Ze deed de deur van de bijkeuken open en stapte de binnenplaats op. Door het hoge gietijzeren hek, overdekt met klimop, en de andere strategisch geplaatste beplanting zat je er heerlijk beschut.

Ze had maar een minuutje nodig om zich te installeren. Ze ging op een bamboe ligstoel met kussens liggen, pakte haar mobiel en toetste een nummer in.

Een paar tellen later hoorde ze de telefoon binnen overgaan.

Na een hele tijd nam Jeffrey op.

'Dag, lieverd, met mij,' zei ze.

'Je gaat me toch niet vertellen dat je niet komt?'

Ze lachte. 'Nee, hoor.'

'Wacht eens even. Waar ben je?'

'Kijk maar eens door het raam.'

Ze keek op en zag Jeffrey voor het raam van zijn werkkamer verschijnen. Zijn ferme kaak zakte open, vervolgens begon hij te lachen, wat ze duidelijk hoorde door de telefoon.

'Herejezus,' zei hij.

Nora lag naakt op de ligstoel, op haar pumps na. Ze kirde in de telefoon. 'Ben je tevreden met het uitzicht?'

'Dat kun je wel zeggen. Ik zie niets wat me niet aanstaat.'

'Mooi. Doe je een beetje voorzichtig op de trap?'

'Wie zei er dat ik de trap zou nemen?'

Jeffrey deed het raam open, klom naar buiten en gleed langs de koperen regenpijp naar beneden. Heel soepel. Tot Nora's verrukking.

Wat het record bij de mannen ook was voor het uittrekken van kleding, Jeffrey scherpte het zeker aan. Daarna kroop hij behoedzaam naast haar op de stoel. Hij begroef zijn handen diep in de kussens en sloeg zijn gespierde armen om haar heen. Hij was een sexy man, als je hem van zijn computer wist los te weken.

Nora sloot haar ogen. Ze hield ze dicht, zolang ze de liefde bedreven. Ze wilde iets voelen voor Jeffrey. Wat dan ook. Maar ze voelde helemaal niets.

Kom op, Nora. Je weet wat je te doen staat. Je hebt het vaker gedaan.

Het stemmetje in haar hoofd klonk niet langer als dat van een oude vriend. Meer als van een onwelkome vreemdeling, iemand die ze nauwelijks kende. Ze deed net of ze het niet hoorde. Dat had geen zin. Het werd er juist harder door. Indringender. Het drong zich op de voorgrond.

Jeffrey kwam klaar en rolde buiten adem van haar af. 'Wat een aangename verrassing. Je bent geweldig.'

Vraag hem of hij honger heeft, Nora.

Ze wilde het wel uitschreeuwen tegen dat kleine stemmetje vanbinnen. Maar dat zou tijdverspilling zijn. Er was maar één manier om het tot zwijgen te brengen.

En ze wist hoe.

'Waar ga je heen?' vroeg Jeffrey.

Nora was zonder iets te zeggen opgestaan. Ze liep al in de richting van het huis. 'De keuken,' zei ze over haar schouder. 'Ik ga kijken wat ik voor je klaar kan maken. Ik wil voor je koken.'

44

O, man. Wat moest hij doen, wat moest hij doen? Dit ging helemaal de verkeerde kant op.

De toerist zat in zijn eentje in de kleine, morsige kamer met alweer een Heineken voor zich. Zijn vierde. Of was het al de vijfde? De stand bijhouden had op het moment geen prioriteit. En dat gold al evenmin voor de wedstrijd van de Yankees die op tv doorzeurde. Of voor het opeten van zijn pizza met worst en ui die op tafel voor hem koud stond te worden.

Op zijn Mac had hij een verzameling krantenartikelen staan over de schietpartij in New York. Het waren er makkelijk een dozijn over het 'Duel bij daglicht'.

De pers was compleet met het verhaal aan de haal gegaan, wat de toerist niet bepaald verraste. Hij had een berg onbeantwoorde vragen achtergelaten. Er was veel inkt gewijd aan gissingen en speculaties, waarvan een gedeelte heel geloofwaardig was, maar het meeste totaal uit de lucht gegrepen. Het briefje waarvan ze vergezeld gingen, vatte de boodschap kort samen. De beer is los. Hou je een beetje gedeisd, toerist. We houden contact.

Hij lachte en las de tegenstrijdige ooggetuigenverklaringen nog eens over. Hoe kon het, schreef een columnist van de *News*, dat dezelfde gebeurtenis zo verschillend beleefd kon zijn door mensen die op nog geen zeven meter afstand stonden?

'Hoe is het mogelijk?' zei de toerist hardop. Hij leunde achterover in zijn stoel en legde zijn benen op tafel. Hij had er alle vertrouwen in dat zijn identiteit een mysterie zou blijven. Hij had de benodigde voorzorgsmaatregelen genomen, zijn sporen uitgewist. Hij had net zo goed een geest kunnen zijn.

Er was maar één ding dat hem dwarszat en dat zat hem ook flink dwars.

Waar ging die lijst die hij van de Flash Drive had gekopieerd over? Al die buitenlandse bankrekeningen.

Eén komma vier.

Miljard.

Wat moest dat voorstellen?

Was dat het leven van een of andere arme sloeber voor de deuren van het Centraal Station waard?

Blijkbaar.

Was het ook meer levens waard?

Het zijne, bijvoorbeeld?

Echt niet.

Maakte het deel uit van een groter plaatje dat uiteindelijk uit deze losse stukjes tevoorschijn zou komen?

Wie zou het zeggen? Maar hij hoopte van wel.

45

Jeffrey tuurde over de restauranttafel met de brandende kaarsen naar Nora. 'Weet je zeker dat je hier zin in hebt?'

'Natuurlijk heb ik dat.'

'Nou ja. Je keek een beetje sip toen ik voorstelde om uit eten te gaan in plaats van thuis te blijven.'

'Doe niet zo mal. Dit is heerlijk.' Nora deed haar best om haar lichaamstaal overeen te laten komen met haar woorden. Dat vroeg om het betere acteerwerk. Ze had nu bij hem thuis zijn laatste maaltijd moeten staan bereiden. Haar besluit lag vast, maar nu zaten ze hier in Jeffreys favoriete restaurant. Nora was ongeduriger dan ooit tevoren. Ze voelde zich net een renpaard dat voor een startpoortje stond dat niet open wilde gaan.

'Wat is dit toch een geweldige tent,' zei Jeffrey om zich heen kijkend. Ze zaten in The Primavera in Bostons North End. De inrichting was eenvoudig en stijlvol met witlinnen tafelkleden, glimmend bestek en sfeervolle verlichting. Als je plaatsnam werd ervan uitgegaan dat je gewoon kraanwater wilde drinken en geen bronwater. En eerlijk gezegd zou dat Nora ook worst wezen.

Jeffrey nam de osso buco, Nora de risotto met porcinipaddestoelen. Maar ze had absoluut geen trek. De wijn was een Poggiarello Chianti Classico uit 1994. Precies de wijn die ze nodig had. Toen de borden waren afgeruimd, stuurde Nora het gesprek in de richting van het volgende weekeinde. Haar onafgemaakte werk zat haar helemaal niet lekker.

'Ben je vergeten,' vroeg Jeffrey, 'dat ik op stap moet, liefste? Ik moet naar dat boekenfestival in Virginia.'

'Ach ja, dat is waar ook.' Nora kon het wel uitschreeuwen. 'Ik snap niet dat ik je loslaat te midden van al die hordes vrouwelijke fans die je adoreren.'

Jeffrey vouwde zijn handen voor zich op tafel en boog zich naar haar over. 'Moet je horen,' zei hij. 'Ik heb eens na zitten denken over de manier waarop wij omgaan met ons huwelijk. Of liever gezegd, de manier waarop ik dat doe. De geheimzinnigheid. Ik vind dat niet netjes ten opzichte van jou.'

'Heb je het gevoel dat ik daarmee zit, want...'

'Nee, integendeel. Jij toont zoveel begrip. Daardoor voel ik me nog schuldiger. Ik bedoel, ik heb de meest fantastische vrouw ter wereld. Het wordt tijd dat de wereld daarvan op de hoogte gebracht wordt.'

Nora lachte, zoals er van haar verwacht werd, maar ze was behoorlijk geschrokken. 'En je fans dan?' vroeg ze. 'Al die vrouwen volgende week in Virginia, die een van de meest sexy en begerenswaardige vrijgezellen uit de lijst van *People* willen zien?'

'Die kunnen mijn rug op.'

'Dat is nou juist wat ze zouden willen,' zei Nora.

Jeffrey pakte haar handen en drukte ze zachtjes. 'Jij toont altijd zoveel begrip en ik ben zo ongelooflijk egoïstisch. Maar dat is nu afgelopen.'

Nora begreep dat ze het hem niet uit zijn hoofd zou kunnen praten. Voorlopig niet, in elk geval. Hij was een echte man wat dat betreft. Hij had besloten wat het beste voor haar was en daar viel nu niets meer tegenin te brengen.

'Weet je wat?' zei ze. 'Ga jij nou maar gewoon naar dat festival, laat die dames daar maar in katzwijm vallen voor je uiterlijk, je charme en je eruditie en dan praten we er wel over als je terug bent.'

'Ja, hoor,' zei hij op een toon die het tegendeel suggereerde. 'Er is alleen één probleempje.'

'Wat dan?' vroeg Nora. Wil je midden in dit volle restaurant nog een keer een aanzoek doen?

'Ik heb gisteren een interview gegeven aan *New York Magazine*. Ik heb alles over jou en mij opgebiecht. De bruiloft in Cuernavaca. Je had die interviewster moeten zien kijken. Ze zat te popelen om die primeur in haar blad af te drukken. Ze vroeg of ze ook foto's mocht laten maken van jou en mij. Daar heb ik mee ingestemd.'

Nu kon Nora haar pokergezicht toch niet meer in de plooi houden. 'Echt waar?'

'Ja,' zei hij en hij pakte haar handen nog wat steviger vast. 'Dat is toch geen punt?'

'Nee, hoor. Dat is geen punt.'

Wel dus, dacht ze bij zichzelf. Het is een levensgroot probleem.

46

Nora was de volgende dag aan het einde van de middag terug in Manhattan. Ze had haar appartement gemist, het comfort en de rust die er heersten, de dingen die ze door de jaren heen voor zichzelf gekocht had. Ze had gemist wat ze als haar echte leven beschouwde.

Terwijl ze een bad voor zichzelf liet vollopen, luisterde ze het antwoordapparaat af. Ze had het ook regelmatig gecheckt terwijl ze weg was. Nu stonden er vier nieuwe berichten op. De eerste drie hadden met haar werk te maken, zeikerige klanten. De laatste was van Brian Stewart, haar reisgenoot in de eerste klas, de dubbelganger van Brad Pitt.

Het berichtje was kort en leuk, precies zoals ze het graag had. Brian vertelde hoe leuk hij het had gevonden haar te leren kennen en hoe hij ernaar uitkeek haar nog eens te zien. 'Ik kom tegen het einde van de week weer terug in de stad en dan zou ik je graag een keer mee uit nemen. Ik beloof je dat je je uitstekend zult vermaken.'

Als je erop staat, Brian.

Nora stapte in het warme bad. Toen ze er weer uit was, bestelde ze eten bij de Chinees en bekeek ze haar post. Voor het journaal van elf uur was afgelopen lag ze diep in slaap op de bank. En ze sliep uit.

Even voor twaalven de volgende ochtend liep Nora Hargrove & Sons in de Upper East Side binnen. Eigenlijk vond ze het daar maar een stoffige zooi met personeel dat ouder leek dan het antiek dat ze verhandelden. Maar de zaak was een favoriet van een van haar klanten, de filmproducer Dale Minton en hij had erop gestaan haar daar te ontmoeten.

Nora snuffelde in haar eentje even rond. Nadat ze alweer een Schots geruite sofa gepasseerd was, voelde ze een tikje op haar schouder.

'Je bent het echt, Olivia!'

De overdreven opgewonden man die voor haar stond, was Steven Keppler, de fiscaal jurist met het over zijn schedel gekamde haar.

'O, eh, hallo,' zei Nora. Ze bladerde haastig door het adresboekje in haar hoofd en vond daar zijn naam. 'Hoe is het, Steven?'

'Geweldig, Olivia. Ik had je al een paar keer geroepen. Hoorde je me niet?'

Ze bleef uiterlijk onverstoorbaar. 'O, zo ben ik. Hoe langer ik winkel, hoe minder ik hoor van wat er om me heen gebeurt.'

Steven lachte en accepteerde die verklaring. Terwijl hij in een 'wie had dat gedacht, dat ik jou hier zou ontmoeten'-praatje losbarstte, herinnerde Nora zich zijn geile gegluur weer. Hoe had ze dat kunnen vergeten? Zijn ogen waren ook nu alweer aan het kwijlen. Konden ogen kwijlen? Die van Keppler in elk geval wel. Intussen hield ze haar blik gericht op de ingang met het oog op Dale. Dit zou wel eens een ramp in wording kunnen zijn.

'Zo, Olivia. Ben je voor jezelf of voor een klant aan het shoppen?' vroeg Steven.

'Een klant,' zei ze en ze keek op haar horloge.

Als je over de duivel spreekt... Op datzelfde moment kwam Dale Minton de winkel binnen walsen met een air alsof hij de eigenaar van de zaak was. Dat zou hij ook zo kunnen zijn, als hij dat wilde.

'Ah, daar is hij al,' zei ze. Ze wilde niet in paniek raken, maar het idee dat Dale haar Nora zou noemen waar Steven bij was, of andersom, vrat aan haar.

'Ik zal je verder niet storen bij je werk,' zei hij. 'Beloof me dan alleen dat je een keer met me gaat eten.' Wat een opportunist was die vent. Hij wist dat zij wist dat 'ja' een veel sneller antwoord was. 'Nee' zou nog een excuus vereisen.

'Ja,' zei Nora. 'Dat lijkt me heel gezellig. Bel me maar.'

'Doe ik. Ik ga volgende week met vakantie, maar als ik terug ben, ga ik je zeker aan die belofte houden.'

Steven Keppler draaide zich om, terwijl Dale nog maar een paar meter van haar verwijderd was. Dat was rakelings. Maar toen...

'Leuk je tegen het lijf te lopen, Olivia,' riep Steven hard achterom.

Nora lachte flauwtjes naar hem en keek naar Dale, die niet-begrijpend terugkeek. 'Zei die man nou Olivia tegen jou?' vroeg hij.

Nora deed een schietgebedje om inspiratie. Dat werkte. Ze boog zich fluisterend naar Dale over. 'Ik heb hem een paar maanden terug op een feestje ontmoet. Toen heb ik gezegd dat ik Olivia heette. Je snapt wel waarom.'

Dale knikte. Hij begreep het helemaal. Nora glimlachte. Haar twee levens bleven veilig gescheiden.

Voorlopig, althans.

47

Een blonde vrouw zwierf van het ene antieke meubelstuk naar het andere, haar ogen verborgen achter een donkere zonnebril. Ze speelde voor detective en voelde zich om heel eerlijk te zijn nogal belachelijk. Maar ze móést Nora Sinclair gewoon volgen.

Als dit ergens anders was geweest dan in New York, zou ze nogal opgevallen zijn. Maar dit was de Upper East Side van Manhattan. Hier ging ze volkomen op in de omgeving. Hier was ze gewoon een snuffelende klant van Hargrove & Sons.

De blondine bleef bij een eikenhouten kapstok met glimmende koperen haken staan en deed alsof ze het prijskaartje bestudeerde. Haar oren en ogen bleven op Nora gefixeerd.

Of was het 'Olivia' Sinclair?

Ze wist niet wat ze moest denken van het gesprek met de kalende man. Wie naar twee namen luistert, is waarschijnlijk ergens schuldig aan.

Ze bleef naar Nora kijken, die nu door een oudere man vergezeld werd. Voor alle zekerheid liep ze ook een paar keer een eindje bij hen vandaan. Toch slaagde ze erin flarden van het gesprek op te vangen.

De oudere man was een klant. Blijkbaar was Nora dus wel echt binnenhuisarchitecte. Haar commentaren en suggesties, het jargon, het kwam allemaal heel geloofwaardig over.

Ze had Nora's beroep ook nooit echt in twijfel getrokken. Het ging om de rest van haar leven. Haar twee levens, haar geheimen. Maar bewijzen had ze nog niet. Dat was ook de reden dat de blonde dame zelf maar eens een kijkje was gaan nemen.

'Pardon. Kan ik u ergens mee helpen? Zoekt u iets?'

De blondine draaide zich om en zag een oudere verkoper vlak achter haar staan. Hij droeg een vlinderstrikje, een tweedjasje en had een bril met een metalen montuur op die er even oud uitzag als hijzelf.

'Nee, dank u,' zei ze bijna fluisterend. 'Ik kijk alleen een beetje rond. Maar ik zie niet wat ik zoek.'

48

Nadat ik Nora die zaterdag in Boston was kwijtgeraakt, kon de rest van het weekend in één woord samengevat worden: beroerd.

Op mijn lijstje van domme dingen die je in een opwelling kunt doen, scoorde afrekenen met het raam van een huurauto vrij hoog. Godzijdank had ik mijn hand niet gebroken. Dat was tenminste mijn conclusie na een uitgebreid medisch zelfonderzoek. Dat was uiterst nauwgezet en bestond uit niet meer dan één vraag: kun je je vingers nog bewegen, sukkel? Toen het eindelijk maandagochtend werd, reed ik langs Connor Browns huis om te zien of Nora al terug was. Niet dus. Nadat ik datzelfde ritje die middag nog eens gemaakt had met hetzelfde resultaat, vond ik dat het tijd was om haar mobiele nummer eens te bellen.

Ik haalde mijn notitieboekje tevoorschijn waarin ik het nummer genoteerd had dat Nora me gegeven had en belde haar vanuit de auto.

Er werd opgenomen door een man.

'Sorry, misschien heb ik het verkeerde nummer,' zei ik. 'Ik ben op zoek naar Nora Sinclair.'

Hij kende niemand die zo heette.

Ik hing op en vergeleek het nummer in mijn notitieboekje met het nummer dat ik ingetoetst had en dat opgeslagen was in het geheugen van mijn telefoon. Nee. Ik had toch echt het juiste nummer gedraaid. Het was gewoon niet het nummer van Nora.

Nou ja.

Ik bleef even naar mijn stuur zitten staren voor ik opnieuw naar de telefoon greep en een nummer intoetste. Deze keer kreeg ik een jonge, vriendelijk klinkende vrouwenstem.

'Goedemorgen, Centennial One Verzekeringen.'

'Heel overtuigend, Molly,' zei ik.

'Echt?'

'Zeker. Als ik niet beter wist, zou ik denken dat je een nagelvijl in je hand had.'

Molly was mijn nieuwe receptioniste. Omdat Nora me gevolgd was naar mijn werk, was er besloten dat 'het bijkantoor' niet langer door één persoon gerund kon worden.

'Wil je even iets voor me doen?' vroeg ik. 'Kun je Nora's mobiele nummer voor me opzoeken?'

'Staat dat niet al in haar dossier?'

'Misschien wel, maar ik wil zeker weten of ze het niet onlangs veranderd heeft.'

'Oké. Over tien minuten bel ik je terug.'

'Vijf.'

'Zo ga je toch niet met een nieuwe receptioniste om?'

'Je hebt helemaal gelijk,' zei ik. 'Ik bedoel eigenlijk vier.'

'Je bent onredelijk.'

'Tik, tik, tik...'

Molly had twee jaar geleden eindexamen gedaan. Hoewel ze volgens Susan nog een tikkeltje te groen was en situaties niet altijd helemaal correct inschatte, leerde ze snel. Het was dan ook geen verrassing voor me toen ze al na drie minuten terugbelde.

'Het is nog steeds hetzelfde nummer dat wij ook hebben,' zei Molly. Ze las het me voor en ik vergeleek het met het nummer dat Nora me gegeven had.

Ik glimlachte. Het enige verschil waren de laatste twee cijfers. Die had ze omgedraaid.

Interessant.

Misschien had ik ze wel verkeerd genoteerd. Of misschien was dat nou precies wat Nora wilde dat ik zou denken. Of waar ze in elk geval de ruimte voor had willen scheppen.

'Was dat alles?' vroeg Molly.

'Ja, voorlopig wel. Bedankt.'

Ik zei haar gedag en legde de telefoon neer om plaats te maken voor mijn notitieblok. Expres of per ongeluk, Nora was er weer in geslaagd mij om de tuin te leiden. Wat nu?

Ik had al vroeg in mijn loopbaan geleerd dat er soms een verschil was tussen informatie die je had en informatie die je kon gebruiken. Dit was een van die keren. Ik had Nora's juiste nummer, maar ik moest doen alsof ik dat niet had.

Met mijn pijnlijke hand schreef ik haar een briefje dat ik op de voordeur van Connor Browns huis achterliet. Ik was er vrij zeker van dat ze dat in handen zou krijgen. De vraag was alleen wanneer.

49

Het was uiteindelijk de behoefte om een punt te zetten achter deze periode van haar leven die Nora er aan het einde van de week toe bracht om terug te keren naar Briarcliff Manor. Ondanks het aanbod van Connors zus om zo lang ze wilde gebruik te maken van het huis, verlangde Nora ernaar dit hoofdstuk af te sluiten. Ze hoopte het blonde kreng eerlijk gezegd nooit meer terug te hoeven zien.

Het aanbod dat ze wel graag van Elizabeth Brown accepteerde, was het bezit van het meubilair. Van alle duizend vierkante meters die het huis telde. Omdat ze het huis zelf had ingericht, wist Nora precies hoeveel alles gekost had en dat was niet weinig. Een klein fortuin om precies te zijn en ze was best bereid om dat in haar zak te stoppen als ze daarmee Lizzies schuldgevoel, of wat het dan ook was, kon verzachten.

Het enige wat ze daarbij nodig had, was wat hulp.

'Estate Treasures, wat kan ik voor u doen?'

'Je spreekt met Nora Sinclair. Is Harriet er ook?'

'Ja hoor, Nora. Eén momentje.'

Nora nam haar mobiel in haar andere hand over. Ze zat achter in een taxi die haar naar Connors huis reed.

Harriet kwam aan de lijn. 'Als dat mijn favoriete binnenhuisarchitecte niet is.'

'Dat zeg je natuurlijk tegen iedereen.'

'Daar heb je nog gelijk in ook en je zult het niet geloven, maar ze slikken het allemaal voor zoete koek. Hoe staan de zaken, Nora?'

'Niet slecht. Daar bel ik je ook voor.'

'Aha. Wanneer kom je inkopen?'

'Daarvoor moest ik jou nou net hebben. Ik wilde vragen wanneer jij een keer ergens zou kunnen komen kijken.'

'O jee. Waar moet ik heen? Toch wel ergens in de stad, hoop ik? Nora?

Zeg eens wat.'

'Briarcliff Manor. Er is onlangs een klant van me overleden.'

'Dat is niet zo best.'

'Dat is het zeker niet,' zei Nora rustig. 'Maar goed, er is mij gevraagd om zijn meubilair van de hand te doen voor de erfgenamen.'

'Wil je ze ons in consignatie geven?'

'Daar zat ik wel aan te denken.'

'Een huisvisite, dus. Om hoeveel kamers gaat het?'

'Zesentwintig.'

'Oioi.'

'Precies. Daarom belde ik jou ook. Jij bent hier geknipt voor.'

'Dat zeg je zeker tegen al je leveranciers?'

'En ze slikken het allemaal voor zoete koek,' zei Nora.

Nora had nog een paar minuten nodig om wat meer bijzonderheden te geven over het meubilair en om een datum af te spreken wanneer Harriet langs zou kunnen komen om te kijken. Tegen de tijd dat ze afscheid namen, reed de taxi Connors oprit al op.

Terwijl de chauffeur haar koffer pakte, stapte zij uit en liep ze op de voordeur af. Op dat moment zag ze het briefje van Craig Reynolds.

'Bel me alsjeblieft zo spoedig mogelijk.'

50

Het belletje van mijn telefoon op kantoor werd gevolgd door Molly's stem. 'Ik heb haar aan de lijn,' kondigde ze aan.

Ik lachte. Er was maar één 'haar' over wie ze het kon hebben. Nora was terug. Het werd tijd.

'Ik wil dat je het volgende doet, Molly,' zei ik. 'Zeg tegen mevrouw Sinclair dat ik haar zo te woord zal staan. Zet haar in de wacht en staar 45 seconden lang naar je horloge. Daarna mag je haar doorverbinden.'

'Oké.'

Ik leunde achterover in mijn stoel en staarde naar het plafond. Dat was gemaakt van geluidwerende platen die erom vroegen bekogeld te worden met scherpe potloden. Het zou de indruk kunnen wekken dat ik mijn gedachten op een rijtje aan het zetten was, maar ik had de hele week al niets anders gedaan. Er was binnen een cirkel van honderdvijftig kilometer geen loslopende gedachte van mij meer te bekennen.

Tring.

Dank je, Molly.

Ik nam op en gaf mijn beste impressie van gejaagdheid. 'Ben je er nog, Nora?'

'Ik ben er nog,' zei ze. Ik hoorde meteen dat ze er niet zo gecharmeerd van was te hebben moeten wachten.

'Geef me nog een paar tellen, oké?'

Ik zette haar weer in de wacht voor ze kon protesteren. Vervolgens staarde ik weer verder naar het plafond. Een-duizend, twee-duizend... Bij vijftienduizend pakte ik de hoorn weer op en zuchtte diep.

'Sorry hoor, dat ik je zo liet wachten, Nora,' gaf ik nu mijn beste impressie van verontschuldiging. 'Ik moest nog even een gesprek met een cliënt op de andere lijn afronden. Ik neem aan dat je mijn briefje gevonden hebt?'

'Een paar minuten geleden, ja. Ik ben nu in het huis.'

Tijd om haar liegvaardigheid te testen. 'Hoe was je reis? Maryland was het, toch?'

'Nou nee, Florida,' zei ze.

Nou nee, Boston, wilde ik zeggen. Maar ik wist dat dat niet kon. Dus zei ik: 'Dat is waar ook. Daar zou ik niet graag willen stemmen. Prettige reis gehad?'

'Heel erg.'

'Ik heb je nog gebeld op dat mobiele nummer dat je me gegeven had, maar ik kreeg een wildvreemde aan de lijn.'

'Wat vreemd. Welk nummer heb je dan ingetoetst?'

'Even kijken. Ik heb het hier ergens liggen.'

Ik las het haar voor.

'Dat verklaart veel,' zei ze. 'De laatste twee cijfers zijn 84 en niet 48. God, ik hoop niet dat ik het verkeerd gezegd heb. Sorry, als dat wel zo is.'

O, wat deed ze dat gladjes.

'Het geeft niet. Ik zal het zelf wel verkeerd opgeschreven hebben,' zei ik. 'Het zou niet de eerste keer zijn dat ik last heb van dyscalculie.'

'Nou ja, je hebt me nu in elk geval aan de lijn.'

'Precies. De reden dat ik je wilde spreken was vanwege het verzekerings-onderzoek.'

'Is er nieuws?'

'Zo zou je het kunnen noemen.' Ik aarzelde voor ik verder ging. 'Je moet hier niet te veel achter zoeken, maar ik bespreek dit liever niet via de telefoon.'

'Geen goed nieuws, dus?'

'Dat zeg ik niet.'

'Behalve dan dat als het goed nieuws geweest zou zijn, je het wel via de telefoon had willen meedelen. Dat kun je wel toegeven.'

'Oké, het had misschien beter gekund,' zei ik. 'Maar toch hoef je er niet te zwaar aan te tillen. Zouden we elkaar vandaag misschien ergens kunnen treffen?'

'Ik denk dat ik rond een uur of vier wel even langs kan komen op je kantoor.'

En ik denk dat ik je niet meer hoef uit te leggen waar dat is, Nora, gezien het feit dat je hier al rond hebt lopen snuffelen.

'Vier uur is prima. Heel goed, zelfs. Alleen kan het misschien beter ergens anders. De boel wordt hier momenteel opgeschilderd. Het is hier nu niet bepaald aangenaam toeven,' loog ik. 'Weet je wat, ken je de Blue Ribbon Diner?'

'Jawel. Net buiten de stad. Ik ben er wel eens geweest.'

Dat weet ik.

'Mooi,' zei ik. 'Dan kunnen we daar mooi even een kop koffie drinken. Of is een high tea misschien geschikter, gezien het tijdstip?'

'Niet als het om dezelfde gelegenheid gaat als die ik bedoel.'

Ik lachte en stemde ermee in het bij koffie te houden.

'Tot vier uur dan maar,' zei ze.

Reken maar, Nora.

51

De Blue Ribbon zou nooit de eerste prijs winnen in categorieën als ambiance, menu of bediening, maar voor een restaurant in een voorstad was het heel redelijk. De eieren waren nooit snotterig, de flessen ketchup bijna altijd vol en de serveersters, die met hun vriendelijkheid wel nooit een hoofdprijs in de wacht zouden slepen, waren in elk geval professioneel. Ze brachten meestal wat je besteld had en treuzelden nooit met het bijvullen van je koffiekop.

Toen ik een paar minuten voor vier binnen kwam lopen, knikte de eigenaar me met een blik van herkenning toe. In de korte tijd dat ik hier kantoor hield, was de Blue Ribbon mijn vaste stek geworden. Hoewel ik vermoedde dat er wel betere eettentjes in de buurt te vinden zouden zijn, had ik er de energie niet voor over die te gaan zoeken.

'Ik heb hier met iemand afgesproken,' zei ik, toen de eigenaar automatisch naar één menukaart greep, zodra hij me zag aankomen. Hij was een Griek en had een zwart gilet met vlekken aan over zijn gekreukte witte overhemd. Een wandelend cliché, inderdaad, maar geen verkeerd, wat mij betrof.

Nora kwam een paar minuten later aan. Ik wuifde vanaf de plaats waar ik was gaan zitten, een bank met rode bekleding in een hoekje achterin. Ze had een zwarte rok aan, een crèmekleurige blouse die van zijde leek en hoge hakken. Voor mij, Nora? Dat had nou niet gehoeven. Aangezien het te laat was voor lunch en nog te vroeg voor het diner, zat het restaurant maar halfvol. Ze zag me vrij snel zitten.

Nora liep naar me toe en we gaven elkaar een hand. Het viel me op dat ze lekker rook. Pas op, Craig.

Toen ze ging zitten, dook er meteen een serveerster op bij onze tafel. Als kleine uitspatting van vrolijkheid te midden van haar verder zo professionele uitstraling stond er op haar naamplaatje: HÉ, JUFFROUW.

We bestelden allebei koffie en ik nam ook maar een appelpunt. Mijn middel zat daar niet op te wachten, maar het leek me een goede strategische zet. Ik bedoel: wie heeft er nou geen vertrouwen in een man die appeltaart bestelt?

Nora had er zo te zien geen behoefte aan om over koetjes en kalfjes te babbelen. Haar lichaamstaal was luid en duidelijk. Gespannen, maar beheerst en gespitst. Ze wilde het slechte nieuws horen en de spanning niet verder op laten lopen.

Ik kwam dus maar meteen terzake.

'Ik voel me zo rot,' zei ik. 'Ik heb de hele tijd lopen beweren dat dit hele onderzoek maar een routineklusje was en niets om je zorgen over te maken. Maar gisteren...' Ik viel stil en schudde getergd het hoofd.

'Wat? Wat was er gisteren?'

'Het is gewoon die verdomde O'Hara!' zei ik. Ik schreeuwde nog net niet, maar mijn stem klonk hard genoeg om een paar hoofden onze kant op te laten draaien. Ik paste mijn volume enigszins aan. 'Ik snap niet dat ze zo iemand een onderzoek laten leiden. Het is gewoon onnodig.'

Nora keek me afwachtend aan, wat voor haar zeer ongebruikelijk was. Dat was wel duidelijk.

'Hij schijnt contact te hebben opgenomen met de FBI,' zei ik.

Ze kneep haar ogen iets dicht. 'Dat snap ik niet.'

'Ik ook niet, Nora. O'Hara is wel de achterdochtigste kerel die ik ken. Wat hem betreft is de hele wereld één grote samenzwering. Hij is echt compleet gestoord.'

'Dat is fraai.' Nora zakte met afhangende schouders achterover in de bank. Haar groene ogen knipperden van verwarring. Ik kreeg bijna medelijden met haar. 'De FBI? Wat betekent dat precies?'

'Iets wat niemand die een verlies te verwerken heeft gekregen gedwongen zou moeten worden te doorstaan,' zei ik. Toen zweeg ik even voor het effect. 'Helaas zal het stoffelijk overschot van je verloofde opgegraven moeten worden.'

'Wat?'

'Ja, het is afschuwelijk en als ik het op de een of andere manier zou kunnen verhinderen, zou ik dat niet nalaten. Helaas kan ik dat niet. Om

voor mij ondoorgrondelijke redenen is O'Hara er blijkbaar van overtuigd dat een man van veertig niet zomaar een hartaanval kan krijgen.
Hij wil dat er meer onderzoek gedaan wordt.'

'Maar er is toch al autopsie gepleegd?'

'Dat weet ik... Dat weet ik.'

'Heeft die O'Hara geen vertrouwen in de uitslag daarvan?'

'Dat is het niet, Nora. Waar hij op uit is, is een uitgebreider onderzoek.
Een algemene autopsie is, nou ja, heel algemeen. Niet alle dingen worden daarin meegenomen.'

'Hoe bedoel je? Wat voor dingen?'

Nora's vraag bleef in de lucht hangen, omdat de serveerster terugkwam.
Terwijl ze mijn koffie met appeltaart neerzette, werd Nora steeds zenuw-
achtiger. Haar emoties leken me niet gespeeld. Het was alleen niet zo
duidelijk waar die op stoelden. Was ze de rouwende verloofde, of de
moordzuchtige vrouw die worstelde met het plotselinge risico betrapt
te worden?

De serveerster vertrok weer.

'Wat voor dingen?' herhaalde ik haar vraag. 'Verschillende dingen, denk
ik. Of Connor bijvoorbeeld, en dit is geheel hypothetisch, een drugs-
gebruiker was en of er misschien sprake was van een reeds bestaande
ziekte die niet gemeld was op de aanvraag voor de verzekering. Allebei
die zaken zouden de polis wellicht kunnen doen vervallen.'

'Geen van beide zijn van toepassing.'

'Dat weet jij, en om heel eerlijk te zijn en tussen ons gezegd en gezwegen,
ik ook. Helaas geldt dat niet voor John O'Hara.'

Nora trok het papieren dekseltje van haar vingerhoedje koffiemelk af en
schudde het leeg in haar kopje. Daarna deed ze er twee klontjes suiker
bij.

'Weet je wat?' zei ze. 'Zeg maar tegen O'Hara dat hij zijn geld mag houden. Ik hoef het niet.'

'Zo simpel is het niet, Nora. Centennial One heeft de wettelijke plicht
om tot uitkering over te gaan, mits er geen tegenstrijdigheden worden
aangetroffen. Hoe vreemd het misschien ook lijkt, er valt niets te kiezen.'

Ze liet haar ellebogen op tafel zakken waarna ze haar hoofd in haar handen liet vallen. Toen ze weer opkeek, zag ik dat er een traan over haar

wang rolde. Ze fluisterde: 'Gaan jullie letterlijk Connors kist opgraven?'

'Het spijt me heel erg,' zei ik en ik voelde me ook echt rot. Stel nou dat ze onschuldig was? 'Nu begrijp je waarschijnlijk ook waarom ik dit gesprek niet via de telefoon wilde voeren. Het enige wat ik erover kan zeggen, is dat als ik O'Hara was ik zoiets nooit zou doen.'

Terwijl ik die woorden uitsprak en toekeek hoe ze haar ogen depte met haar servet, schoten me onwillekeurig de woorden van mijn vader weer te binnen.

De dingen zijn niet altijd wat ze lijken.

Ik wist nog steeds niet of Nora's tranen nou echt waren of gespeeld, maar wat ik wel wist was dit: ze verafschuwde John O'Hara nu. En hoe erger zij hem haatte, des te gemakkelijker was het voor mij haar vertrouwen te winnen.

Dat was nogal ironisch, moest ik toegeven.

Want John O'Hara zat niet op het hoofdkantoor van Centennial One. John O'Hara zat in een hoekje van de Blue Ribbon Diner appeltaart te eten en luisterde naar de naam Craig Reynolds.

En verzekeringen waren nou niet bepaald zijn terrein.

Deel 3

Levensgevaarlijke spelletjes

52

Susan brulde in mijn oor. Ze was woedend. 'Hoe bedoel je dat je haar verteld hebt dat we Connors lijk gaan opgraven?'

'Vertrouw nou maar op mij dat het in ons eigen belang was,' zei ik. 'Nora gelooft nu meer dan ooit dat ik aan haar kant sta. Verder heb je me zelf verteld dat het gevaar bestond dat ze er uit zichzelf ooit achter zou komen dat we het lijk opgegraven hadden.'

'Dat risico was heel klein, heb ik ook gezegd.'

'En ik wil maar zeggen dat we de situatie nu in ons voordeel hebben gekeerd.'

'Wij hebben niets gedaan, O'Hara. Jij hebt dit in je eentje gedaan zonder eerst met mij te overleggen.'

'Oké, ik heb een beetje geïmproviseerd.'

'Een beetje veel. Dat is jouw handelsmerk, geloof ik. Daardoor raak je steeds weer in de problemen,' gromde ze. 'We hebben niet voor niets een stappenplan opgesteld. De bedoeling daarvan was dat we allebei zouden weten waar de ander mee bezig was.'

'Hè, toen nou, Susan. Geef nou op zijn minst even toe dat dit in ons voordeel werkt.'

'Daar gaat het niet om. Jij moet zorgen dat je een goede teamspeler bent. Je bent geen undercoveragent meer.'

Ik aarzelde, maar zei toen: 'Je hebt gelijk. Ik ben nu een undercover-FBI-agent.'

'Maar dat is snel afgelopen, als je doorgaat met dit soort tactiekwijzigingen. Ik hou niet van cowboys.'

We zwegen allebei. Ik verbrak de stilte. 'Ik vond je leuker toen je me prees.'

Er kon een heel klein, gefrustreerd lachje af.

'Vertel me dan nu maar, genie dat je bent, wat je volgende zet wordt, nu Nora weet dat we haar verloofde gaan opgraven?'

'Dat is simpel,' zei ik. 'We wachten op de uitslagen. Als het lab meldt dat er iets mis is, hebben we de moordenaar.'

'Dan heb je nog steeds bewijs nodig dat zij het heeft gedaan.'

'Wat veel gemakkelijker te vinden is, als je weet waar je naar op zoek bent.'

'En als het lab niks vindt?'

'Dan vertel ik Nora het goede nieuws en moet ik nog beter mijn best gaan doen om haar te pakken.'

'Je vergeet iets.'

'Namelijk?'

'Dat ze ook echt onschuldig kan zijn.'

'En dat zegt iemand die iedereen altijd schuldig acht.'

'Ik zeg alleen...'

'Nee, ik begrijp het wel. Alles is mogelijk. Maar deze vrouw had een relatie met minstens twee gestorven kerels in twee verschillende staten. Als dat toeval is, heeft Nora Sinclair wel heel veel pech met haar mannen.'

'Ja, dom van me,' zei ze. 'Laten we zorgen dat de riemen van de elektrische stoel zo snel mogelijk aangehaald kunnen worden.'

'Dat is al een stuk beter. Ik dacht even dat ik iemand anders aan de lijn had.'

'Nu we het daar toch over hebben, hoe groot is de kans dat Nora op jouw alter ego gaat vallen?'

'Niet aanwezig. Craig Reynolds is niks voor haar,' zei ik. 'Hij verdient te weinig.'

'Dat weet je maar nooit. Je zei net dat ze het idee heeft dat jij heel erg aan haar kant staat. Misschien heeft ze wel zin in een armoedig tussendoortje.'

'Dan heb ik precies het juiste appartement voor haar. Ideaal voor een armoedig tussendoortje.'

'Daar ga je nou toch niet weer over beginnen, hè?'

'Nee, maar als ik nog heel veel langer in dat krot moet doorbrengen, ga ik gevarengeld eisen.'

'Als dat het riskantste onderdeel van je opdracht blijkt, O'Hara, dan valt het allemaal reuze mee.'

53

Nora deed de deur van haar moeders kamer in de psychiatrische kliniek Pine Woods zachtjes open en deed haar best te lachen. Ze was in een vreselijk slecht humeur en daar was ze zich van bewust. En dat gold ook voor iedereen met wie ze te maken kreeg, waarvan de meest recente voorbeelden Emily Barrows waren geweest en die nieuwe verpleegster, Patsy, toen ze aangekomen was bij de kliniek.

Ze besloot even te vergeten dat ze Craig Reynolds de dag ervoor gesproken had. Ze deed alsof ze niet gehoord had dat Connors lijk zou worden opgegraven.

'Dag, moeder.'

Olivia Sinclair zat in haar gele nachtjapon op de dekens. Ze lachte Nora met een lege blik in haar ogen toe. 'O, hallo.'

De laaghangende bewolking van die dag begon te breken. Er viel een straal zonlicht door de jaloezieën naar binnen. Nora pakte een stoel uit de hoek en trok die bij het bed.

'U ziet er goed uit, moeder.'

Dat zou iedere dochter gezegd hebben. Het verschil met Nora was, dat ze het ook echt geloofde. Ze gebruikte haar ogen niet langer om haar moeder te zien. Alleen haar herinneringen. Dat was zo gegroeid. Toen Olivia naar de gevangenis gestuurd werd, had Nora haar niet mogen opzoeken. Terwijl ze opgroeide, bleef het beeld dat ze van haar moeder had, stilstaan in de tijd. Nora werkte een aantal pleeggezinnen af en het beeld dat ze van Olivia had, was een van de weinige constante factoren in haar leven gebleken.

'Ik hou van lezen.'

O, shit. 'Dat weet ik, moeder. Ik ben deze keer helaas vergeten een boek mee te nemen. Het is de afgelopen week een beetje... nou ja, nogal...'

Buiten werd een grasmaaimachine aangezet. Het loeien van de motor vulde de kamer en gaf Nora een schok. Ze voelde zich opeens als verlamd en buiten adem. Het enige wat nog functioneerde, waren haar tranen. Haar façade verschrompelde en de buitenwereld denderde naar binnen. Ze veegde haar ogen af.

'Sorry, mam.'

Voor het eerst in haar leven vertelde Nora haar moeder over haar steeds terugkerende droom waarin ze toekeek hoe Olivia haar vader dood-schoot. Hoe levensecht die avond nog in haar herinnering geschetst stond. Wat er was gezegd, wat iedereen aan had gehad, zelfs de lucht van zwavel.

Wat doet het er ook toe? Ze weet niet eens wie ik ben.

Nora pakte een papieren zakdoekje van tafel. Het was alsof er een sluis was opengezet. Haar tranen. Haar emoties. Alles stroomde naar buiten. Ze raakte haar zelfbeheersing kwijt. Ze had een allesoverheersende drang om met iemand te praten.

Nora zuchtte diep, dwong haar longen zich uit te zetten. Toen ze uitein-delijk uitademde, deed ze haar ogen dicht en sprak. 'Ik heb vreselijke dingen gedaan, moeder. Ik moet je erover vertellen.'

Nora deed haar ogen open. De waarheid lag op het puntje van haar tong. Maar daar bleef hij ook. Er was iets helemaal niet in orde met haar moe-der.

Nora sprong van haar stoel en rende naar de deur. Ze vloog de gang op en gilde: 'Help! Snel, ik heb hulp nodig! Mijn moeder gaat dood!'

54

Zuster Barrows keek op van de medicatielijst en draaide zich om. Ze herkende Nora's stem meteen.

Ze sloeg gehaast de hoek van de verpleegsterspost om en riep iets naar Patsy die in de voorraadkamer was.

Eenmaal op de gang keek Emily om zich heen en zag Nora in paniek met haar armen zwaaien. Een kleine dertig meter scheidden haar van de kamer van Olivia Sinclair en Emily overbrugde die sneller dan mogelijk leek met haar gezette postuur.

'Wat is er aan de hand?' schreeuwde Emily. 'Wat is er gebeurd?'

'Dat weet ik niet,' riep Nora. 'Ze is...'

Emily rende haar voorbij en schoot de kamer in. Wat ze zag, was een scène die rechtstreeks afkomstig leek uit *The Exorcist*. Olivia Sinclair lag met gestrekt lichaam te stuiptrekken op het bed, haar armen en benen heftig trekkend en trillend. Het gerammel van het metalen onderstel van het bed was haast oorverdovend.

Maar ondanks alles wat er gaande was, inclusief Nora's staat van totale ontreddering, werd Emily meteen weer rustig. Achterom kijkend zag ze hoe Patsy net in de deuropening verscheen.

'Help me even,' zei ze tegen de jongere verpleegster.

Patsy kwam met snelle, zenuwachtige stapjes naar haar toe.

'Is dit je eerste toeval?' vroeg Emily.

Patsy knikte.

'Goed, je moet het volgende doen. Eerst rol je haar op haar zij voor het geval ze moet overgeven, zodat ze er niet in stikt,' zei Emily. Ze sloeg haar armen over elkaar en knikte naar Patsy, die alweer totaal verlamd leek. 'Blijf daar niet zo staan, liefje.'

Patsy kwam langzaam weer in actie en draaide Olivia op haar zij. 'Oké, en wat nu?'

'Nu wacht je.'

'Waarop?'

'Tot het ophoudt.'

'Bedoel je dat dit het enige is wat ik moet doen?'

'Precies. Hou haar vooral niet tegen, op wat voor manier dan ook. Je hoeft alleen de tijd maar in de gaten te houden. Negen van de tien keer is het binnen vijf minuten voorbij. Als dat niet het geval is, halen we er een arts bij.'

Nora bleef stokstijf staan. De schok die de hele toestand haar bezorgd had, werd nog eens verergerd door het feit dat Emily van de toeval van haar moeder een leersituatie maakte. 'Er moet toch nog wel iets zijn wat we kunnen doen?'

'Nee, echt niet, Nora. Geloof me, het ziet er erger uit dan het is.'

'En haar tong dan? Is het niet mogelijk dat ze die inslikt?'

Emily schudde het hoofd en probeerde geduldig te blijven. 'Dat is kletspraat,' zei ze. 'Het kan niet eens.'

Nora was nog steeds niet gerustgesteld. Ze wilde net eisen dat er een arts bij geroepen werd, toen alles opeens stil viel. Het bed, het lawaai... haar moeders stuiptrekkingen.

Stilte daalde op de kamer neer. Emily legde Olivia weer op haar rug en liet haar hoofd tegen de dunne kussens steunen. Nora snelde toe, greep haar moeders hand en gaf hem een kneepje.

Voor de eerste keer sinds ze zich kon herinneren, voelde ze een kneepje terug.

'Alles is in orde, moeder,' zei Nora zachtjes. 'Alles is in orde.'

'Rustig maar, rustig maar,' fluisterde zuster Barrows en ze legde haar hand kalmerend op Nora's schouder. 'Ik weet wel dat je dacht dat ze doodging, maar geloof me, liefje, als iemand echt doodgaat, zie je dat heus wel. Echt waar.'

55

Twee meter onder de grond?

Ik had altijd begrepen dat dat de voorgeschreven diepte was voor een graf, maar dat gold dan in elk geval niet voor het Sleepy Hollow-kerkhof bij de Old Dutch Church in Northern Westchester. Er was al ruim twee meter diep gegraven en al die aarde lag nu naast de grafsteen van Connor Brown, maar er was nog geen kist te zien. Pas toen de zandhoop twee keer zo hoog was, hoorde ik eindelijk de doffe klap van een schep die hout raakte.

Ik hoefde in elk geval niet zelf te graven op dit beroemde kerkhof waar Washington Irving en verschillende Rockefellers begraven schenen te liggen.

'Ze hadden die tv-serie beter *Twelve Feet Under* kunnen noemen,' zei ik tegen de agent die naast me stond. Ik denk dat hij geen kabel had, want hij snapte de grap niet. Hoewel het lachen de man ook kon zijn vergaan door de combinatie van vermoeidheid en weerzin.

Mijn doel was om hier zo snel en discreet mogelijk binnen te komen en weer weg te wezen. Dat betekende een zo klein mogelijke groep mensen, geen luidruchtige machines en een starttijd van twee uur 's nachts. Klaarlichte dag en een enorme ploeg waren wel het laatste wat ik kon gebruiken.

Behalve de agent met het onbewogen uiterlijk waren er nog drie medewerkers van het kerkhof aanwezig. Nadat ze een stel kleine schijnwerpers hadden opgesteld, groeven ze ongeveer een uur lang. De enige andere persoon die erbij was, was een chauffeur van het pathologisch lab van de FBI. Hij leek nauwelijks oud genoeg om voor een rijbewijs in aanmerking te komen.

Ik wierp weer een blik op de agent naast me. 'Hier kun je met recht van een doodse stilte spreken, hè?'

Ik kreeg nog geen glimlach of gniffel terug. Dan zoek je het zelf maar uit, dacht ik.

Ik wijdde mijn aandacht dus maar weer geheel en al aan het gapende gat in de grond. De drie werknemers van het kerkhof stonden boven op Connor Browns half uitgegraven kist. Ze stonden op het punt riemen aan de handvatten te bevestigen die ik er helemaal niet zo stevig uit vond zien.

'Weten jullie zeker dat die dingen dat gewicht wel kunnen dragen?' vroeg ik.

Ze keken alle drie op. 'Moet kunnen,' zei de grootste die niet langer was dan een meter zeventig. Aan zijn Engels mankeerde verder niets. De andere twee konden alleen knikken.

De riemen werden vastgemaakt en de drie klommen het gat weer uit. Ze tilden een aluminium frame op waar een lier aan vastzat en zetten dat over de kuil heen voor ze de riemen eraan vastmaakten.

Opeens hoorden we iets!

Wat moest dat nou weer voorstellen?

Niemand sprak het uit, maar uit de blikken van de anderen maakte ik op dat we allemaal hetzelfde dachten. Zo te horen waren het brekende takjes, voetstappen misschien. Magere Hein die nog op pad was?

We versteenden allemaal en luisterden nog eens. Boven ons zwiepten de dikke eikentakken heen en weer, krakend en kreunend. Aan onze voeten ritselden wat blaadjes in de wind. Maar het geluid kwam niet terug.

De drie kerkhofmannen, die veel minder geschrokken waren dan de rest van ons, togen weer aan het werk en begonnen aan de lier te draaien.

Langzaam kwam Connor Browns kist omhoog.

En alsof het een regieaanwijzing betrof, stak op datzelfde moment de wind op. Het voelde opeens heel kil aan en de rillingen liepen over mijn rug. Ik was niet heel erg gelovig, maar vroeg me toch onwillekeurig af waar we mee bezig waren. De doden in hun rust storen. Wrikken aan de natuurlijke orde der dingen.

Het zat me opeens niet meer zo lekker.

Krak!

Het geluid scheurde door het waaien van de wind heen en weergalmde in de nacht. Geen takjes. Dit was tien keer zo hard. De handvatten aan de uiteinden van de kist waren versplinterd en daardoor bogen de scharnieren open met een afschuwelijk geluid als van een nagel op ccn schoolbord. De inhoud kwam er in een vertraagde beweging uit rollen. Het lijk van Connor Brown.

'Godverdegodver!' schreeuwde de agent naast me.

We renden naar de rand van de kuil vanwaar een lucht van verrotting ons tegemoet sloeg. Mijn kokhalsreflex trad in werking, greep me bij de keel en ik moest een stapje achteruit doen, maar ik had al een glimp opgevangen. Een ontbindend gezicht; wit, pezig vlees; uitpuilende oogballen in holle kassen, met een waas erover, maar me rechtstreeks aanstarend.

De kerkhofmedewerkers vloekten in een mengelmoes van Spaans en Engels, terwijl het joch van het pathologisch lab hoofdschuddend toekeek. Naast me stond de agent. Over te geven.

'Jezus, wat moeten we nu doen?' vroeg ik.

Het antwoord kwam in de vorm van een ladder. De graver moest de kuil weer in. De enige manier om het lijk eruit te krijgen, was het op te tillen. 'We kunnen dit echt niet alleen,' zei de woordvoerder van de kerkhofploeg.

Het was de gemakkelijkste beslissing die ik ooit had genomen.

Ik draaide me om naar de agent die nog steeds voorovergebogen de laatste resten van zijn avondeten stond uit te spugen. Hij keek me met een lijkbleek gezicht ongelovig aan. 'Ik?' bracht hij hijgend uit. 'Daarin?' Mijn glimlach sprak boekdelen.

Sorry, vriend. Had je maar moeten lachen om de grapjes van de FBI.

56

Nora wist niet of ze gezien was, maar ze hadden zeker iets gehoord. Het takje was onder haar voeten in tweeën gebroken met een geluid alsof het een rotje was.

Toen ze zich allemaal omdraaiden om te kijken, liet ze zich snel achter de dichtstbijzijnde grafsteen op de grond vallen. Ze trok haar knieën strak tegen haar borst en hield haar adem in. Dat was het juiste moment om zich af te vragen of ze niet te veel risico nam door hierheen te zijn gekomen.

Maar Nora wist dat ze wel moest.

Ze moest dit zien, verontrustend en macaber als het was. Connors lijk dat weer aan de aarde ontrukt werd. Zouden ze dat plan werkelijk ten uitvoer brengen?

En ja hoor.

Nora rilde. Het verhaal deed de ronde dat er hier een heks begraven lag in een graf zonder steen. Zelfs door haar trui heen kon ze het koude graniet tegen haar rug voelen. Ze keek voorzichtig om de steen. Gelukkig! Ze hadden hun werk hervat. Er zaten riemen aan een of ander apparaat dat over Connors graf heen stond. Ze waren bezig zijn kist omhoog te takelen.

Ze keek vol ongeloof toe. Met elke draai van de lier werd ze kwader. Alles was tot nu toe zo vlotjes verlopen. Er was geen enkele reden tot ongerustheid geweest. Ze was vrij en onverdacht. En dan kreeg je dit.

Wie denkt die O'Hara wel dat hij is? Klootzak! Hufter!

Daar vloeide automatisch een volgende vraag uit voort. Waar hing hij uit?

Nora was er zeker van geweest dat ze door Craig Reynolds vannacht te volgen O'Hara voor het eerst te zien zou krijgen. Dat was de voornaamste reden dat ze hier was.

Maar hij was niet een van de gravers met schoppen. En hij was zeker niet die agent. Behalve Craig bleef er nog maar één man over en dat kon je nauwelijks een man noemen. Het was onmogelijk dat dat kettingrokende jongetje John O'Hara kon zijn, dacht Nora.

Op datzelfde moment kwam de bovenkant van de kist boven de rand van de kuil uit. Bij die aanblik wendde ze zich af. Ze kon het gewoonweg niet aanzien. Ze drukte haar rug weer stijf tegen de grafsteen aan en hoorde haar hart bonzen.

Dat was niets vergeleken bij wat ze daarna hoorde.

Een gruwelijk gekraak dat rechtstreeks uit Connors graf kwam. Elke vezel van Nora's lichaam verstrakte. Ze wist niet wat er gebeurd was en eigenlijk wilde ze dat het liefst zo houden.

Maar ze moest kijken.

En dus keek ze weer om de grafsteen.

Haar ogen werden groot en haar mond viel open. Ze begon bijna te gillen. Connors kist bungelde nog maar aan één uiteinde en het deksel stond wijdopen. In gedachten vulde ze aan wat ze niet zag. Ze zag de politieman overgeven en wilde eigenlijk hetzelfde.

Ze wist zelfs zeker dat dat gebeurd zou zijn, als een ander instinct het niet overgenomen had.

Rennen!

57

De volgende dag ging Nora terug naar Manhattan en reed ze direct door naar schoonheidssalon Bliss vlak bij haar huis in Soho. Ze onderging er een bodypakking met wortel en sesam en een warme oliemassage. Die werden gevolgd door een manicure- en pedicurebehandeling. Meestal pepte Nora nergens zo van op als een beetje gelukzalig in de watten gelegd worden.

Maar drie uur en vierhonderd dollar later was er nog niets veranderd. De voorbije nacht drukte nog steeds op haar. Het was laat in de middag en het idee dat ze de avond alleen zou moeten doorbrengen, lag als een steen op haar maag.

Ze overwoog even Elaine en Allison te bellen. Misschien kon ze nog een afspraakje regelen voor vanavond. Maar toen Nora haar hand uitstrekte naar de telefoon, veranderde ze van gedachten.

Ze had een beter idee om zichzelf af te leiden. In plaats van te blijven hangen bij wat geweest was, kon ze zich beter concentreren op wat zou kunnen zijn. Haar kaarten die nog op tafel lagen. Zet je maar schrap, Brian Stewart.

Nora belde de welgestelde softwaremagnaat die ze in het vliegtuig ontmoet had en vroeg of hij al plannen had voor die avond.

'Niets wat niet af te zeggen is,' zei hij snel. 'Geef me even twee minuten.'

Toen hij haar terugbelde, nadat hij zijn programma had omgegooid, was hij klaar voor een nieuwe invulling van de avond. Deze keer alleen met Nora.

'Ik hoop dat je morgenochtend niet al te vroeg op moet,' waarschuwde hij lachend. Opgewonden schetste hij zijn plannen voor die avond.

Cocktails bij de King Cole Bar.

Daarna eten bij Vong.

Dit alles afgerond met dansen bij Lotus in de West Village.

Nora had niet tevredener kunnen zijn. Na een nacht op een kerkhof was een avondje stappen in de stad precies wat ze nodig had.

58

Bij een fles Perrier Jouet in de King Cole Bar vermaakte Brian Stewart haar met grappige gebeurtenissen uit zijn jeugd. Nora luisterde lachend naar de verhalen. Tegelijkertijd viel het haar op in hoeveel van die verhalen zijn familie een rol speelde. Ze kon aan de manier waarop Brian over hen vertelde wel horen hoe hecht zijn band met hen was. Dat stak. In alle jaren dat zij van het ene pleeggezin naar het andere verhuisd was, had ze al blij mogen zijn als iemand zo attent was geweest om aan haar verjaardag te denken.

Niet dat ze van plan was Brian daar iets over te vertellen.

In dit stadium van haar leven had Nora intussen het zelfverzonnen verhaal van haar jeugd vervolmaakt. Haar vader de architect. Haar moeder de onderwijzeres. Het gelukkige leven dat ze geleid hadden in de glooiende heuvels van Litchfield, Connecticut. Hoe meer mensen ze het vertelde, hoe gemakkelijker het haar viel de waarheid te vergeten. Op een dag, hoopte ze, zou het zijn alsof haar moeder haar vader nooit vermoord had, terwijl zij had toegekeken.

Aan tafel bij Vong ging Brian over op wijn en Nora op Pellegrino. Terwijl ze aten en dronken, werd het steeds gezelliger. Ze kon nu eindelijk naar hem kijken zonder aan Brad Pitt te denken. Brian was van zichzelf al knap genoeg.

En hij vormde bijzonder aangenaam gezelschap, wat je niet van alle rijke mannen kon zeggen. De welgestelden die ze had leren kennen, bleken vaker wel dan niet uitgesproken saai en ongelooflijk vol van zichzelf. Rijk én opwindend was een weinig voorkomende combinatie. Wat Nora des te gelukkiger maakte dat ze Brian ontmoet had.

Dat gevoel leek wederzijds te zijn.

Zoals het er nu uitzag, zouden ze de Lotus niet halen om nog te gaan dansen. Ze probeerde zich een voorstelling te maken van zijn appartement. Dat zou ongetwijfeld groot zijn, waarschijnlijk een penthouse. Misschien een of andere interessante loft. Ze zou het gauw genoeg weten.

'Amuseer je je een beetje?' vroeg hij.

'Opperbest.'

Hij glimlachte. Alleen was het niet bepaald een gelukkige lach. Er zat hem iets dwars en hij leek opeens zenuwachtig.

Nora schoof iets naar voren op haar stoel. 'Wat is er?'

Hij speelde zenuwachtig met zijn dessertlepel, bijna alsof hij moed probeerde te verzamelen. Dat bleek ook zo te zijn. 'Er is iets wat ik je moet vertellen,' zei hij. 'Ik moet je iets opbiechten.'

'O nee, hè. Je bent getrouwd.'

'Nee, Nora. Ik ben niet getrouwd.'

'Wat is er dan?' vroeg ze.

Zijn lepel kreeg nu een hele fitnesstraining. 'Het is iets anders wat ik niet ben,' zei hij. Eindelijk legde hij de lepel neer en haalde diep adem. 'Ik ben eigenlijk helemaal geen rijke softwareontwikkelaar.'

De woorden bleven in de lucht tussen hen in hangen, net als de stilte die erop volgde. Nora was totaal sprakeloos. Brians gezicht was rood en dat kwam niet door de alcohol. Zijn bekentenis had hen allebei ontnuchterd.

'Ik vertel het je, omdat ik niet langer tegen je kan liegen,' zei hij.

'Waarom ben je destijds begonnen met liegen?'

'Ik dacht dat je me anders niet interessant zou vinden.'

Nora knipperde met haar ogen. 'Wat doe je dan wel?' vroeg ze.

'Ik werk in de reclame, als copywriter.'

'Aha, je liegt voor je brood. Dus er zaten helemaal geen investeerders op je te wachten in Boston?'

'Nee, alleen een klant. Gillette.'

Ze schuddde het hoofd. 'Even voor alle duidelijkheid: jij dacht dat ik je alleen maar leuk zou vinden, als je rijk was?'

'Dat denk ik wel.'

'Of was het omdat je dacht dat dat de enige manier was om me voor één nacht in bed te krijgen, vannacht bijvoorbeeld?'

'Nee, dat was het niet.'

Ze keek hem ongelovig aan. 'Echt niet?'

'Oké, een heel klein beetje misschien,' bekende hij. 'In het begin dan toch, maar zoals ik al zei: ik kon niet langer tegen je liegen.'

'Is er iets waar van wat je me verteld hebt?'

'Ja. Alles, eigenlijk. Alles, behalve het verhaal dat ik sprookjeachtig rijk zou zijn. Het spijt me dat ik gelogen heb,' zei hij. 'Kun je het me vergeven?'

Nora wachtte even, al was dat alleen maar vanwege het effect, voor ze zich naar hem vooroverboog en zijn hand pakte. 'Ja,' zei ze. 'Dat kan ik wel. Ik vergeef het je, Brian.'

Een paar minuten later, toen alles weer koek en ei leek, excuseerde ze zich om even naar het toilet te gaan. Dat lag voor in het restaurant. Terwijl ze erlangs liep en de deur uit liep om een taxi te wenken die haar naar huis zou brengen, vroeg Nora zich af hoelang het zou duren voor Brian door zou hebben dat ze niet terugkwam.

59

De lange blonde vrouw draaide snel haar hoofd opzij, toen Nora haar passeerde. Ze waren zo dicht bij elkaar dat ze de warmte van het lichaam van de ander voelde. Dit was een gevaarlijk moment. Nee, dit was dom van haar.

De blondine had met een martini aan de bar van Vong gezeten en had Nora de hele tijd in de gaten gehouden. Ze wist zeker dat ze getuige was geweest van een afspraakje en waarschijnlijk een eerste afspraakje, gezien de lichaamstaal. Ze kon het gesprek niet volgen, maar het was duidelijk dat het klikte tussen die twee.

Wat Nora's plotselinge aftocht alleen maar raadselachtiger maakte.

Er gingen minuten voorbij. De blondine prikte met een tandenstoker naar de olijf in haar martini en liet in gedachten verschillende mogelijkheden de revue passeren. Nora die opeens weg moest om iemand te bellen, bijvoorbeeld. Meer voor de hand lag dat ze naar buiten ging om even snel een sigaret te roken. Van de andere kant had ze Nora tot nu toe nog niet met een sigaret in haar hand gezien.

De vrouw keek achterom naar de tafel waar Nora's afspraakje zat te wachten. Hij was beslist een knappe vent, bedacht ze. Hij had wel wat weg van...

'Pardon,' zei een stem bij haar schouder.

Ze draaide zich om en zag een middelbare man met peper-en-zoutkleurig haar. Hij had een coltrui aan, een sportjasje en veel te veel aftershave op.

Ze keek hem afwachtend aan, zonder iets te zeggen.

Hij legde zijn hand op de lege kruk naast haar. 'Is deze bezet?'

'Ik geloof het niet.'

Hij wierp haar een brede grijns toe en ging zitten. 'Dat is toch niet te geloven: dat er naast zo'n mooie vrouw nog een plaats vrij is,' zei hij en hij legde zijn onderarm op de bar. Hij boog zich naar haar over. 'Mag ik je nog een drankje aanbieden?'

'Ik heb dit nog niet op.'

'Dat geeft niet. Ik wacht wel,' zei hij, zelfverzekerd knikkend. 'De hele nacht, als het moet.'

De blondine wierp hem een flirtende lach toe en pakte haar martini. Die gooide ze leeg over zijn hoofd.

'Zo. Op,' zei ze.

Ze stond op en liep weg. Maar niet in de richting van de deur. Ze wist nu wel zeker dat Nora niet terug zou komen en liep naar de tafel waar haar begeleider nog steeds eenzaam zat te zijn.

'Sorry, maar wacht u misschien op Nora Sinclair?'

Hij keek haar niet-begrijpend aan. 'Eh, eigenlijk wel, ja.'

'Die komt helaas niet terug.'

'Hoe bedoelt u?'

'Ik zag haar daarnet het restaurant uit lopen.'

Nog minder begrijpend keek hij achterom met een zoekende blik naar de uitgang. Hij kwam overeind.

'Doe geen moeite,' zei ze. 'Het is intussen alweer ruim vijf minuten geleden.'

Hij ging weer zitten. 'Ik snap het niet. Bent u een vriendin van haar of zo?'

'Zo zou ik het niet willen noemen.' Ze liet zich op de stoel zakken waar Nora eerst gezeten had. 'Vindt u het misschien goed als ik u een paar vragen stel?'

60

Nora moest minstens een paar dagen weg uit New York. Gelukkig had ze een plek waar ze heen kon.

Er was niet veel verkeer op de snelweg naar het noorden en nog minder toen ze eenmaal op de 395 zat. Maar dat veranderde toen ze op nog een halfuur rijden van Boston was. Een geschaarde vrachtwagen had een kilometerslange file veroorzaakt en opeens wist Nora weer waarom ze een voorkeur had voor vliegen.

Maar vandaag kon het haar niets schelen.

Na het kerkhof en haar etentje met Brian Stewart, de zogenaamde Don Juan die geen *dinero* bleek te hebben, was rust het enige waar Nora nu even behoefte aan had. Vaste grond onder de voeten. Een dag ervoor uittrekken om naar Boston te rijden zou haar goed doen. Net als een nachtje slapen bij haar gade.

'Jezus, wat heb ik jou gemist,' riep Jeffrey uit toen hij haar begroette in de hal van het herenhuis in Back Bay. Hij omhelsde haar en kuste haar lippen, haar wangen, haar nek en begon daarna weer van voor af aan.

'Ik zou je nog bijna gaan geloven ook,' plaagde Nora hem. 'En ik maar denken dat je me compleet vergeten zou zijn na je boekenfestival en die zwijmelende vrouwen in Virginia.'

'Hoe kan ik deze en deze en die nou vergeten?' vroeg Jeffrey.

'Daar sluit ik me geheel en al bij aan,' zei Nora.

Op weg naar boven bleven ze elkaar zoenen en dollen tot ze in de slaapkamer waren. Ze smeten hun kleren op de vloer en bedreven de hele middag en avond met bezwete lijven de liefde. De grootste afstand die een van hen van het bed vandaan ging, was toen Jeffrey naar beneden rende om hun Vietnamese maaltijd in ontvangst te nemen van de bezorger.

Tegen elkaar geschurkt aten ze *wakami*-salade, kip *cuu long* en rundvlees met citroengras, terwijl ze naar *North By Northwest* keken. Nora was gek op Hitchcock, een van de meest kinky kerels die er op aarde rondgelopen hadden. Maar tegen de tijd dat Cary Grant aan Mount Rushmore bungelde, was Jeffrey diep in slaap.

Nora wachtte geduldig. Toen ze uiteindelijk het zacht fluitende geluid hoorde dat hij met zijn neus maakte, glipte ze het bed uit, de gang op, richting bibliotheek en liet ze zich achter de computer glijden.

Alles verliep uiterst soepeltjes. Nora wist zich gemakkelijk toegang te verschaffen tot zijn bankgegevens, snuffelde daar even rond en zag wat Jeffrey als appeltje voor de dorst opzijgezet had. Bijna zes miljoen.

Het moment van de waarheid kwam razendsnel dichterbij, in elk geval sneller dan de komst van die fotograaf van *New York Magazine*.

Maar alles op zijn tijd. Er waren nog een paar dingen die netjes afgehandeld moesten worden in Briarcliff Manor, die allemaal te maken hadden met een zekere verzekeringsagent en onderzoeksuitslagen. Wat zou die goeie ouwe Alfie Hitchcock daarmee gedaan hebben? Hij zou zeker wat kouwe rillingen veroorzaakt hebben met die scène op het kerkhof, bedacht Nora, en ze kon een glimlach niet onderdrukken.

61

De toerist, ach die arme toerist, voelde zich rusteloos en gefrustreerd en niet in vorm. Er waren minstens honderd plaatsen waar hij liever zou zijn, maar deze plek, zijn tijdelijke thuis weg van huis, was waar hij moest zijn.

Hij was nog steeds niet achter de betekenis van de lijst met buitenlandse bankrekeningen. Oké, de mensen op die lijst zouden dus wel belasting-ontduikers zijn. Maar wie waren het? Wat was de prijs die ze moesten be-talen om op deze lijst voor te komen? En waarom zou dit dossier iemands leven waard zijn?

Hij had de krant al uit en een vuistdikke roman van Nelson DeMille over Vietnam gelezen. Nu zat hij op de bank het laatste nummer van *Sports Illustrated* te lezen. Midden in een artikel over de tanende hoop van de Boston Red Sox op het kampioenschap van dit jaar werd de stilte in de kamer verbroken.

Er stond iemand voor de deur.

Zachtjes pakte hij zijn Beretta die naast hem lag en stond op. Hij liep naar het raam en duwde het rolgordijn iets opzij om te zien wie er op de stoep stond.

Het was een jongen met een platte, vierkante doos in zijn hand. Achter hem stond een Toyota Camry op de oprit met een draaiende motor.

De toerist glimlachte. Etenstijd.

Hij stopte het wapen achter de band van zijn broek op zijn rug, onder zijn T-shirt. Hij deed de deur open en begroette zijn zoveelste bezorger van Pepe's Pizzarestaurant. Hij had er al een keer of zes iets besteld sinds hij hier zat.

'Worst met ui?' vroeg de bezorger. Hij leek een jaar of negentien, mis-schien iets ouder. Moeilijk te zien onder de klep van zijn Red Sox-petje.

'Ja. Hoeveel krijg je van me?'

'Zestien vijftig.'

'Je zou denken dat ik dat intussen wel moest weten,' mompelde de toerist bij zichzelf. Hij stak zijn hand in zijn broekzak. Die kwam leeg terug. 'Wacht even, dan haal ik mijn portemonnee.' Hij stond op het punt zich om te draaien, toen hij zag dat de bezorger in de regen stond. 'Kom even binnen,' bood hij aan.

'Bedankt. Dat is beter.'

De jongen stapte naar binnen, terwijl de toerist op weg naar de keuken ging om zijn portefeuille te halen. 'Het ziet er flink nat uit, buiten,' zei hij over zijn schouder.

'Ja. Met regen hebben we het altijd erg druk.'

'Dat zal wel. Waarom zou je je laten natregenen als je je eten thuis kunt laten bezorgen, hè?'

De toerist kwam terug met een biljet van twintig in zijn hand. 'Alsjeblieft,' zei hij. 'Laat de rest maar zitten.'

De bezorger overhandigde de pizza en nam het biljet aan. 'Bedankt.' Hij stak zijn hand in de zak van zijn regenjack en glimlachte. 'We zijn alleen nog niet helemaal klaar.'

De toerist zwaaide als gestoken zijn hand naar zijn rug, maar hij was te laat, te traag. Zijn pistool legde het af tegen het wapen dat nu op zijn borst gericht werd.

'Niet bewegen!' zei de pizzabezorger. Hij liep om de toerist heen en verloste hem van de Beretta die in zijn broekband gestoken zat. 'Ga nu met beide handen tegen de muur staan.'

'Wie ben je?'

'Ik ben de man die ervoor zorgt dat je wilde dat je chinees besteld had, O'Hara.'

62

John O'Hara, de toerist, voelde zich ongelooflijk stom dat hij zich zo had laten naaien. Hij kon gewoonweg niet geloven dat hij dit jochie, deze pup, die welp had laten winnen.

'Oké, draai je langzaam om.'

O'Hara draaide een halve slag. Heel langzaam.

'Vertel nu maar waar hij is,' zei de jongen. 'De koffer. Wat erin zat. Wat je eruit gehaald hebt.'

'Dat weet ik niet. Echt niet, man.'

'Lulkoek. Man.'

'Dat is echt zo. Ik heb hem meteen weer afgegeven. In een garage in New York.'

De bezorger drukte de loop van zijn pistool tegen O'Hara's voorhoofd. Hard, zodat het pijn deed. 'Dan hebben we dus niets meer te bespreken.'

'Als je mij vermoordt, ben je er zelf ook binnen 24 uur geweest. Jij. Persoonlijk. Zo werkt dat.'

'Dat dacht ik niet,' zei de pizzajongen en hij spande de haan.

O'Hara probeerde de blik van het joch te peilen. Wat hij zag beviel hem niks. Kilte en zelfvertrouwen. Dit joch werkte waarschijnlijk voor de oorspronkelijke verkoper van het dossier. Misschien wás hij de verkoper wel. 'Oké, oké, rustig. Ik weet waar het is.'

'Waar?'

'Ik heb het hier. Het is hier al de hele tijd.'

'Laat zien.'

O'Hara ging hem voor door de gang naar de slaapkamer. In de verte hoorde hij de stereo van de buren. Hij overwoog om om hulp te schreeuwen. 'Onder het bed,' zei hij. 'Ik pak het wel. Het zit in mijn plunjezak.'

'Jij blijft waar je bent. Ik kijk wel voor je.'

De bezorger bukte zich om een blik onder het bed te werpen. Er lag inderdaad een plunjezak. Hij grijnsde. 'Je weet zeker niet wat het voor moet stellen?'

'Waarom denk je dat?'

'Als je het wist, zou je hier geen oog meer dichtdoen.'

'Dan mag ik zeker blij zijn dat ik het nu mag teruggeven?'

'Precies. Haal het maar onder het bed vandaan, maar wel langzaam.'

'Wat is jouw rol in het geheel? Ben je de verkoper? Of alleen maar een koerier?'

'Haal die zak nou maar tevoorschijn. Ik ben trouwens een koerier. Net als mijn vriend. De man die je bij het Grand Central Station hebt doodgeschoten. Hij was als een broer voor me.'

De toerist knielde en zocht langzaam tastend met zijn hand onder het bed.

'Leg je andere hand op het bed,' zei de pizzabezorger.

'Mij best.' Met zijn linkerhand op de dekens, liet hij zijn rechter onder het bed verdwijnen op zoek naar de plunjezak.

En het pistool dat met tape aan de zijkant vastzat.

'Heb je het?' vroeg de koerier. 'Geen geintjes, hè?'

'Nee, nee. Rustig maar. We zijn toch allebei beroeps?'

'Een van ons in elk geval.'

O'Hara zwaaide zijn arm tevoorschijn en vuurde twee schoten af. De kogels scheurden door de borst van het joch, dat dood neerviel. Sterker nog, samen met zijn spiegelbeeld in de kastdeur lagen er twee doden op de grond, waardoor het extra luguber werd.

O'Hara zocht naar een identiteitsbewijs, maar het verbaasde hem niets dat hij niks aantrof. Nog niet eens een portemonnee.

Hij liep naar de keuken en pleegde het vereiste telefoontje. Ze zouden het lijk ophalen en zelfs de bloedvlekken in het tapijt verwijderen. Ze waren uiterst efficiënt. Tot ze er waren stond hem nog maar één ding te doen.

Hij maakte de pizzadoos open en pakte er een met worst en ui belegde punt uit. De eerste hap was altijd de beste. En terwijl hij zat te eten, was het tijd voor de eeuwenoude vragen, de vragen waar het om draaide. Wie had de pizzabezorger achter hem aan gestuurd? Wie wist dat hij hier zat? Wie wilde hem dood? En hoe kon hij dit in de toekomst in zijn voordeel laten werken? En o ja, had hij wel een toekomst?

63

'Wat heb jij allemaal uitgespookt, O'Hara?'

'O, van alles en nog wat. Je kent me, ik hou mezelf wel bezig. Heeft het onderzoek op wijlen Connor Brown nog iets opgeleverd?'

'Niks... nada... noppes,' zei Susan teleurgesteld.

Na drie dagen wachten in mijn tijdelijke onderkomen, belde ze me tegen de middag op. Connor Browns tweede schouwingsrapport was zojuist op haar bureau beland. Susan vertelde me dat het uitgebreidere onderzoek in grote lijnen hetzelfde had opgeleverd. De man was aan een hartstilstand overleden. Niets wees erop dat er sprake was van boze opzet. Niks. Nada. Noppes.

'Is er helemaal niets gevonden wat niet al bij de eerste autopsie aan het oppervlak gekomen was?' vroeg ik.

'Alleen een nogal flinke maagzweer,' zei ze. 'Maar bij een man die in de financiële wereld werkzaam is die op zijn veertigste aan een hartaanval sterft, is dat niet bepaald verrassend.'

'Nee, dat zal ook wel niet. Was dat alles? Verder niks?'

'Bedoel je behalve de wonden veroorzaakt door het vallen uit de kist?'

'Dat heeft dat joch van het pathologisch lab doorgebrieft, zeker?'

'Nee, dat komt van de agent die drie dagen later nog steeds loopt over te geven, dankzij jou.'

Ik betrapte mezelf op een lach bij een oud beeld in mijn geheugenbestand.

'Het was vuil werk en iemand moest het opknappen.'

'Maar jij niet natuurlijk.'

'Ja, hoor eens, die kerel lachte niet om mijn grappen.'

'Nu wordt me veel duidelijk.'

'Dus ik moest Nora maar eens bellen.'

'Daar heb ik over nagedacht,' zei ze. 'Misschien moet je de uitslag nog even stilhouden. Kijken of ze daar de zenuwen van krijgt.'

'Bij ieder ander zou ik daar voor zijn, maar niet bij Nora. Het enige wat er dan gebeurt is dat ze achterdochtiger wordt. Dan raken we haar kwijt, denk ik.'

'Weet je dat zeker?'

'Honderd procent. Volgens mij maken we bij haar alleen maar kans op een doorbraak als ze denkt dat ze gebeiteld zit.'

'Gebeiteld als in "het geld is onderweg"?'

'Precies. Haar meedelen dat de 1,9 miljoen dollar eraan komt.'

'Dat zou mij wel een rustig gevoel geven.'

'Dat geldt niet alleen voor jou.'

'Het betekent wel dat je een stuk sneller zult moeten werken,' zei Susan. 'Als smoes verschaft "de cheque is al gepost" je niet zo gek veel tijd.'

'Dat moet lukken. Craig Reynolds heeft aardig wat goodwill bij haar weten op te bouwen en dat wordt alleen maar beter als ik haar bel met het goede nieuws.'

'Hou alleen één ding wel in gedachten,' zei Susan. 'Er is bij haar altijd "nog iets".'

'Wat is dat vandaag dan?'

'Zorg ervoor dat je bij je pogingen om het masker van Nora te laten zakken jezelf niet te veel blootgeeft.'

64

Tussen de middag liep Susan Angelo's binnen, een van de oudste en beste restaurants van Little Italy en niet ver van het FBI-kantoor. Dr. Donald Marcuse zat al achterin in een afgezonderd hoekje op haar te wachten.

'Susan. Wat een eer om jou je kantoor uit te weten te lokken.'

Susan moest onwillekeurig lachen. Donald Marcuse wist altijd precies hoe hij haar op zijn gemak kon stellen: met sarcasme. Hij was forensisch psychiater en werkte vaak voor de FBI, maar ze hadden ook een maand of zes iets gehad samen toen haar huwelijk was gestrand.

'Wat zit je haar trouwens fraai,' zei hij. Ze droeg het tegenwoordig in een korte bob en ze was onlangs begonnen de bruine kleur iets op te halen. Het maakte haar bloedmooi, een moordwijf.

'Puur uit belangstelling,' zei Susan, 'niet dat het mij ook maar ene moer kan schelen, maar wordt dat tegenwoordig nog beschouwd als een seksistische opmerking?'

De psychiater haalde zijn schouders op. 'Mijn theorie is: als een vrouw iets kan zeggen, mag een man het ook, maar ik weet niet of die theorie de toets der kritiek kan doorstaan.'

'Waarschijnlijk niet. Hij is te voor de hand liggend.'

Ze bestelden iets te eten en bespraken wat lopende zaken en de laatste nieuwtjes uit New York, tot Susan een blik op haar horloge wierp.

'Het is uit met de pret, zeker?' zei Marcuse en hij glimlachte beminnelijk. 'Wat zit je dwars?'

In de minuten die volgden vertelde Susan de psychiater alles wat ze van Nora Sinclair wist. Vervolgens vroeg ze hem zo veel mogelijk lege plekken voor haar in te vullen. Ze wilde weten hoe het kwam dat Nora een moordenares geworden was en wat voor soort moordenares ze was.

Zoals ze gewoon was, maakte Susan aantekeningen van het gesprek met

Marcuse. Ze zou die op haar kantoor nog eens overlezen en mogelijk doornemen met O'Hara.

Volgens Marcuse was een 'zwarte weduwe' een vrouw die systematisch echtgenoten, bedgenoten en soms ook andere familieleden uitmoordde. Een alternatief voor de 'weduwe' was een moordenares die 'voor de winst' moordde. Bij dat type was alles zakelijk. Het voornaamste motief was geldelijk gewin.

'Bijna alle vrouwelijke seriemoordenaars moorden voor het geld,' zei Marcuse en hij kon het weten.

De psychiater vervolgde zijn verhaal op vriendelijke, zakelijke toon. Nora had waarschijnlijk een diep gewortelde overtuiging dat mannen niet te vertrouwen waren. Mogelijkerwijze was ze zelf ooit gekwetst. Wat nog waarschijnlijker was, was dat haar moeder te lijden had gehad onder een man, of mannen, toen Nora nog jong was.

'Misschien is Nora als kind mishandeld. De meesten van mijn collega's zouden dat wel denken. Ik ben zelf niet zo'n voorstander van zo'n gemakkelijke verklaring. Dat bederft alle lol.'

Donald Marcuse eindigde zijn betoog over Nora en keek Susan aan. 'Ze heeft je aardig in de houdgreep, geloof ik. Dat is niks voor jou.'

Susan keek op van haar aantekeningen. 'Ze is zo gevaarlijk, Donald. Het zal me worst wezen of ze mishandeld is. Ze is mooi en charmant en ze moordt. En daar is ze voorlopig nog niet klaar mee.'

65

Ik verspilde geen tijd. Nadat ik het gesprek met Susan beëindigd had, belde ik Nora op haar mobiel. Ze nam niet op. Ik liet een boodschap achter en vergat niet te vermelden dat ik goed nieuws voor haar had.

Nora verspilde al evenmin tijd. Ze belde me vrijwel meteen terug. 'Ik kan wel wat goed nieuws gebruiken,' zei ze.

'Dat leek me ook wel. Daarom heb ik je ook meteen gebeld.'

'Gaat het over...' Ze viel stil.

'Ja. De uitslag van de tweede schouwing is binnen,' zei ik. 'Hoewel ik niet weet of "goed nieuws" de lading dekt, denk ik dat je toch blij zult zijn te horen dat alle uitslagen van dit onderzoek de conclusie van de eerste schouwing bevestigen.'

Ze zei niets.

'Ben je er nog, Nora?'

'Ja, ik ben er,' zei ze en ze viel vervolgens weer stil. 'Je hebt gelijk. Goed nieuws is niet echt de juiste omschrijving.'

'Wat dacht je van opgelucht?'

'Dat zal het wel zijn,' zei ze en haar stem klonk gesmoord. 'Nu kan Connor eindelijk in vrede rusten.' Nora begon zachtjes te huilen en ik moet toegeven dat het erg overtuigend klonk. Ze snotterde nog wat en verontschuldigde zich toen.

'Dat is nergens voor nodig. Ik weet hoe moeilijk dit voor je moet zijn. Nou ja, eigenlijk weet ik dat natuurlijk niet.'

'Ik moet er steeds maar aan denken. Een kist opgraven.'

'Het was een van de minst aangename ervaringen die ik in mijn loopbaan heb mogen meemaken,' zei ik.

'Betekent dat dat je erbij geweest bent?'

De waarheid spreken werkt bevrijdend. 'Helaas wel.'

'En de man die er verantwoordelijk voor was?'

'Bedoel je die idioot O'Hara?'

'Ja, iets in me zegt dat hij zoiets dolgraag uit de eerste hand meemaakt.'

'Misschien wel,' zei ik. 'Maar hij zit nog steeds in Chicago. Om heel eerlijk te zijn is hij ook niet het type om vuile handen te maken. Het goede nieuws is wel, en ik denk dat we dit echt als goed nieuws mogen beschouwen, dat O'Hara nu eindelijk bereid is zijn persoonlijke heksenjacht te beëindigen.'

'Hij koestert geen verdenkingen meer?'

'O, dat doet hij altijd,' zei ik. 'Tegen alles en iedereen in zijn omgeving. Maar in dit geval denk ik dat hij wel inziet dat de feiten voor zich spreken. Centennial One gaat uitbetalen. 1,9 miljoen tot op de cent nauwkeurig.'

'Wanneer gaat dat gebeuren?'

'Er moet nog het een en ander aan administratieve toestanden afgehandeld worden, de gebruikelijke dingetjes, maar binnen een week heb ik de cheque wel voor je, lijkt me. Kun je je daarin vinden?'

'Zeer zeker. Is er nog iets wat ik in de tussentijd moet doen? Moeten er nog formulieren ingevuld worden?'

'Alleen een bevestiging van ontvangst, maar dat kan pas als het geld binnen is. Afgezien daarvan is er maar een ding dat je nog te doen staat.'

'En dat is?' vroeg ze.

'Mij je nog een keertje mee uit eten laten nemen, Nora. Na alles wat ik je heb laten doorstaan, is dat wel het minste wat ik terug kan doen.'

'Dat is nergens voor nodig. Trouwens, jij hebt me niets laten doorstaan. Jij bent juist heel aardig voor me geweest. Dat meen ik, Craig.'

'Weet je, eigenlijk heb je helemaal gelijk,' zei ik lachend. 'Als dit geen etentje is dat op kosten van de zaak hoort te zijn, weet ik het ook niet meer.'

'Amen,' lachte ze. Een onbezorgde, gemakkelijke lach. Ontspannen. Ongeremd.

Muziek in mijn oren.

Het geluid van iemand die haar masker liet vallen.

66

De telefoon in het huis in Westchester ging de volgende morgen om een uur of elf over. Nora nam op in de overtuiging dat het Craig wel zou zijn om hun lunchafspraak te bevestigen.

Ze had het mis.

'Ben jij dat, Nora?'

'Ja, met wie spreek ik?'

'Elizabeth,' zei ze. 'Elizabeth Brown.'

Shit. Connors zus belde vanuit Santa Monica en Nora kon zichzelf wel voor het hoofd slaan dat ze haar stem niet herkend had. Ze was tenslotte, technisch gesproken, haar gast.

Haar zorgen waren echter van korte duur. Elizabeths uit schuldgevoel geboren vriendelijkheid was nog steeds niet tanende. Ze was zo aardig mogelijk.

'Ik maakte me een beetje ongerust om je,' zei ze. 'Hoe is het met je?'

Nora glimlachte bij zichzelf. 'Dank je, Elizabeth. Het gaat wel. Wat aardig van je dat je even belt. Ik was niet helemaal zeker of ik hier wel moest blijven. Ik wil natuurlijk geen misbruik van je gastvrijheid maken.'

'O, nee. Denk alsjeblieft niet dat dat de reden is dat ik bel,' zei ze. 'Dat is wel het laatste waar ik mee zit.'

'Weet je dat zeker?'

'Honderd procent. Ik heb trouwens ook helemaal geen tijd om het huis te verkopen, al zou ik het willen.'

'Heb je het zo druk met je werk?'

'Ja. Twee door mij ontworpen gebouwen worden momenteel gebouwd en een derde staat daarvoor op de nominatie.'

'Het leven van een architect is een en al glamour, hè?'

'Was het maar waar,' verzuchtte ze. 'Nee, ik ben nogal een cliché wat betreft het aantal uren dat ik in mijn werk steek. Misschien is dat ook wel de beste manier om mijn gedachten af te leiden van Connor.'

'Dat is ook zo,' zei Nora. 'Ik heb de afgelopen maand alleen al drie nieuwe klanten aangenomen, drie meer dan mijn agenda eigenlijk aankan.'

De twee praatten nog een tijdje door. Er was niets geforceerds aan het gesprek. Geen enkele aarzeling. Elke zin leek heel natuurlijk uit de vorige voort te vloeien.

'Weet je wat ik zo jammer vind?,' zei Elizabeth.

'Nou?'

'Dat we elkaar onder deze omstandigheden hebben leren kennen. We hebben een hoop met elkaar gemeen.'

'Dat is waar.'

'Als je reizen je nog eens deze kant op leiden, kunnen we misschien eens samen een hapje gaan eten. Of misschien als ik weer eens in New York ben?'

'Dat lijkt me heel gezellig,' zei Nora. 'Prima plan.'

Dat had je gedroomd, Lizzie.

67

Even voor halfeen draaide ik de oprit op van Connor Browns huis. Zo noemde ik het in gedachten nog steeds: Connor Browns huis. Voor ik nog maar gestopt was, kwam Nora al door de voordeur naar buiten.

Ze had een luchtig mouwloos zomerjurkje van groen-rood gebloemde stof aan. Haar gebruinde huid kwam er prachtig in uit, om nog maar niet te spreken van haar benen. Ze stapte in en kondigde aan dat ze stierf van de honger.

'Hier zit er nog een,' zei ik.

We reden naar het restaurant Le Jardin du Roi in het stadje Chappaqua. Het was een van de betere restaurants zonder overdreven chic te zijn en met zijn combinatie van wit linnen en houten balken kwam het volgens mij in aanmerking voor het predikaat 'voorstedelijk chic'. We gingen aan een tafeltje voor twee in een hoekje achterin zitten.

De mensen die er zaten, waren voor een deel zakenlui en voor het andere deel dames die er lunchten. Ik in mijn pak en Nora in haar luchtige zomerjurkje leken in beide categorieën te passen. Maar het leed geen enkele twijfel dat Nora verreweg de mooiste vrouw was in het restaurant en dat werd alleen maar bevestigd door het draaien van alle hoofden van de andere mannen in pak.

Er kwam een ober naar ons toe. 'Wilt u alvast iets drinken?'

Nora boog zich vorover over de tafel. 'Kom je in moeilijkheden als je wijn drinkt?' vroeg ze.

'Dat ligt eraan hoeveel,' antwoordde ik glimlachend. Toen ze teruglachte, stelde ik haar gerust. 'Nee hoor, daarmee overtreed ik geen bedrijfsregels.'

'Mooi zo.' Ze pakte de wijnkaart en overhandigde die aan mij.

'Ga je gang hoor,' zei ik. 'Zeg jij het maar.'

'Als je erop staat.'

'Zal ik zo even terugkomen?' vroeg de ober.

'Nee hoor, dat is niet nodig,' zei Nora. Ze trok de wijnkaart naar zich toe en liet haar wijsvinger langs de wijnen glijden. Halverwege bleef hij stilstaan.

'De Chateauneuf du Pape,' verkondigde ze. De beslissing was in nog geen zes seconden genomen.

'Een vrouw die weet wat ze wil,' zei ik. De ober knikte en liep weg.

Nora haalde haar schouders op. 'Waar het wijn betreft wel.'

'Ik bedoelde het algemener.'

Ze wierp me een nieuwsgierige blik toe. 'Hoe bedoel je?'

'Neem nou bijvoorbeeld je carrière. Ik heb zo het idee dat je al van jongsaf aan wist dat je binnenhuisarchitecte wilde worden.'

'Mis.'

'Bedoel je dat je niet altijd met de meubeltjes aan het schuiven was in je Barbie droomhuis?'

Ze lachte en leek zich tot nu toe prima te amuseren. 'Oké, dat is wel waar,' zei ze. 'En jij dan? Wist jij altijd al wat je wilde worden?'

'Nee, ik verkocht alleen limonade in mijn winkeltje, geen verzekeringspolissen.'

'Misschien is dat ook wel de reden van mijn vraag,' zei ze. 'Je moet het niet verkeerd opvatten, maar bij jou krijg ik juist de indruk dat je misschien voor iets heel anders in de wieg gelegd bent.'

'Zoals? Geef maar eens een voorbeeld. Hoe zie je mij, Nora? Wat zou ik moeten doen?'

'Dat weet ik niet. Iets...'

'Spannenders?'

'Dat wilde ik niet zeggen.'

'Jawel, en dat geeft niet. Ik ben niet beledigd.'

'Dat is ook niet de bedoeling. Sterker nog, ik zou het als een compliment beschouwen.'

Ik gniffelde. 'Nu ga je wel erg ver.'

'Nee, ik meen het. Je hebt iets speciaals, een soort innerlijke kracht. En je hebt gevoel voor humor.'

Daar hoefde ik geen antwoord op te verzinnen, omdat de ober met de wijn aan kwam lopen. Terwijl hij de fles openmaakte, keken Nora en ik elkaar aan over de rand van ons menu. Zat ze met me te flirten?

Nee, Einstein, we zijn met elkáár aan het flirten.

Nora draaide de Chateauneuf du Pape in haar glas in het rond, nam een slok en keurde hem goed. De ober schonk in. Toen hij wegliep, bracht ze een toast uit. 'Op Craig Reynolds. Omdat hij me zo geweldig aardig heeft bijgestaan op deze hele lijdensweg.'

Ik bedankte haar en we klonken, terwijl onze ogen elkaar niet loslieten. Ik had er geen idee van dat de echte lijdensweg nog maar net begonnen was.

68

De zakenpakken waren vertrokken. Zo ook de lunchende dames. Er zaten nog maar twee plakkers in Le Jardin. Nora *et moi*. De paté van het huis en de salade van palmharten, de gegrilde zalm en de coquilles St. Jacques, alles was grotendeels verorberd, zij het in een zeer rustig tempo. Het enige wat nog over was op onze tafel in de hoek waren de laatste slokjes wijn.

Van onze dérde fles Chateauneuf du Pape.

Mijn oorspronkelijke plan voorzag vanzelfsprekend niet in het besprenkelen van de maaltijd met een halve wijngaard, maar gaandeweg was dat plan herzien en even later nog een keer. Alcohol was tenslotte een uitstekend waarheidsserum. Geen betere manier om Nora dingen te laten onthullen die ik eigenlijk niet geacht werd te weten. Hoe meer we praatten, des te groter de kans daarop. Dat was in elk geval de smoes die ik mezelf voorhield.

Na een tijd keek ik achterom naar het personeel dat de tafels aan het dekken was voor de avond. Een afruimhulp was wat aan het vegen bij de bar. Ik draaide me naar Nora om. 'De grens tussen natafelen en te lang blijven plakken is heel dun en ik geloof dat wij hem nu officieel overschreden hebben.'

Ze keek om zich heen om te zien waar ik het over had. 'Je hebt gelijk,' zei ze gegeneerd. 'Laten we maar snel maken dat we wegkomen, voor hij ons samen met de broodkruimels opveegt.'

Ik gebaarde naar de opgeluchte ober dat ik de rekening wilde. De fooi van dertig procent die ik achterliet garandeerde ons toch nog een relatief schuldvrij vertrek, maar nuchter kon je het niet meer noemen. Ik verwachtte dat dat ook voor Nora zou gelden. Zij was tenslotte graatmager, maar ondanks het feit dat ik zo'n veertig kilo voorsprong had, voelde ik het toch ook.

'Zullen we een stukje lopen?' zei ik toen we het restaurant uit kwamen. Ik was blij dat ze instemde. Drinken tijdens het werk was één ding. Met een slok op achter het stuur was weer iets heel anders. Even wat frisse lucht en ik zou er zo weer bovenop zijn.

'Misschien zien we de Clintons nog wel,' kirde Nora. 'Die wonen hier ook in de buurt.'

Ik ging daar maar niet op in. Te gemakkelijk. We kuierden langs de verschillende etalages. Ik bleef staan voor een borduurwinkel die 'De Zilveren Naald' heette.

'Dat doet me aan mijn moeder denken,' zei ik. 'Ze is gek op breien.'

'Wat voor dingen maakt ze?' vroeg Nora, die een verrassend goede luisteraar bleek, helemaal niet zo op zichzelf gericht als ik verwacht had.

'Het gebruikelijke spul. Spreien, kussenovertrekken, truien. Ik herinner me zelfs één kerst toen ik nog op school zat en ze twéé truien voor me gebreid had, een rode en een blauwe.'

'Wat lief.'

'Ja, maar dan ken je mijn moeder nog niet,' zei ik met één vinger in de lucht. 'Bij het kerstdiner kwam ik aan tafel met de rode trui aan en wat zegt ze? "Vond je die blauwe niet mooi, soms?"'

Nora gaf me een duwtje tegen mijn schouder. 'Dat verzin je!'

Dat klopte.

'Nee, echt waar,' zei ik. We liepen weer door. 'Hoe zit dat met jouw moeder? Breit zij ook?'

Nora keek opeens een beetje ongemakkelijk. 'Mijn moeder... is een paar jaar geleden overleden.'

'O, sorry.'

'Dat geeft niet. Ze was een schat, toen ze er nog was.'

We liepen zwijgend verder.

Ik schudde het hoofd. 'Wat heb ik nou weer gedaan?'

'Wat?'

'We hadden het zo leuk en nu heb ik het weer bedorven.'

'Doe niet zo raar,' zei Nora met een zwaai van haar hand. 'Het is toch nog steeds heel leuk. Het is een tijd geleden dat ik het zo naar mijn zin heb gehad. Ik was hier erg aan toe.'

'Dat zeg je alleen maar om mij te troosten.'

'Nee, ik zeg het omdat jij me hiermee troost. Je kunt je vast wel voorstellen hoe afschuwelijk de laatste weken voor mij geweest zijn tot jij opeens uit het niets opdook.'

'Ja, behalve dan dat ik het jou nog moeilijker gemaakt heb.'

'Eerst wel, ja,' zei ze. 'Maar nu blijk je een geluk bij een ongeluk.'

Ik deed mijn best normaal te blijven kijken bij de ironie van die laatste woorden, terwijl we bij een kruispunt stonden te wachten om over te kunnen steken. De namiddagzon begon achter de bomen te zakken. Nora vouwde licht rillend haar armen voor haar borst. Eigenlijk maakte ze een nogal kwetsbare indruk.

'Hier,' zei ik. Ik had mijn jasje uitgetrokken en hing dat over haar schouders. Ze trok de revers naar elkaar toe en onze handen raakten elkaar even. Voor ons sprong het voetgangerslicht op groen, maar we verzetten geen stap. In plaats daarvan bleven we doodstil naar elkaar staan kijken. 'Ik wil niet dat hier een einde aan komt,' zei ze. Toen boog Nora zich naar me over en liet ze haar stem tot fluistersterkte dalen. 'Zullen we nog ergens heen gaan?'

69

Je hoefde geen Johnny Casanova te zijn om te begrijpen wat ze bedoelde. Zullen we nog ergens heen gaan? Zelfs tot Johnny Leeghoofd zou de niet bepaald subtiele hint wel doorgedrongen zijn. Nora had het niet over een kop koffie om ons hoofd helder te krijgen.

Nee, het enige wat me op dat moment niet zo helder was, was het volgende: hoe moest Johnny O'Hara hierop reageren?

Tijdens de lunch had het me niet uitgemaakt dat Nora en ik het steeds erg gezellig hadden gehad met elkaar en hadden geflirt of wat het ook was wat we deden. Dat was zelfs de opzet van het hele plan geweest. Maar nu was alles opeens een beetje te gezellig geworden.

Zou ze echt in me geïnteresseerd zijn? Natuurlijk was ik niet degene om wie het draaide, maar Craig Reynolds.

Misschien kwam het door de wijn. Of misschien was het iets anders, iets wat ik niet doorhad. Een bepaalde tactiek. Eén ding was zeker. Het was niet mijn geld waar ze op uit was.

Levensverzekeringen verkopen wordt doorgaans niet beschouwd als iets waar rijke mannen zich mee bezighouden. Zelfs de keien in het vak bevinden zich op een heel ander niveau dan mannen als Connor Brown, beleggingsbankier en financieel goeroe. Nora had trouwens gezien waar ik woonde als Craig. Ze wist al dat de BMW en de dure pakken schijn waren. Maar ondanks dat alles zei ze toch wat ze zei.

Zullen we nog ergens heen gaan?

Ik stond mezelf daar te verdrinken in haar groene ogen op de hoek van dat kruispunt in het centrum van Chappaqua. Ik kon nog elke kant op. 'Loop maar mee,' zei ik.

We liepen terug naar mijn auto die voor het restaurant geparkeerd stond. Ik deed het portier aan de passagierszijde voor haar open.

'Waar neem je me mee naartoe?' vroeg ze.

'Dat zul je wel zien.'

Ik liep om de auto heen en ging achter het stuur zitten. We deden onze gordel om en ik startte de motor waarbij ik al een paar keer gas gaf, terwijl hij nog in zijn vrij stond. Toen spurtte ik ervandoor.

70

Na een kilometer of wat had Nora het opeens door.

'Je brengt me naar huis, hè?'

Ik draaide me naar haar toe en knikte langzaam. 'Het spijt me.'

'Mij ook, maar je hebt gelijk. Het zal de wijn wel geweest zijn. Ik schaam me dood.'

Mijn toon, mijn lichaamstaal; het leek allemaal alsof het me heel gemakkelijk viel, alsof de gedachte iets met haar te beginnen nooit bij me opgekomen was. Was dat maar waar.

Nora was een prachtvrouw die me een verbazingwekkend aanbod had gedaan. Het vereiste elk grammetje wilskracht dat ik bezat om me eraan te herinneren wat de eigenlijke reden was dat ik bij haar was.

Desalniettemin viel niet te ontkennen dat er sprake was van enige chemie, een band tussen ons. Iets waarvan ik zeker wist dat ze het niet gespeeld kon hebben. En ook al kon ze dat wel, wat dan nog?

We reden het laatste stukje naar Connors huis in stilte. De enige keer dat ik naar haar keek, kon ik er niets aan doen dat ik zag hoe haar rok omhoog gekropen was over haar been. Gebruinde dijen, slank en stevig, herinnerden me aan hetgene waarvoor ik nou juist bedankt had.

Ik draaide de cirkelvormige oprit op en het grind spoot op toen ik remde. Op dat moment sprak ze haar bevrijdende eindoordeel uit.

'Ik begrijp het wel,' zei ze. 'Het zou waarschijnlijk ook niet erg verstandig geweest zijn. Niet onder deze omstandigheden.'

'Waarschijnlijk niet.'

'Bedankt voor het etentje. Het was geweldig.' Ze boog zich naar me over en gaf me een kusje op mijn wang. Ik voelde haar haar langs mijn gezicht strijken. Ik rook haar parfum, heel aangenaam, met een vleugje citrus.

'Ik... eh.' Ik schraapte mijn keel. 'Ik bel wel even als het administratieve gedeelte van de uitbetaling rond is, oké?'

'Natuurlijk, Craig. Heel erg bedankt.'

Nora stapte de auto uit en liep langzaam de treden naar de voordeur op. Weg uit mijn leven? Ik wachtte nog even terwijl zij de huissleutels uit haar tas haalde. Ik lette even niet op terwijl ik aan de knop van de radio morrelde. Toen ik weer opkeek, had ze de deur nog steeds niet open.

Ik liet het raampje zakken. 'Lukt het een beetje?'

Ze draaide zich naar me om en zuchtte gefrustreerd. 'Die rotsleutel zit vast. Dit wordt met de seconde gênanter.'

'Wacht maar even.'

Ik stapte uit om te zien wat er aan de hand was. En inderdaad stak de sleutel half uit het slot.

Maar vast zat hij niet.

Zodra ik hem aanraakte, gleed de rest van de sleutel gladjes het slot in. Ik draaide me om en daar stond Nora, maar enkele centimeters van me verwijderd.

'Mijn held,' zei ze en ze drukte zich tegen me aan. Haar benen waren heel stevig. Haar borsten heel zacht. Ze sloeg haar armen om me heen en begon zachtjes mijn onderlip te zoenen. 'Leugentje om bestwil. Het lijkt me eigenlijk helemaal niet zo'n slecht idee.'

Op dat moment nam mijn instinct het over en gleed alle wilskracht uit me weg.

Ik zoende Nora terug.

71

Als een brekende golf vielen we de hal binnen. Ik schopte de deur achter ons dicht. Waar ben je mee bezig, O'Hara?

Het was nog niet te laat om ermee op te houden. Ik kon me nog terugtrekken. Het enige wat ik daarvoor moest doen was ophouden met zoenen.

Maar ik kon niet ophouden. Ze voelde zo zacht, zo verdomde lekker aan in mijn armen. Ze rook heerlijk: haar lichaam, haar haar. Haar groene ogen waren verbijsterend van zo dichtbij.

Nora nam mijn hand en leidde die haar jurk in langs het binnenste van haar gebruinde dijen. Haar adem stokte. Toen ik de gladde zijde van haar slipje bereikte drukte ze me steviger tegen zich aan en haar heupen begonnen mee te wiegen met mijn bewegingen. Ze begon te kreunen en het moest wel echt zijn, dat kon gewoon niet anders. Waarom zou ze bij mij doen alsof?

Uit gingen mijn jasje en overhemd. Uit mijn broek. Heel even staakten we het zoenen, net lang genoeg om Nora's jurk over haar hoofd te trekken. 'Neuk me,' zei ze buiten adem. In die woorden. Maar met dat verschil dat het uit haar mond ongelooflijk sexy en onweerstaanbaar klonk. Nora trok ons op de grond en ging boven op me zitten. Ze trok haar slipje opzij, nam me in haar hand en leidde me naar binnen. Zelfs in alle opwinding van het moment schoot me nog een grappige gedachte door het hoofd: je wordt genaaid, O'Hara.

Het duizelde me. De hele kamer draaide. De kamer? We lagen in de marmeren hal van Connor Browns huis, de man met wie ze verloofd was geweest. De man die ze misschien wel vermoord had. Veel idioter kon het niet worden, bedacht ik.

Verkeerd gedacht. Meteen daarna hoorde ik een beltoon bij mijn voeten. Ik had niet meteen in de gaten wat het was.

Mijn mobiel.

Jezus. Ik wist wie dat was. Susan! Ze wilde even horen hoe het ging. Wat een timing, ongelooflijk.

'Wee je gebeente als je opneemt,' zei Nora.

Maak je geen zorgen. Dat doe ik echt niet.

De telefoon viel stil, terwijl wij doorgingen, zonder ons ritme te laten verstoren. We waren helemaal op elkaar ingespeeld. Ze zwiepte met haar prachtige bruine haar over mijn gezicht. Ze zat bovenop en vervolgens lag ze onder, zat op handen en knieën, de subtiele curve van haar rug leek haar gekreun om meer tegen te spreken tot de hal galmde van ons gezamenlijk orgasme.

Een paar minuten lang, als het niet langer was, lagen we zwijgend naar het plafond te staren, terwijl we langzaam bijkwamen.

Ten slotte knipperde ik met mijn ogen. 'Dus de sleutel zat vast?'

'Hoor eens, jij bent degene die daar intrapte.'

'Dat kun je wel zeggen.' Vervolgens barstten we in lachen uit, echt lachen, alsof dit het grappigste was wat ons ooit was overkomen. Nora had een geweldige lach als ze zichzelf liet gaan. Je moest wel met haar meelachen.

'Heb je honger?' vroeg ze. 'Biefstuk? Ik heb Kobe-biefstuk in huis. Of wat dacht je van een omelet?'

'Ze kookt nog ook.'

'Dat beschouw ik als een ja. Als je wilt, is er een douche in de logeerkamer. De trap op en de eerste deur rechts.'

'Dat lijkt me lekker.'

Ze rolde op haar zij en kuste me. 'Net zo lekker als jij, Craig Reynolds.'

72

Ik stapte de douche uit en veegde met de rug van mijn hand over de beslagen spiegel tot ik mezelf zag terugstaren. Ik schudde het hoofd. En schudde het nog eens.

Je hebt het weer mooi voor elkaar, O'Hara.

Voor undercoverwerk had je wel wat speelruimte nodig, maar nu was ik wel heel ver gegaan. Ik had veel meer gedaan dan er redelijkerwijze van me verwacht werd, maar niet op de manier die resulteerde in een medaille in het Hoover-gebouw in Washington.

Vanaf dit punt zou het heel, heel erg lastig worden.

'Alles naar wens, Craig?'

Nora stond onder aan de trap. Ik deed de deur van de badkamer open. 'De douche was heerlijk. Ik kom eraan.'

'Mooi,' zei ze. 'Want je omelet is zo klaar.'

Ik kamde mijn haar naar achteren, trok mijn kleren weer aan en beende naar beneden om me bij Nora in de keuken te voegen. O man, wat zag ze er goddelijk uit met alleen haar beha en slipje aan en een spatel in haar hand. Wat een spectaculair lijf en wat een stralende lach.

Ik zag dat er maar voor één persoon gedekt was. 'Eet jij niks?' vroeg ik. 'Nee, ik heb wat van de ham geknabbeld.' Ze hield een flesje water in de lucht. 'Ik hou het hierbij. Ik moet mijn buik in de gaten houden.'

'Dat heb ik al gedaan. Er is niks mis mee.'

Ik ging zitten en keek hoe ze met de pan op het fornuis in de weer was. 'Staarde' is een beter woord. Ze was al net zo goddelijk van achteren als van voren. En wat die buik betrof: welke buik?

Rustig aan, O'Hara.

Maar eerlijk gezegd kon ik dat niet. Het was een merkwaardige gewaarwording en het deed me meteen denken aan iemand die ik ooit kende. Iemand die bij narcotica werkte, een vriend. Hij was een heel goede vent, een prima politieman. Dat wil zeggen, tot hij een fatale vergissing beging. Hij was zo stom om zelf aan het spul verslaafd te raken. De les was bijna niet te missen. Zelfs na mijn douche meende ik Nora nog te ruiken op mijn huid. Ik kon haar nog proeven. Ik wist niet hoe ik mezelf een halt moest toeroepen.

'Alsjeblieft,' zei ze.

Ik staarde naar de enorme, luchtige omelet die ze me voorzette. 'Ziet er heerlijk uit.' En ik had een razende honger, misschien omdat ik bij de lunch alleen maar wat geknabbeld had.

Ik pakte mijn vork en nam een hap. 'Fantastisch.'

Ze hield haar hoofd scheef. 'Je zou tegen mij niet liegen, toch?'

'Wie, ik?'

'Ja, jij, Craig Reynolds.' Nora boog zich voorover en liet haar hand door mijn haar glijden. 'Wil je een biertje? Of iets anders?'

'Is een glaasje water ook goed?' Nog meer alcohol was wel het laatste wat ik kon gebruiken.

Ze liep naar de kast voor een glas terwijl ik doorat van haar omelet. Om de waarheid te zeggen, hij was echt heerlijk.

'Kun je blijven slapen?' vroeg ze, toen ze terugkwam met een glas water. 'Alsjeblieft?'

De vraag verbaasde me, terwijl ik hem eigenlijk had kunnen verwachten. Ik keek om me heen, naar de keuken waarin ik zat, me opeens extra bewust in wiens huis ik was. Het was een professioneel ingerichte ruimte, heel mooi eigenlijk, in alles het beste van het beste. Viking, Traulsen, Wolf, Miele, Gaggia, allemaal topmerken.

Nora wierp een blik in de richting van de hal. Haar jurkje lag nog steeds op de marmeren vloer.

'Volgens mij is het een beetje te laat om je daar ongemakkelijk over te voelen,' zei ze.

Ze had gelijk en ik wilde net een instemmende opmerking maken, toen mijn maag opeens heel vreemd begon te doen.

73

'Is er iets?' vroeg Nora.

'Dat weet ik niet,' zei ik. 'Ik voel me opeens zo...'

Alsof ik de keuken onder ga kotsen.

Ik sprong op uit mijn stoel en racete naar de gang, waar ik nog maar net op tijd het toilet bereikte. Ik viel op mijn knieën en begon hevig te kokhalzen. Daar kwam de omelet weer omhoog. En ook nog wat van de lunch.

'Gaat het een beetje, Craig?' vroeg ze vanachter de wc-deur.

Nee, het ging niet. Ik werd overspoeld door een vloedgolf van misselijkheid en stond te tollen op mijn benen. Ik kon alleen nog maar wazig zien. Het enige wat ik kon doen was me schrap zetten en hopen dat het over zou gaan.

Als die smeris van het kerkhof me nu zou zien.

'Craig? Je maakt me bang.'

Ik had het te druk met kokhalzen om te reageren op wat dan ook. Ik was te duizelig en te zwak.

'Moet ik wat voor je halen?' vroeg ze.

Met mijn armen om het porselein geslagen moest ik een nieuwe angst onder ogen zien: stel dat dit niet meer over zou gaan? Zo ellendig voelde ik me; zo ziek en zo bang.

'Zeg alsjeblieft iets, Craig.'

Het volgende ogenblik was het toch zover. Vreemd genoeg. Gelukkig genoeg. Zo snel als het was komen opzetten, zo snel zakte het ook weer weg. Alsof er niets gebeurd was.

'Niks aan de hand,' zei ik, even verbaasd als opgelucht. 'Ik ben weer helemaal in orde. Ik kom er zo aan.'

Ik wankelde naar de wastafel, spoelde mijn mond en plensde wat koud water over mijn gezicht. En weer staarde ik mezelf aan in de spiegel. Dat moest wel voedselvergiftiging geweest zijn, toch?

Maar een andere mogelijkheid viel ook niet te ontkennen. Ik leed aan pure, onversneden angst nadat ik er een vreselijk zootje van had gemaakt. Simpel gezegd viel de omelet niet goed in het gigantische, niet vergevingsgezinde zwarte gat in mijn maag.

Jezus, O'Hara. Kom tot je positieven!

Ik keerde terug naar de keuken en een erg aangedane Nora. 'Ik ben me rot geschrokken,' zei ze.

'Sorry. Het was ook bizar.' Ik worstelde om met een geloofwaardige verklaring te komen. 'Misschien zat er een slecht ei tussen.'

'Zou kunnen. Ik voel me vreselijk schuldig. O, Craig. Gaat het weer een beetje beter?'

Ik knikte.

'Weet je dat zeker? Je hoeft niet de held te spelen, hoor.'

'Ja.'

'Nu ben ik degene die zich afschuwelijk voelt,' zei ze. 'Je zult nooit meer iets eten wat ik je voorzet.'

'Doe niet zo raar. Het was toch niet jouw schuld?'

Haar onderlip krulde om. Ze zag er gekwetst en bang uit. Ik liep naar haar toe en sloeg mijn armen om haar heen. 'Ik zou je wel willen kussen, maar...'

Er brak een lach door op haar gezicht. 'Ik denk dat ik wel een tandenborstel voor je kan vinden,' zei ze. 'Op één voorwaarde.'

'En dat is?'

'Dat je hier blijft slapen. Nogmaals, heel welgemeend, alsjeblieft?'

Misschien als ze niet enkel haar beha en haar slipje aan had gehad. Misschien als ik haar niet net in mijn armen gehad had. Misschien dat ik dan nee had kunnen zeggen. Misschien wel, maar ik betwijfel het.

'Maar ik heb ook een voorwaarde,' zei ik.

'Ik weet al wat je gaat zeggen en dat had ik ook echt niet willen voorstellen.'

Wat betekende dat we die nacht ver van de slaapkamer van Connor Brown vandaan sliepen. Niet dat we ook echt veel sliepen. Ik verzekerde mezelf dat het bij één nacht zou blijven. Morgen zou ik er een eind aan maken. Ik zou wel een andere manier verzinnen om haar aan de praat te krijgen zonder intimiteiten.

Toch voelde ik diep vanbinnen wat er gebeurde. Ik voelde het overal. Ik was aan Nora verslingerd geraakt.

74

De deurbel haalde ons de volgende morgen wreed uit onze slaap.
Nora schoot overeind uit bed. 'Wie kan dat zo vroeg al zijn?'
Ik keek op mijn horloge. 'Shit.'
'Wat?'
'Het is helemaal niet vroeg meer. Het is bijna halftien.'
Haar reactie bestond uit een vrolijke grijns die op de een of andere manier tegelijkertijd heilzaam en sexy was. 'Dan zullen we elkaar wel behoorlijk uitgeput hebben.'
'Ja, lach maar. Ik had een uur geleden al op kantoor moeten zijn.'
'Rustig maar. Ik geef je wel een briefje mee.'
De deurbel ging weer. Ditmaal enkele keren achter elkaar. Het klonk als een stelletje windklokken in een orkaan.
'Ik poeier ze wel even af,' zei Nora. In al haar naakte pracht klom ze het bed uit en liep ze naar het raam. Ze gluurde door het gordijn. 'Shit, helemaal vergeten.'
'Wat?'
'Harriet.'
Ik wist niet wie Harriet was, maar dat deed er ook niet toe. Het enige wat ik wist, was dat ik haar noch wie dan ook voor de deur wilde zien. Niet nu ik me aan de andere kant bevond. 'Je kunt haar wel afpoeieren, toch?'
'Om heel eerlijk te zijn, nee. Ze komt me een grote dienst bewijzen.'
'En als ze mij hier bij jou aantreft?'
'Dat gebeurt niet. Ik heb haar gevraagd naar de meubels te komen kijken die verkocht moeten worden. Als jij hier nou gewoon even blijft, dan zorg ik dat we deze kamer overslaan. Het gaat niet lang duren.'
John O'Hara kon daar niet echt mee zitten; Craig Reynolds, daarentegen, had een baan waar hij heen moest. 'Ik ben al zo laat, Nora,' zei ik. 'Is er geen achterdeur waar ik door naar buiten kan glippen?'

'Ze heeft je auto al zien staan. Als die weg is, als zij vertrekt, zal ze me er zeker naar vragen. Dat moeten we zien te vermijden.'

Ik ademde diep in en weer uit. 'Hoelang gaat dit duren?'

'Dat zei ik toch, niet lang.' Ze sloeg het raam open. 'Sorry, Harriet, ik kom er aan,' riep ze naar beneden. 'Wat een geweldige hoed, meid.'

Nora draaide zich om en dook in wilde vaart weer bij me tussen de lakens. 'Nog even over dat werk van je,' zei ze en ze liet haar hand onder de lakens glijden. 'Dat lijkt me echt geen goed idee.'

'O, nee?'

'Absoluut niet. Ik vind dat je moet spijbelen zodat we ons een beetje kunnen vermaken. Wat dacht je daarvan?'

Het deed er niet toe wat ik zei. Nora's hand onder de lakens voelde al wat ik ervan dacht.

'Ik denk dat ik wel een dagje vrij kan nemen.'

'Zo mag ik het horen.'

'Hoe gaan we het aanpakken?'

Nora keek omlaag naar het laken dat over me heen lag. 'Dat zal ik je eens haarfijn uitleggen. Volgens mij heeft er iemand zin om te gaan kamperen.'

Ze sprong het bed weer uit. Erg soepel. Ze sportte vast veel.

'Wacht nou. Zo kun je me toch niet alleen laten,' zei ik.

'Ik moet wel. Harriet staat te wachten en ik moet me nog aankleden.' Ze keek weer naar het laken met diezelfde brede grijns op haar gezicht. 'Blijf maar gewoon zo liggen,' zei ze.

75

Ik lag in bed naar het plafond te staren en 'bleef maar gewoon zo liggen'. Het was waarschijnlijk een kamer voor een dienstbode of een au-pair, maar hij was nog steeds een stuk fraaier dan de mijne. Ten slotte begon ik maar plannen te maken voor de rest van de dag, zoals waar Nora en ik heen zouden kunnen gaan. En hoe ik onze ontluikende relatie, of wat het dan ook was, in goede banen kon leiden.

Ze wist in elk geval hoe ze moest krijgen wat ze wilde hebben. De vraag bleef alleen: was ik wat ze wilde? En wat wilde ik hier eigenlijk mee bereiken? Bewijzen dat Nora onschuldig was?

Ik zei tegen mezelf dat ik als de donder moest maken dat ik hiermee ophield. De enige vraag die er werkelijk toe deed, was of ze iets te maken had gehad met de dood van Connor Brown. En de verdwijning van zijn geld. Het was mijn taak om daar het antwoord op te krijgen.

Ik sloot mijn ogen. En sperde ze een paar tellen later weer open.

Ik sprong mijn bed uit en rende naar mijn pak dat over een stoel hing. Ik graaide de overgaande telefoon uit mijn broekzak en keek naar het nummer om te zien wat ik al wist. Het was Susan!

Ik kon haar toch niet nog eens wegdrukken? Ze wist dat ik nooit zonder telefoon op pad ging en dat ik altijd bereikbaar was.

Gewoon jezelf zijn, O'Hara.

'Hallo?'

'Waarom fluister je?' vroeg ze.

'Ik sta bij een golftoernooi.'

'Ha, ha. Waar ben je echt?'

'De bibliotheek van Briarcliff Manor.'

'Dat is nog ongeloofwaardiger.'

'Toch is het echt waar,' zei ik. 'Ik poets mijn kennis van het levensverzekeringsjargon een beetje op.'

'Waarom?'

'Nora stelt een hoop vragen. Ze is behoorlijk slim. Ik weet niet of ze me op de proef wil stellen of dat ze echt nieuwsgierig is. Hoe dan ook, ik moet dus weten waar ik het over heb.'

'Wanneer heb je haar voor het laatst gesproken?'

Iets zei me dat 'de hele nacht' niet het beste antwoord op die vraag was.

'Gisteren,' zei ik. 'Craig Reynolds heeft haar een etentje aangeboden om alle toestanden goed te maken die John O'Hara haar heeft laten doorstaan.'

'Slimme zet, gladjakker. Je hebt haar vanzelfsprekend ook verteld dat de uitbetaling eraan zit te komen?'

'Ja. Ze leek erg opgelucht, maar daarna kwam ze wel met al die vragen.'

'Denk je dat ze iets vermoedt?'

'Dat is moeilijk te zeggen bij haar.'

'Je moet zorgen dat ze zich helemaal op haar gemak bij je voelt.'

Ik slikte. 'Wat dacht je ervan als Craig Reynolds na die lunchafspraak haar een keer 's avonds mee uit eten vraagt?'

'Een echt afspraakje, bedoel je?'

'Zo zou ik het niet doen voorkomen. Haar verloofde is net overleden. Maar inderdaad, een soort afspraakje. Je zei toch dat ze zich bij hem op haar gemak voelt?'

'Ik weet het niet,' zei Susan.

'Nee, ik ook niet, maar mijn mogelijkheden beginnen uitgeput te raken, om nog maar niet te spreken over mijn tijd.'

'En als ze nee zegt?'

Ik lachte. 'Nu onderschat je de charme van O'Hara.'

'Heus niet. Daarom heb ik je op deze zaak gezet, maat. Maar zoals je zelf al zei, Nora lijkt me niet het type dat voor een verzekeringsagent valt.'

Ik beet op mijn tong. 'Eigenlijk had ik eerder verwacht dat je het zorgelijk zou vinden als Nora ja zou zeggen.'

'Dat is ook zo,' zei ze. 'Maar ik denk dat je wel gelijk hebt. Het is waarschijnlijk onze enige kans.'

Ik wilde net iets instemmends zeggen, toen ik stemmen hoorde op de gang. Nora en Harriet kwamen druk pratend de trap op.

'Shit.'

'Wat is er?'

'Ik moet ophangen,' zei ik. 'Ik krijg boze blikken toegeworpen van de bibliothecaresse.'

'Oké, dan. Maar wees in godsnaam voorzichtig, O'Hara.'

'Daar zou je wel eens gelijk in kunnen hebben. Deze bibliothecaresse doet volgens mij aan bodybuilding.'

'Heel grappig.'

Ik hing op en staarde weer naar het plafond. Ik had er een hekel aan om tegen Susan te liegen, maar ik kon niet anders. Zij wilde weten of ik dacht dat Nora iets vermoedde. Nu vroeg ik me hetzelfde af over haar. Had ze door dat ik loog?

Susan was een van de minst lichtgelovige mensen die ik kende. Daarom was ze ook de baas.

76

Nora kwam stralend en vol energie terug. Onweerstaanbaar. Ze sprong op het bed en kuste mijn borst, mijn wang, mijn lippen. Ze sloeg haar ogen ten hemel en trok een maf gezicht waarmee ze mijn hart onder normale omstandigheden al gestolen zou hebben, wat je van deze omstandigheden niet kon zeggen.

'Heb je me gemist?'

'Heel erg,' zei ik. 'Hoe ging het met Harriet?'

'Super. Ik zei toch dat het niet lang zou duren. Ik ben goed. Je weet niet half hoe goed ik ben.'

'Ja, maar jij zat ook niet opgesloten in de slaapkamer.'

'Arm schaap,' zei ze plagerig. 'Je hebt frisse lucht nodig. Nog een reden temeer waarom je vandaag niet kunt gaan werken.'

'Je accepteert echt geen nee, hè?'

'Om heel eerlijk te zijn... nee.'

Ik knikte naar mijn jas en broek die over de stoel hingen. 'Oké, maar weet je zeker dat je twee dagen achter elkaar wilt doorbrengen met mij in die kleren?'

Ze haalde haar schouders op. 'Ik heb ze je al één keer van het lijf getrokken. Dat wil ik best nog eens doen.'

We douchten, kleedden ons aan en besloten een ritje te maken in haar auto. De Benz.

Nora liet haar zonnebril op haar neus zakken. 'Ik heb alles al geregeld.'

Eerst reed ze naar een delicatessenwinkel in het centrum met de naam Villarina's. Ik deed natuurlijk alsof ik er al vaker geweest was. Toen we er naar binnen liepen, vroeg ze of er iets was waar ik niet van hield. 'Behalve mijn omeletten, dan.'

'Ik ben geen groot liefhebber van sardientjes,' zei ik. 'Maar afgezien daarvan mag je me alles voorzetten.'

Ze bestelde een klein feestmaal. Verschillende kazen, geroosterde paprika, een pastasalade, olijven, gedroogd vlees, stokbrood. Ik bood aan te betalen, maar ze had haar portemonnee al gepakt en sloeg het resoluut af. De volgende halte was de slijterij.

'Zullen we vandaag voor wit gaan? Ik hou zelf erg van Pinot Grigio,' zei ze.

Ze keek wat er in de koeling stond en trok een fles Tieffenbrunner tevoorschijn. We waren klaar voor onze picknick.

En helemaal toen Nora me de deken in de kofferbak liet zien. Kasjmier, met een logo van Polo. Die had ze er al in gelegd toen ik onder de douche stond.

We reden naar het nabijgelegen Pocanticomeer en vonden er een grasveldje dat ons wat privacy bood, om maar niet te spreken van het prachtige uitzicht op het landgoed van Rockefeller met al zijn kostbare heuvels en dalen en wat niet al.

'Toch maar goed dat ik je heb laten spijbelen, hè?' zei ze, toen we op de deken neergeploft waren.

Maar ik was aan het werk. Terwijl we over het eten en drinken praatten, deed ik subtiele pogingen iets aan Nora te ontfutselen wat zou wijzen op haar betrokkenheid bij Connor Browns dood. En de overboeking van zijn geld waarmee dit hele onderzoek begonnen was.

Om haar computerkennis te testen, maakte ik een opmerking over firewalls die in het nieuwe internetprogramma dat ik op kantoor gebruikte, zaten ingebouwd. Toen ze knikte, vervolgde ik: 'En dan te bedenken dat ik een jaar geleden nog dacht dat een firewall iets te maken had met asbest.'

'Hier zit er nog zo een. Ik weet alleen wat het is via een van mijn vroegere klanten. Hij was een of andere rijke computerjongen.'

'Een van die internetmiljonairs, zeker? Jezus, wat zouden die toch met al dat geld van ze doen?'

Nora trok weer een gezicht.

'Gelukkig voor mij steken ze veel ervan in het inrichten van hun huizen. Je hebt geen idee.'

'Dat is zeker. Hoewel ik me wel een voorstelling kan maken van de enorme belastingsommen die die jongens moeten ophoesten.'

'Dat wel, maar ze hebben natuurlijk ook wel hun manieren om dat zo minimaal mogelijk te houden,' zei ze.

'Mazen in de wet, bedoel je?'

Ze keek me even aan. 'Ja, zoals mazen in de wet.' Er verscheen een heel lichte frons op haar voorhoofd. Een aarzeling die grensde aan achterdocht. Genoeg om mij van onderwerp te doen veranderen.

Waarop ik het de rest van de middag rustig aan deed en de man speelde die onverwacht een middagje vrij heeft en geniet van het gezelschap van een vrouw van wie hij geen genoeg kan krijgen.

77

Ga naar huis, O'Hara. Rennen, idioot.

Maar ik rende niet weg.

Na de picknick gingen we naar een film in een filmhuis in Pleasantville. Ook dat was Nora's idee. *Rear Window* draaide en ze vertelde me dat die film een van haar favorieten was. 'Ik ben gek op Hitchcock. Weet je waarom, Craig? Hij is grappig en hij houdt zich bezig met de duistere kanten van het leven. Zo krijg je twee films voor de prijs van een.'

Tegen de tijd dat de film afgelopen was, hadden we zoveel popcorn op dat we de maaltijd bij de nabijgelegen Iron Horse Grill, die Nora gepland had, maar oversloegen. Ik stond met haar op de parkeerplaats alsof we weer scholieren waren die niet wisten hoe ze hun afspraakje moesten beëindigen.

Hoewel... Nora had er geen moeite mee. 'Zullen we naar jouw huis gaan?' vroeg ze.

Ik keek haar even aan om haar gezichtsuitdrukking te peilen. Ze had 'mijn huis' al gezien, de afgetrapte schoenendoos die het was. Speelde ze een spelletje met me, om te zien hoe ik zou reageren? Of kon het haar echt niet schelen hoe ik woonde?

'Mijn huis, hè?'

'Kan dat?'

'Natuurlijk,' zei ik. 'Maar ik moet je wel waarschuwen dat het waarschijnlijk niet is wat je ervan verwacht.'

'Wat is dat dan? Wat denk je dat ik verwacht?'

'Laten we zeggen dat het in niets lijkt op wat je gewend bent.'

Toen keek Nora me diep in de ogen. 'Craig, ik mag jou graag. Zo liggen de zaken. Het gaat me alleen om jou en mij. Oké?'

Ik knikte. 'Oké.'

'Kan ik je vertrouwen? Dat wil ik heel graag.'

'Ja, natuurlijk kun je me vertrouwen. Ik ben je eigen verzekeringsmanne-tje.'

Dat gezegd hebbende, reden we naar mijn flat. Nora verblikte of ver-bloosde niet toen ze het voor de tweede keer zag. Ashford Court Gardens, mijn paleisje.

Hand in hand waagden we ons naar binnen.

'Ik moet je wel even waarschuwen dat de hulp in staking is,' zei ik grijn-zend. 'Vanwege de onacceptabele werksituatie, zoals ze beweert.'

Nora keek om zich heen naar mijn minder dan opgeruimde omgeving. 'Dat geeft niet,' zei ze. 'Daar zie ik aan dat je geen ander hebt. Ik vind het eigenlijk wel gezellig.'

Ik bood haar een biertje aan en dat wilde ze wel. Ik overhandigde het haar in de keuken en zorgde ervoor dat ik zelf de draak stak met de gele formica kastjes voor zij het deed.

Ze nam een slok en zette haar roodleren tas neer. 'En, ga je me nog een rondleiding geven?'

'Je hebt alles eigenlijk al gezien,' zei ik.

'Je hebt toch wel een slaapkamer?'

Ik hield mezelf voor dat het nu echt afgelopen moest zijn. Als ik dat echt gemeend had, zouden we natuurlijk nooit hier in mijn keuken gestaan hebben. Dan had ik wel iets anders gezegd bij de bioscoop, in de trant van 'we moeten niet overhaast te werk gaan'.

In plaats daarvan begonnen we elkaar al te zoenen toen we nog op weg naar de slaapkamer waren. Ik stond alwéér op het punt tussen de lakens te kruipen met Nora, maar het was mijn bedoeling om dit gunstig voor mij te doen uitpakken. En ik dacht dat ik precies wist waar ik dan moest beginnen.

78

'Hoe kon je zonder dat ze het doorhad haar tas doorzoeken?' vroeg Susan.

Nou, dat zat zo, baas. Nadat Nora en ik woest gevrijd hadden in mijn vrijgezellenflatje, heb ik gewacht tot ze in slaap was gevallen. Toen ben ik naar de keuken geslopen en heb daar in haar tas zitten snuffelen. Bij nader inzien...

'Ik heb zo mijn methoden,' zei ik eenvoudigweg. 'Dat is toch ook de reden dat je me hiervoor hebt uitgekozen?'

'We hebben je uitgezocht op resultaten behaald in het verleden, O'Hara. En verder was je gewoon beschikbaar.'

Ik zat de dag erna op mijn kantoor om Susan telefonisch op de hoogte te brengen van mijn vorderingen wat betreft ons laatst besproken onderwerp: mijn 'afspraakje' met Nora. Susans grootste zorg was dat ik te gretig over zou komen, dat ik Nora af zou schrikken.

Ha.

Toen ik Susan overtuigd had dat dat niet het geval was, verlegde ze haar aandacht naar wat er in Nora's tas had gezeten.

'Hoe heet die dubieuze adviseur ook alweer?' vroeg Susan.

'Steven A. Keppler.'

'En die is fiscaal jurist in New York?'

'Dat staat wel op zijn kaartje.'

'Hoe snel kun je hem spreken?'

'Dat is het hem nou juist. Ik heb gebeld en Keppler is tot volgende week op vakantie.'

'Het kan natuurlijk ook dat hij van niets weet.'

'Of hij weet alles. Ik ben een optimist, weet je nog?'

'Hij zal zich wel beroepen op zijn beroepsgeheim, als Nora inderdaad een klant van hem is.'

'Dat zal wel, ja.'

'Wat doe je dan?'

'Zoals ik al zei, ik heb zo mijn methoden.'

'Dat weet ik en dat vind ik nou juist zo zorgwekkend,' zei ze. 'Denk er-aan: juristen moet je heel omzichtig benaderen. Hoe ongeloofwaardig het misschien ook overkomt: er zijn erbij die de wet kennen.'

'Tja, merkwaardig is dat, hè?'

'Hou je me op de hoogte? Je houdt me op de hoogte.'

'Zoals altijd.'

Toen ik had opgehangen, duwde ik mijn bureaustoel naar achteren en haalde een paar keer diep adem. Ik voelde me rusteloos en uit mijn ge-wone doen. Op het beeldscherm van mijn computer was de screensaver actief en met de hak van mijn schoen drukte ik de spatiebalk in. Het beeldscherm lichtte op. Ik trok mijn stoel bij en klikte het dossier van Nora aan. Ik begon door de foto's te bladeren die ik met mijn digitale camera van haar had genomen na de begrafenis van Connor Brown.

Ik bleef hangen bij de laatste en bekeek hem aandachtig.

Het was de opname van haar toen ze in de deuropening stond te praten met Connors zus Elizabeth. Nora was in het zwart en had dezelfde zon-nebril op die ze ook op had gehad bij onze picknick. Elizabeth Brown was bijna even aantrekkelijk, alleen was zij een Californische blondine, een architecte volgens mijn aantekeningen.

Ik boog me voorover en bekeek de foto van heel dichtbij. Zo op het eerste gezicht was er niets vreemds aan te zien. Maar dat was het hem juist. Perceptie tegenover realiteit. Oftewel Nora had niets te verbergen... of ze hield iedereen voor het lapje. De politie. Vrienden. Elizabeth Brown. Jezus, zou ze daar echt zo kalm hebben kunnen staan praten met de zus van de man die ze vermoord had?

Was Nora zo'n goede actrice? Zo doortrapt? Wat haar zo gevaarlijk maakte, was dat ik het niet zeker wist. Zelfs nu niet.

Ik wist maar één ding zeker: ik popelde om haar weer te zien.

Ik sloot de computer af en herinnerde mezelf eraan dat ik de touwtjes niet meer in handen had. Ik moest iets doen. Ik stond veel te dicht bij het vuur, de hitte werd me te veel. Ik moest weg. Afkoelen, O'Hara. In elk geval een paar dagen.

Toen kreeg ik een idee. Misschien was dat een manier om mijn prioritei-
ten weer op een rijtje te krijgen.
Ik belde Susan nog eens en vertelde haar wat mijn plannen waren.
'Ik moet er even tussenuit.'

79

Op woensdagmiddag stapte Nora de lift uit op de zevende verdieping van de psychiatrische kliniek Pine Woods. Ze nam een slok water, en gooide de lege fles in een prullenbak. Zoals altijd liep ze eerst even de verpleegsterspost binnen. Anders dan andere keren was daar nu niemand. Geen Emily. En ook geen Patsy. Niemand.

'Hallo?' riep ze.

Er kwam geen reactie, alleen de echo van haar eigen stem.

Nora aarzelde even voor ze de gang weer opliep. Na al die jaren had ze bijna het gevoel alsof ze zich móést melden.

'Hallo, moeder.'

Olivia Sinclair draaide zich om naar haar dochter die in de deuropening stond. 'Hallo,' zei ze met haar gebruikelijke lege glimlach.

Nora gaf haar een zoen op haar wang en trok een stoel bij. 'Hoe voelt u zich?'

'Ik hou van lezen.'

'Dat is ook zo,' zei Nora. Ze zette haar tas op de grond en stak haar hand in de plastic zak die ze ook bij zich had. Daar kwam de nieuwste Patricia Cornwell uit. 'Alstublieft. Deze keer heb ik er wel aan gedacht.'

Olivia Sinclair nam het boek aan en streek met de palm van haar hand zachtjes over de kaft. Met haar wijsvinger volgde ze de in reliëf aangebrachte letters van de titel.

'U ziet er een stuk beter uit, mam. Weet u wel hoe erg u me hebt laten schrikken de vorige keer?'

Nora keek hoe haar moeder naar de glanzende kaft van het boek bleef staren. Natuurlijk besefte ze dat niet. De muren die ze om haar wereld heen gebouwd had, waren te dik.

Maar dat feit, dat Nora de andere keren dat ze op bezoek kwam altijd droevig stemde, was nu juist een reden voor opluchting. Vanaf het moment dat haar moeder die toeval gehad had, had ze zich afgevraagd of zij daarvoor verantwoordelijk geweest was. Dat haar tranen, haar emoties, de plotselinge drang om haar zonden op te biechten, alles wat ze beter voor zich had kunnen houden in deze kamer, die reactie teweeggebracht hadden. Hoe meer Nora daarover had nagedacht, des te overtuigder ze geraakt was dat dat de toedracht was geweest.

Maar nu niet meer.

Nu ze haar moeder zo zag, zo ver weg, zo totaal van de wereld, wist ze dat het incident niets met haar te maken gehad kon hebben. Maar hoe vreemd het ook leek, het idee dat ze verantwoordelijk geweest kon zijn voor de toeval, zou ook reden voor hoop geweest zijn.

'Ik denk dat u dit een goed boek zult vinden, moeder. Kay Scarpetta. Vertelt u me de volgende keer hoe u het vond?'

'Ik hou erg van lezen, weet je.'

Nora lachte. Verder had ze het alleen maar over positieve, leuke dingen. Af en toe keek haar moeder haar aan, maar de meeste tijd staarde ze naar de televisie die uit stond.

'Oké, ik denk dat ik er maar weer eens vandoor ga,' zei Nora na ongeveer een uur.

Haar moeder pakte het plastic bekertje dat naast haar bed stond op. Het was leeg.

'Wilt u wat water?' vroeg Nora.

Haar moeder knikte en Nora strekte haar hand uit naar de kan.

'Oeps, die is ook leeg.' Nora pakte de kan en liep naar de badkamer. 'Ik ben zo terug.'

Haar moeder knikte weer.

Daarna wachtte ze even. Zodra ze het geluid van de kraan hoorde, pakte Olivia onder de dekens de brief die ze geschreven had. Daarin stond de verklaring voor al die dingen die ze al zoveel jaren aan haar dochter had willen vertellen, maar waar ze niet toe in staat was.

Nu vond ze dat Nora de waarheid moest weten.

Olivia zwaaide haar blote voeten over de rand van het bed en strekte haar arm uit naar Nora's openstaande tas, de brief stijf in haar hand geklemd. Ze liet hem erin vallen. Na al die tijd bleek loslaten het enige wat ze hoefde te doen.

80

'Daar ben je!'

Emily Barrows keek geschrokken op van haar stoel in de verpleegsterspost en zag Nora voor haar staan, die er natuurlijk weer even ravissant als altijd uitzag. Ze had haar niet horen aankomen. Ze was te verdiept geweest in haar boek.

'O, hallo Nora.'

'Ik trof je hier niet aan toen ik aankwam.'

'Sorry, meid. Dan zal ik net op het toilet geweest zijn,' zei Emily. 'Ik ben hier vanmiddag alleen.'

'Wat is er met die andere verpleegster gebeurd, degene die nog in opleiding was?'

'Bedoel je Patsy? Die heeft zich vandaag ziek gemeld.' Emily knikte naar het open boek voor haar. 'Gelukkig is het erg rustig vandaag.'

'Wat ben je aan het lezen?'

Ze hield het boek omhoog. *A Time for Mercy* van Jeffrey Walker. Nora lachte. 'Hij is goed.'

'De beste.'

'En niet lelijk ook.'

'Als je van lang en stoer houdt.'

Emily keek hoe Nora lachte. Dit was een heel andere vrouw dan het gespannen, stugge type dat hier vorige keer gestaan had. Ze leek in elk geval in een beter humeur dan ze ooit gezien had.

'Was het een prettig bezoekje aan je moeder? Volgens mij wel, hè?'

'Zeker. In elk geval een stuk aangenamer dan de vorige keer.' Nora streek een lokje haar achter haar oor. 'Nu je er toch over begint,' zei ze. 'Ik wilde me nog even verontschuldigen voor mijn gedrag toen. Ik was erg emotioneel, maar jij deed heel kalm wat er gedaan moest worden. Je was geweldig. Nog bedankt daarvoor.'

'Graag gedaan, hoor. Dat is mijn werk.'

'Ik ben blij dat je er die dag in elk geval was.' Nora wierp een blik op Emily's boek. 'Weet je wat, als zijn volgende boek uitkomt, zorg ik dat jij een gesigneerd exemplaar krijgt.'

'Echt waar?'

'Zeker weten. Ik ken meneer Walker toevallig. Ik heb ooit met hem samengewerkt.'

Emily straalde. 'Grote hemel, dat zou mijn hele dag goedmaken. Wat zeg ik, mijn hele week.'

'Het is wel het minste wat ik doen kan.' Nora lachte haar warm toe. 'Daar heb je toch vrienden voor?'

Dat was natuurlijk bij wijze van spreken, maar Emily vond het toch erg aardig. Nora zwaaide haar gedag en liep naar de lift.

Emily keek toe terwijl ze op de knop met de pijl naar beneden drukte en las weer verder in haar Jeffrey Walker. Pas toen ze de liftdeuren dicht hoorde glijden, keek ze weer op. Toen zag ze het.

Nora's tas stond nog op de balie.

Emily bedacht dat ze wel zou merken dat ze hem had laten staan, als ze in de hal was. Toch belde ze de portier maar even. Toen ze had opgehangen, ging ze door met lezen. Maar voor ze een zin had gelezen, gleden haar ogen weer terug naar de fraaie en kostbaar ogende tas.

Ze zag dat hij openstond.

81

Elaine en Allison konden hun oren bijna niet geloven. Ze waren niet ge-wend dat Nora over een andere man praatte. Sinds de plotselinge dood van haar man Tom, had ze dat niet meer gedaan.

Maar het was precies wat hun beste vriendin nu deed terwijl ze die avond zaten te eten tussen de kale bakstenen muren van de Mercer Kitchen in Soho. Praten was eigenlijk niet het juiste woord. Dwepen kwam meer in de buurt. Dit was niks voor Nora.

'Hij is zo ongelooflijk energiek. Je voelt hoe alles vibreert onder het op-pervlak. En dat rustige zelfvertrouwen van hem is geweldig. Hij is heel nuchter, maar heel bijzonder.'

'Wauw. Wie had er nou gedacht dat een verzekeringsagent sexy kon zijn?' grapte Elaine.

'Ik zeker niet,' zei Nora. 'Maar Craig zou ook eigenlijk geen verzeke-ringsagent moeten zijn.'

'Maar hoe kleedt hij zich eigenlijk?' vroeg Allison. Eens een moderedac-trice, altijd een moderedactrice.

'Mooie pakken, helemaal niet saai. Hij draagt zijn overhemd met de bo-venste knoopjes open. Ik geloof niet dat ik hem ooit een das heb zien dragen.'

'Oké, laten we er niet langer omheen draaien,' zei Elaine met een los handgebaar. 'Hoe is hij in bed?'

Allison sloeg haar ogen ten hemel. 'Elaine!'

'Wat? We vertellen elkaar toch altijd alles?'

'Ja, maar ze hebben elkaar net ontmoet. Wie weet is er nog wel helemaal geen sprake geweest van seks.' Allison keek Nora met een geniepige grijns aan.

'Er is sprake geweest van seks.'

Elaine en Allison bogen zich naar voren en steunden met hun ellebogen op tafel. 'En?' vroegen ze allebei tegelijk.

Nora, die de situatie volledig meester was, nipte langzaam aan haar Cosmo. 'Het was niet slecht... Grapje, het was geweldig.'

Ze lachten als drie tienermeisjes.

'Ik ben zo jaloers,' zei Elaine.

Nora werd opeens wat serieuzer en daarmee verbaasde ze zelfs zichzelf. 'Ik voel me niet zo alleen als ik bij hem ben. Zo heb ik me in tijden niet meer gevoeld. Ik geloof... ik geloof dat we veel gemeen hebben.'

Elaine keek Allison aan. 'Misschien hebben wij wel op de verkeerde plaatsen gezocht. Een stad met een miljoen vrijgezellen en zij vindt haar prins op het witte paard in een voorstadje.'

'Je hebt ons nog niet verteld wat je daar eigenlijk uitspookte,' zei Allison. 'Ik heb een klant in Briarcliff Manor,' zei Nora. 'Ik was in een antiekwinkel in Chappaqua en daar liep hij te zoeken naar oude vishengels. Die verzamelt hij.'

'En zo is het gekomen,' zei Allison.

'Ze heeft hem gewoon in haar netten verstrikt,' deed Elaine een duit in het zakje. 'Ik herhaal nog maar eens: ik ben zo jaloers.'

Dat was ze niet echt en dat wist Nora ook wel. Elaine was alleen maar blij, blij voor haar vriendin, die een tijdje op een dood spoor had gezeten en nu weer iemand had ontmoet. En Allison was al even blij voor Nora. 'En wanneer krijgen wij die Craig te zien?' vroeg ze.

'Ja,' zei Elaine. 'Wanneer mogen wij deze droomman een hand geven?'

82

Nora keerde na het etentje terug naar haar appartement met maar één gedachte: Craig. Al dat gepraat over haar seksleven had het verlangen om bij hem te zijn alleen maar aangewakkerd. Ze zou het moeten doen met zijn stem. Nadat ze haar pyjama had aangetrokken, stapte ze in bed en toetste ze zijn nummer in.

De telefoon ging vijf keer over voor hij opnam.

'Heb ik je wakker gebeld?'

'Nee, hoor,' zei hij. 'Ik zat in de andere kamer te lezen.'

'Iets spannends?'

'Helaas niet. Iets voor mijn werk.'

'Lijkt me saai.'

'Dat is het ook. Des te blijer ben ik dat jij belt.'

'Mis je me?'

'Meer dan je beseft.'

'Ik jou ook,' zei ze. 'Was ik maar bij je. Ik heb zo'n idee dat je dan niet zou zitten lezen.'

'O, nee? Wat zou ik dan aan het doen zijn?'

'Dan zou je mij in je armen hebben.'

'En verder?'

Nora fluisterde in de hoorn. 'Je zou me kussen.'

'Waar?'

'Op mijn lippen.'

'Zacht of hard?'

'Eerst zacht, daarna hard.'

'Waar zijn mijn handen?' vroeg hij.

'Op verschillende, zeer interessante plaatsen.'

'Waar precies?'

'Mijn borsten. Om te beginnen.'

'Hmmmm. Dat is een prima begin, herinner ik me. Waar nog meer?'

'De binnenkant van mijn dijen.'

'O, dat klinkt goed.'

'Wacht, ze bewegen omhoog. Heel langzaam. Je plaagt me.'

'Dat klinkt nog beter.'

Nora beet op haar onderlip. 'Vind ik ook.'

'Kun je me voelen?' fluisterde hij.

'Ja.'

'Ben ik binnen in je?'

Klik.

'Wat was dat?' vroeg hij.

'Shit. Dat is de andere lijn.'

'Niet opnemen.'

Nora keek wie het was. 'Dat kan niet. Het is een van mijn vriendinnen.'

'Dat lijkt me helemaal niet slecht,' zei hij lachend.

'Heel grappig. Blijf even hangen, ja? Ik heb daarnet met haar gegeten en als ik niet opneem, gaat ze zich zorgen maken.'

Ze klikte door naar de andere lijn. 'Elaine?'

'Je sliep toch nog niet, hè?' vroeg ze.

'Nee, ik was klaarwakker.'

'Wat klink je buiten adem.'

'Ik was aan het bellen.'

'Nee, hè? Met Craig?'

'Ja.'

'En ik piepte er brutaalweg tussendoor?'

'Dat geeft niet.'

'Wisselgesprek interruptus. Sorry, hoor.'

'Hoeft niet.'

'Ik wilde je alleen nog even laten weten hoe blij ik voor je ben, lieverd. Ga nou maar gauw terug naar wat jullie aan het doen waren.'

'Zal ik dat dan maar doen?'

'Zooooo jaloers!'

Klik.

'Ben je er nog?' vroeg Nora.

'Ja hoor,' zei hij.

'Nou, waar waren we ook alweer gebleven?'

'Op het punt waarop het definitief onmogelijk is geworden dat ik van-nacht nog een oog dichtdoe.'

'Dat geldt voor mij ook. Morgen kom ik naar je toe voor het echte werk.'

Nora wachtte tot hij iets zou zeggen. In plaats daarvan bleef het stil. Wat dacht hij nu?

'Ik kan morgen niet,' zei hij ten slotte.

'Waarom niet?'

'Ik moet naar een bijeenkomst op het hoofdkantoor in Chicago. Daar zat ik me net op voor te bereiden.'

'Wat voor bijeenkomst? Kun je die niet afzeggen?'

'Helaas niet. Het is een seminar. En ik ben een van de sprekers.'

'O,' zei ze teleurgesteld. 'Poe.'

'Ik ben over een paar dagen weer terug.'

'Bel je me vanuit Chicago?'

'Natuurlijk. Misschien kunnen we dan verdergaan waar we gebleven waren?'

'Als je braaf bent.'

'O, dat ben ik wel,' zei hij. 'Maak je over mij maar geen zorgen.'

83

Maar Nora maakte zich wel zorgen.

De hele nacht zelfs. Ze had gezegd dat ze geen oog dicht zou doen en dat was nog waar ook. Wat ze wilde, wat haar grootste wens was, was weten of Craig de waarheid sprak. Het was de toon geweest waarop hij over dat seminar had gepraat. Ze had hetzelfde spoortje twijfel gevoeld als bij hun eerste gesprek. Er klopte iets niet.

De volgende morgen werd Nora vroeg wakker. Ze douchte niet. Maakte zich niet op. Ze mocht geen tijd verspillen. In een oude sweater en met een honkbalpetje over haar ogen getrokken reed ze naar het noorden, naar Westchester. Haar eerste halte was Connors huis in Briarcliff Manor.

Daar wisselde ze haar rode Benz cabrio in voor een van de andere twee auto's die stof stonden te vangen in de garage. Een groene Jaguar XJR.

Op die manier zou Craig haar niet herkennen. En verder was ze al bijna net zo gek op de Jag als op de Benz.

Twintig minuten later stond ze in de straat geparkeerd waar Craig woonde, met een grote beker Starbucks koffie op schoot. Ze nam teugjes van de koffie en wachtte.

De eerste keer dat ze hem gevolgd had, had ze niet geweten wat ze kon verwachten. Deze keer lag dat anders. Hij had haar verteld dat hij rond het middaguur een vlucht had.

Om een uur of tien ging de afgebladderde voordeur open en kwam hij naar buiten. Felgeel T-shirt, bruin sportjasje. Hij zag er goed uit. Het tijdstip klopte als hij naar het vliegveld moest rijden. En wat nog beter was, hij droeg een koffer.

Ze voelde opluchting.

Nora zag Craig in zijn zwarte BMW stappen. Zijn achterovergekamde haar was nog nat van de douche. Hij leek totaal geen moeite te hoeven doen om er zo goed uit te zien, bedacht ze. Ze miste hem en hij was de stad nog niet eens uit.

Hij reed achteruit de oprit af en draaide Nora's kant op. Ze dook snel weg en wachtte tot hij voorbijgereden was. De groene Jaguar was gewoon een van de vele geparkeerde auto's, al was het wel de mooiste.

Ze zou hem een paar kilometer blijven volgen tot het duidelijk was dat hij naar het vliegveld reed. Dan zou alles verder in orde zijn. Meer dan in orde. Hij zou later die avond vanuit Chicago bellen en dan zou ze hem vertellen hoe erg ze hem miste, wat haar geen enkele moeite zou kosten. Ze zou grapjes met hem maken over telefoonorgasmes.

Nora glimlachte bij de gedachte. Wat had ze, vroeg ze zich af.

Ze hield een meter of honderd afstand van Craig, terwijl hij in zuidoostelijke richting reed, de richting van het vliegveld. Die route kende ze goed. Onderweg gaf ze zichzelf een standje. 'Een gezonde portie achterdocht is nooit verkeerd' was een van haar favoriete mantra's, maar ze had het gevoel dat ze nu zwaar overdreef.

Ze had al eerder getwijfeld aan Craig en ook toen was het voor niets geweest.

Net als nu. Dat wil zeggen, tot zijn richtingaanwijzer begon te knipperen.

84

Er leiden een heleboel wegen naar het vliegveld van Westchester, maar dit was er helaas geen van. De weg kwam zelfs niet in aanmerking voor het predikaat 'toeristische route'. Toen Craig zijn richtingaanwijzer aanzette en afboog, wist Nora het meteen: hij had een andere bestemming in gedachten.

Ze wilde geen overhaaste conclusies trekken. Hij kon nog een goede reden voor zijn leugen hebben. Die hoop liet ze nog niet varen. Misschien wilde hij haar ergens mee verrassen.

Kilometers verder, toen ze het bord passeerde dat aangaf dat ze rechtdoor moest rijden om in Greenwich, Connecticut te komen, dacht ze aan haar favoriete juwelier daar, Betteridge. Ze stelde zich voor hoe Craig haar een doosje met een strik zou aanbieden met het verhaal dat hij het reisje naar Chicago had verzonnen om haar te kunnen verrassen met een cadeautje, een leugentje om bestwil.

Maar ook Greenwich reden ze voorbij.

En met Greenwich vervloog ook Nora's hoop. Ze wilde nog steeds geen overhaaste conclusies trekken, maar het moment dat de woede zou toeslaan, kwam gevaarlijk dichtbij. Woede, gekwetstheid, een heleboel gemengde emoties, waarvan er niet eentje gunstig was.

Op datzelfde moment reed Craig het stadje Riverside in Connecticut binnen. Aan de manier waarop hij reed, was goed te merken dat hij het gebied kende. Hoe zat dat? Uiteindelijk sloeg hij een doodlopend straatje in.

Nora reed tot de hoek, waar ze stil bleef staan. Ze keek om zich heen. De huizen waren niet groot of uitzonderlijk fraai, maar wel goed onderhouden. Heel iets anders dan zijn appartement in Westchester.

Wat deed Craig hier in Connecticut? Vanwaar die koffer? Waarom had hij tegen haar gelogen?

Ongeveer halverwege de straat draaide zijn BMW een oprit op, langs een rode brievenbus. Nora keek gespannen toe hoe hij uitstapte en tuurde in de verte in een poging om met haar ogen de afstand te overbruggen.

Hij rekte zich uit en liep toen naar de voordeur van het huis dat in witte, koloniale stijl gebouwd was en mosgroene luiken had.

Voor hij aan kon kloppen, zwaaide de deur al open en kwamen er twee jongetjes naar buiten rennen.

Ze sprongen in zijn armen en hij knuffelde en kuste hen op een manier die meteen de mogelijkheden van oom, neef of grote broer uitsloten. Craig Reynolds was zonder twijfel hun vader.

Betekende dat dat hij... getrouwd was?

Nora's ogen vlogen naar de voordeur toen daar nog iemand anders verscheen. Haar hart bonsde haar in de keel en ze kon wel overgeven. Maar zodra Nora de vrouw daar zag staan, besefte ze dat ze niet naar mevrouw Craig Reynolds keek. Tenzij hij een voorkeur had voor buitenlandse grootmoederlijke types. Deze vrouw moest wel een oppas zijn.

Toen trok iets anders Nora's aandacht. Uit een van de ramen van de bovenverdieping hing een andere vrouw, aantrekkelijk, op een niet-stadse manier. Ze zwaaide naar Craig. Zij straalde iets heel anders uit.

Echtgenote.

Nora sloeg haar hoofd tegen de hoofdsteun van de Jaguar en vloekte stevig. Elk scheldwoord dat bij haar opkwam. 'Klootzak, bedrieger, lul, Craig!'

Nora bleef kijken toen hij de twee jongens naar binnen duwde; ze kon haar blik niet van het tafereel losrukken. Ze probeerde te bevatten hoe het zat. Dat was haar nog niet helemaal duidelijk: waarom had hij een appartement in Westchester als hij hier woonde?

Daar zat ze nog over te piekeren toen de voordeur alweer openging. Craig en de twee jongens kwamen naar buiten, lachend en elkaar speels op de schouders dreunend. Nu hadden zijn zoons allebei een rugzakje bij zich. Craig droeg een grote plunjezak. Alles werd in de BMW geladen. Ze gingen weg. Maar waarheen?

Nora keek naar het bord 'doodlopende weg' voor haar. Ze schakelde naar de eerste versnelling. Ze kon Craig niet nog een keer op één ochtend een geparkeerde groene Jaguar laten passeren.

Ze draaide de volgende straat in en bleef daar een paar minuten zitten broeden op wat ze nu zou gaan doen. Het zou haar worst wezen wat Craig met zijn kinderen ging doen. Het was in elk geval geen seminar in Chicago waar hij een van de sprekers was. Wat viel er nog meer te ontdekken dan dat hij zijn vrouw bedroog?

Niets.

Ze zou terugrijden naar Westchester om haar auto te halen. Craig zou haar in de loop van de dag wel bellen. Dat kon nog interessant worden. Maar voor ze weer op weg ging, moest Nora toch nog even een blik werpen op dat schattige huisje van hem. Een blik van iets dichterbij. Ze kon gewoon bijna niet geloven wat ze in de afgelopen minuten gezien had. Je kon wel zeggen dat Craig opeens heel iemand anders was gebleken. Hij leek eigenlijk nog meer op haar dan ze gedroomd had. Misschien vond ze hem daarom zo aantrekkelijk?

Ze sloeg Craigs straat in en reed langzaam naar zijn oprit toe. Opeens ging ze op de rem staan. En staarde. Op de zijkant van zijn rode brievenbus stond een naam, bijna helemaal vervaagd, maar nog net leesbaar.

Nora kon haar ogen nu echt niet meer geloven.

De naam op de brievenbus was O'Hara.

85

Voortgedreven door woede om het bedrog en misschien zelfs een beetje met een gebroken hart reed Nora als een gek terug naar Westchester. Ze was buiten zinnen en ziedde van minachting.

Maar ze werd ook besprongen door onbeantwoorde vragen, gevaarlijke vragen. Wat was de reden van dit bedrog van O'Hara? Bestond er echt een levensverzekering? En wat was de rol van de seks in het geheel? Het enige wat ze zeker wist, was dat ze belogen was, door een expert.

Hoe is dat nou, liefje? Om bedrogen te worden door een prof?

Toen ze terug was in het huis in Westchester ging ze als een dolle tekeer en sloeg links en rechts kostbare spullen kapot. Ze gooide een tafeltje om en trok een schilderij van de muur. Ze smeet een Baccarat-vaas tegen de muur. Overal lagen glasscherven.

Vervolgens maakte ze een puinhoop van zichzelf.

Ze dronk meer dan een halve fles wodka en mompelde aan een stuk door tegen zichzelf tot het gebrabbel onbegrijpelijk werd. Ze zwoer wraak, maar het maken van een uitgewerkt plan zou nog even moeten wachten. Halverwege de middag lag ze uitgeteld op de bank in de woonkamer.

Ze werd pas de volgende ochtend wakker. De kater was bijna een zegen, gemeen als hij was. Dat leidde haar meteen af van de vraag waarom ze ook alweer zo aan het drinken was geslagen.

Maar niet voor lang. Alleen al door koffie te zetten, keerde haar woede terug. Dat kwam door de geur. Vanille-hazelnoot. Dezelfde koffie die ze met Craig gedronken had toen hij zich voor het eerst aan haar had voorgesteld.

Alleen was het Craig niet. Het was Craig nooit geweest.

Uiteindelijk zakte de kater weg. Met een helderder geest keerde ze terug tot de onbeantwoorde vragen. Op de allereerste plaats: waarom deed O'Hara alsof hij iemand anders was?

Die verzekeringspolis bestond dus niet en Centennial One misschien ook wel niet.

Toen ze het kantoor in de stad had gezien, had ze aangenomen dat het verhaal klopte. Nu trok ze alles in twijfel. Nora pakte de telefoon. Ze belde inlichtingen in Chicago en vroeg naar het nummer van het zogenaamde moederbedrijf.

'Hier komt het,' zei de telefoniste.

Maar Nora was nog steeds niet overtuigd. Ze schreef het nummer op en belde.

'Goedemorgen, Centennial One Verzekeringen,' zei een vrouw met een vriendelijke stem.

'Zou ik John O'Hara mogen spreken?'

'Meneer O'Hara is een paar dagen op reis.'

'Mag ik zijn voicemail dan?'

'Helaas ligt de voicemail momenteel plat,' zei de vrouw.

'Wat handig.'

'Pardon?'

'Laat maar.'

'Als u wilt, kan ik wel een boodschap doorgeven.'

'Nee, dat hoeft niet.' Nora stond op het punt op te hangen. 'Sorry, maar wat is uw naam?'

'Susan.'

'Eigenlijk heb ik nog wel een vraag, Susan. Kun je me vertellen of Craig Reynolds nog steeds voor jullie bedrijf werkt?'

'Eén momentje, dan kijk ik even in het personeelsbestand. Reynolds zei u toch, hè?'

'Ja.'

'O, daar staat hij. De heer Reynolds werkt op een van onze kantoren in New York. Briarcliff Manor om precies te zijn. Wilt u zijn nummer?'

'Graag.'

Nora schreef het op. 'Bedankt, Susan.'

'Graag gedaan, mevrouw...' Ze zweeg even. 'Sorry, maar hoe zei u dat u heette?'

'Dat heb ik niet gezegd.'

Nora hing op. Ze liep meteen naar haar tas en haalde er het kaartje uit dat 'Craig' haar gegeven had. De nummers klopten wel.

'Je bent goed, O'Hara,' mompelde ze bij zichzelf, terwijl ze haar sleutels pakte.

Maar de wittebroodsweken zijn voorbij.

Deel 4

Tot de dood ons scheidt

86

Nora bleef op de zoekknop van de autoradio drukken en sprong van de ene naar de andere zender op weg naar Briarcliff Manor. Er werd geen enkel nummer gedraaid dat ze wilde horen. Het meeste was raptroep waarvan ze de neiging kreeg te gaan gillen. Dat deed ze uiteindelijk ook! Ze was zenuwachtig en rusteloos en niet alleen door alle koffie die ze had gedronken. De gedachte aan O'Hara had haar opgefokt.

Toen haar mobiel overging, reed ze bijna de berm in.

Daar had je hem.

Haar eerste ingeving was om hem ter plekke te ontmaskeren, hem met een paar welgekozen woorden te laten weten dat ze wist wie hij eigenlijk was. Maar terwijl ze haar telefoon pakte, besloot ze dat toch niet te doen. Zo gemakkelijk kwam O'Hara niet van haar af.

Nora wierp een blik op het schermpje. In het felle licht van de zon kon ze niet zien welk nummer erop stond. Toch wist ze zeker dat hij het zou zijn.

'Hallo?'

'Waar heb jij gezeten?'

Mis, dus. De lichtelijk geïrriteerde stem aan de andere kant van de lijn was van Jeffrey. Ze had zijn telefoontjes van de afgelopen dagen niet beantwoord.

'Het spijt me, lieverd, ik had je willen bellen,' zei ze. 'Je bent me net iets te snel af.'

Hij ontdooide meteen. 'Jezus, ik maakte me grote zorgen. Ik wist gewoon niet meer waar ik je moest zoeken.'

Een excuus was nu vereist, een heel goed excuus. 'Het is nog altijd die ene rotklant van me, die vreselijke. Je weet wel, die ene, die dreigde me te ontslaan als ik niet persoonlijk met haar meeging om stofjes uit te zoeken.'

'Hoe zou ik haar kunnen vergeten. Die heeft me ook al eens een week-end met jou door de neus geboord.'

Nora zweeg veelzeggend.

'O, nee,' zei hij. 'Dat meen je niet?'

'Ik ga er proberen onderuit te komen.'

'Wat wil ze nou weer?'

'Ze wil dat ik in haar huis in East Hampton naar de nieuwe serre kom kijken. Ze is een heel goede klant, een van mijn eersten.'

'Het is morgen al vrijdag, Nora. Wanneer wilde je me dat dan laten weten?'

Hij is kwaad. Hij noemt me alleen Nora als hij zich opwindt.

'Ik bel je vanmiddag. Denk je dat ik ernaar uitkijk om nog een weekend met dat mens te moeten doorbrengen? Ik mis je.'

'Zo te horen ben je inderdaad nogal gestrest, lieverd. Gaat het wel goed daar?'

'Ja, hoor. Niks aan de hand.' Het gezicht van O'Hara flitste door haar hoofd. 'Soms kan één persoon het je behoorlijk moeilijk maken.'

'Reden temeer om naar die ene persoon toe te gaan die het allemaal weer goed kan maken,' zei Jeffrey. 'Bel je me zo nog? Ik hou van je.'

Nora stelde hem gerust en nam afscheid met een 'Ik ook van jou'.

Ze was tevreden over haar geïmproviseerde onderhoudswerkzaamheden aan hun relatie, maar het ging maar net. Het werd steeds moeilijker om haar leugens niet met haar te laten weglopen, wat risico's inhield. Toch wilde ze nog niets vasts met Jeffrey afspreken vóór ze een beter beeld had van O'Hara en zijn plannen.

Een minuut later kwam ze aan in het dorpscentrum van Briarcliff. Op wonderbaarlijke wijze wist ze een parkeerplaats te bemachtigen, ze stapte uit en keek omhoog naar het bord boven de ramen van de eerste verdieping.

'Centennial One Verzekeringen.'

Ze las de naam traag, alsof ze op de een of andere manier de eerste keer misschien iets gemist had. Ze ging nergens meer klakkeloos van uit.

Nu niet meer, O'Hara.

87

'Hallo, kan ik u ergens mee van dienst zijn?'

Nora staarde door haar zonnebril naar de opgewekte jonge vrouw die achter de balie zat: midden twintig, intelligente blik, te hoog gekwalificeerd voor dit baantje.

'Ja, ik ben op zoek naar Craig Reynolds. Is die er?'

Ze zag hoe de vrouw een fractie van een seconde aarzelde. Ze moest in het bedrog zijn ingewijd. Geen slechte actrice, zo te zien.

'Het spijt me, meneer Reynolds is er momenteel niet.'

Nora keek op haar horloge. 'Zit hij te eten? Bij Amalfi's misschien?'

'Nee, hij is vandaag op stap.'

'Weet u wanneer hij terug wordt verwacht?'

'Maandag, geloof ik,' zei de jonge vrouw. 'Had u een afspraak met hem? Zal ik er een voor u maken?'

'Nee, Craig zei dat ik gewoon langs kon komen. Maar misschien kunt u me helpen. Ik kwam eigenlijk voor een kopie van een verzekeringspolis.'

Weer was er die lichte aarzeling, even schoten de ogen opzij. Verder was het meisje perfect voor haar rol.

'Gaat het om een polis van uzelf?' vroeg ze.

'Nee, maar ik ben de begunstigde.'

'Aha.' Het meisje schudde het hoofd. 'Helaas mag ik alleen kopieën verstrekken aan de polishouder zelf.'

Nora keek naar het naamplaatje op het bureau. 'Je heet Molly, hè?'

'Ja.'

'Tja, Molly, dat ligt in dit geval een beetje moeilijk, omdat de polishouder zelf dood is.'

'O jee, wat vervelend.'

'Dat kun je wel zeggen. Hij was mijn verloofde.'

Er gleed een blik van herkenning over Molly's gezicht. 'Dan bent u vast mevrouw Sinclair?'

'Hoe wist je dat?'

Molly keek achterom alsof ze wilde benadrukken hoe klein het kantoor was. 'We zijn hier maar met zijn tweeën, daarom ken ik uw dossier. Nogmaals, ik vind het heel vervelend voor u.'

Nora zette haar zonnebril af en keek Molly rechtstreeks in de ogen. 'Ik neem aan dat het dus geen probleem is om mij een kopie van die polis te geven?'

Molly knipperde een paar keer met haar ogen voor er een brede lach over haar gezicht gleed. 'Natuurlijk niet. Ik zal even kijken of ik hem zie liggen op de kamer van de heer Reynolds.'

Toen ze opstond en de andere kamer in liep, keek Nora om zich heen. Het wás inderdaad een klein kantoor en het zag er allemaal heel echt uit. Er lagen overal dossiers en gedrukte foldertjes. Toch klopte er iets niet. Molly, om precies te zijn. Voor iemand die beweerde van alles op de hoogte te zijn, moest ze toch te veel improviseren.

Op dat moment kwam ze terug uit de andere kamer... met lege handen en hoofdschuddend.

'Het spijt me, mevrouw Sinclair, ik kan de polis nergens vinden,' zei ze.

Nora sloeg met haar vlakke hand tegen haar voorhoofd. 'Ach, nee. Ik besef opeens iets. Craig vertelde me dat hij op het hoofdkantoor in Hartford ligt.'

'Is dat zo? O, dan zal hij daar wel zijn.'

Ze keek Molly onderzoekend aan. De jonge vrouw had net één poging te veel gedaan om zich eruit te redden. Kennelijk was haar 'baas' vergeten te vertellen dat het zogenaamde hoofdkantoor van Centennial One in Chicago was gevestigd.

Nora liet haar zonnebril weer op haar neus glijden. 'In dat geval wacht ik wel tot maandag als Craig weer terug is.'

'Ik zal zeggen dat u langs geweest bent, goed?'

Daar ging ik al van uit, Molly.

Nora liep terug naar haar auto en haalde daar meteen haar mobiel tevoorschijn. De rimpelingen die O'Hara in het oppervlak van haar leven had teweeggebracht, begonnen nu meer op een sterke onderstroom te lijken. Nora toetste de twee in van haar sneltoetsen. Dat was waar het nu allemaal om draaide. Snelheid. Ze moest snel te werk gaan en alle losse eindjes wegwerken.

'Hallo?'

'Geweldig nieuws, lieverd,' zei ze.

'Is het je gelukt er onderuit te komen?'

'Ja. Ik ben dit weekend geheel de jouwe.'

'Geweldig!' zei Jeffrey. 'Ik sterf van verlangen!'

88

Het was griezelig stil toen we met zijn drieën naar onze superspeciale kampeerplaats toe liepen. Dit werd geweldig. Dit werd perfect.

'Krijgen we hier geen problemen mee, papa?'

Ik keek om naar Max, mijn jongste zoon. Met zijn zes jaar begon hij net het concept verantwoordelijkheid te doorgronden. Intussen was zijn vader hard aan een opfriscursus toe. Maar niet in dit geval.

'Nee, we hebben speciale toestemming om hier vannacht te slapen,' legde ik uit.

'Ja, dombo,' flapte John jr. eruit. 'Papa neemt ons heus niet hier mee naartoe zonder het te vragen. Dat is toch zo, papa?'

John jr. had met zijn negen jaren allang de onhebbelijke vreugden ontdekt van de oudste zijn.

'Rustig aan, J.J.,' zei ik. 'Dat was een heel goede en slimme vraag van Max. Echt waar, Max.'

'Ja,' zei Max. 'Slim, hè!'

Ik glimlachte en ging iets sneller lopen. 'Kom op, jongens. We zijn er bijna.'

Op vorige tripjes van ons had ik ze meegenomen naar Bear Mountain en de Mohawk Trail. Ik heb ze zelfs een keer een hele week meegenomen naar Yellowstone Park. Nu had ik het gevoel dat ik iets heel anders moest doen. Of misschien was het mijn schuldgevoel over Nora dat ik wilde sussen. Hoe dan ook, ik had één nacht met de jongens en ik was van plan om er een groot succes van te maken.

Ik draaide me naar hen om toen we stilhielden. 'En, wat vinden jullie ervan?'

Max en John jr. staarden met wijd opengesperde ogen en open mond om zich heen. Het kwam niet vaak voor, maar nu waren ze sprakeloos... en ik genoot met volle teugen. Er zijn niet zoveel kampeerplekken in de

Bronx, maar ik wist zeker dat ik de beste had gevonden.

'Welkom in het stadion van de Yankees, jongens.'

Ze lieten allebei meteen hun rugzak vallen en sprintten naar het veld toe. Het liep al tegen de avond en er was geen hond te bekennen. Niemand behalve wij. Derek Jeter en de rest van de ploeg zaten midden in een tournee langs de Westkust en wij hadden het hele stadion voor onszelf. De thuisbasis van Babe Ruth! Zorg alleen dat je het weer afsluit als jullie vertrekken, had mijn vriend die hier werkte gezegd. Het kon nooit kwaad om een FBI-agent een dienst te bewijzen.

Ik maakte mijn plunjezak open en haalde al het benodigde materiaal tevoorschijn. Knuppels, handschoenen, petjes, shirts en een stuk of tien veelgebruikte ballen.

'Oké, wie wil er eerst slaan?'

'Ik, ik, ik!'

'Nee, ik, ik, ik!'

Tot de allerlaatste zonnestraaltjes achter het enorme scorebord en de hoge tribunes verdwenen waren, hadden mijn zoons en ik de dag van ons leven in het stadion van de Yankees.

'Gaan we hier echt slapen?' vroeg John jr. stomverbaasd.

'Natuurlijk, dombo!' gilde Max, die zijn kans schoon zag. 'Dat zei papa toch.'

'Dat heb ik inderdaad gezegd.' Ik liep naar de plunjezak en haalde de tent tevoorschijn. 'Naar welke kant zullen we de opening zetten?'

Ik wees met mijn ene vinger naar het middenveld en met de andere naar het thuishonk.

'Weet je wat, we kiezen een compromis: het derde honk. Daar speelde mijn favoriet toen ik klein was.'

'Wie was dat dan?' vroeg John jr.

'Craig Nettles,' zei ik. Ik had de naam Craig altijd al mooi gevonden.

De jongens en ik zetten ons tentje op. Nou ja, ik zette het op, terwijl Max en John jr. druk liepen te doen op het veld. Ze waren nog steeds enorm opgewonden en het was fantastisch om ze bezig te zien. Misschien begon ik nu eindelijk door te krijgen waar mijn prioriteiten lagen.

89

Ze omhelsden en zoenden elkaar als een stel oververhitte tieners in de hal van het huis in Boston. Nora was net aangekomen.

'Wat heerlijk,' zei Jeffrey, terwijl hij haar stijf omklemde en haar haar streelde. 'Ik heb je zomaar een heel weekend lang voor mezelf. Stel je voor.'

'Niet zo sarcastisch. Ik voel me schuldig dat ik je van je nieuwe boek afhoud,' zei ze. 'Ik weet dat je het bijna af hebt.'

'Om eerlijk te zijn heb ik het helemaal niet bijna af.'

Ze keek hem verbaasd aan en grijnsde toen breed.

'Ben je klaar?'

'Gisteren, na een marathonzitting van een hele nacht. Ik moest ergens mijn frustratie in kwijt dat ik steeds maar niets van je hoorde.'

'Zie je nou?' zei ze met een speelse por tegen zijn borst. 'Ik zou je wat vaker moeten laten bungelen.'

'Grappig, dat je dat zo zegt.'

'Hoe bedoel je?'

'Van dat bungelen. Ik heb het einde veranderd: zo sterft mijn hoofdpersoon nu.'

'Echt? Mag ik het lezen?'

'Dat mag, maar eerst wil ik je wat laten zien. Kom eens mee.'

'Ja, baas. Ik volg je overal.'

Hij nam haar bij de hand en leidde haar naar boven. Ze liepen langs zijn bibliotheek in de richting van de slaapkamer.

'Als je me wilt laten zien wat ik denk dat het is, dan heb ik het al vaker gezien,' grapte ze.

Hij lachte. 'Jij denkt ook maar aan één ding.'

Een paar stappen voor de slaapkamer bleef hij staan en draaide zich om. 'Doe nu je ogen dicht,' fluisterde hij.

Nora gehoorzaamde waarop hij haar naar binnen leidde.

'Oké. Je mag weer kijken,' zei hij.

Dat deed Nora. Ze zei spontaan: 'Grote hemel.'

Ze keek naar Jeffrey en daarna weer naar de schouw. Ze liep er langzaam heen. Een olieverfschilderij. Van haar.

'En?'

'Het is prachtig,' zei ze voor ze besefte hoe dat misschien overkwam, aangezien het een portret van haarzelf was. 'Ik bedoel...'

'Nee, het is inderdaad prachtig.' Hij ging achter haar staan en sloeg zijn armen om haar heen en liet zijn hoofd op haar schouder rusten. 'Hoe kan het ook anders?'

Ze bleef ernaar staren en uiteindelijk welden er tranen op in haar ogen. Hij hield echt van haar. Het schilderij gaf duidelijk weer wat hij voelde, hoe hij haar zag.

Jeffrey gaf haar nog een kneepje. 'Zie je nou? Geen matras, maar canvas.' Hij keek over haar schouder naar het mahonie hemelbed. 'Maar nu we hier toch zijn...'

Nora draaide zich om en keek hem aan. 'Jij weet wel hoe je een vrouw je bed in moet krijgen, hè?'

Hij wierp haar een brede grijns toe. 'Daar doe ik alles voor.'

'Ik vind het geweldig.'

'En ik vind jou geweldig.'

Ze kusten elkaar en kleedden elkaar uit, terwijl ze naar het bed toe wankelden. Voorzichtig tilde hij haar op, een veertje in zijn sterke armen. Hij legde haar boven op het dekbed en bleef even staan voor hij bij haar kwam liggen. En Nora liet hem begaan. Hij verdiende het naar haar naakte lichaam te mogen kijken; hij was zo lief voor haar.

Ze bedreven eerst heel langzaam de liefde. Daarna koortsachtig en zonder zich in te houden. Hun benen en armen raakten in elkaar verstrikt alsof ze met elkaar versmolten waren. Tot ze uiteindelijk explodeerden. Althans, dat gold voor Jeffrey. En Nora speelde haar rol perfect, minstens zo goed als Meg Ryan in *When Harry Met Sally*, maar hier zonder dat het een komisch effect had.

Een minuut lang bleven ze in hun omhelzing liggen, geen van beiden iets zeggend. Met een diepe zucht rolde Jeffrey ten slotte van haar af. 'Ik heb honger,' zei hij. 'En jij?'

Nora ging met haar hoofd op het kussen liggen. Onwillekeurig viel haar oog op het portret aan de muur en heel even staarde ze zichzelf aan. Ze vroeg zich af of er nog een vrouw als zij was op de wereld.

'Ja,' antwoordde Nora uiteindelijk zachtjes. 'Ik heb ook honger.'

90

Nora stond in al haar glorie bij het glanzend gewreven roestvrijstalen Viking fornuis, toen Jeffrey de keuken binnen kwam lopen. 'Je had gelijk,' zei hij. 'Het was heerlijk om even te douchen.'

'Zie je nou wel. Nora weet wel wat goed voor je is.'

Hij gluurde over haar schouder in de pan. 'Weet je zeker dat ik je nergens mee kan helpen?'

'Heel zeker, schat. Het gaat allemaal prima.'

Ze pakte de spatel. Hij kon haar echt nergens mee helpen. Ze had haar beslissing genomen. Terwijl hij ging zitten, draaide ze zijn omelet nog een keer om.

Het is te laat om erop terug te komen. Ik moet dit doen. Vanavond is het zover.

'Ach, dat was ik je nog vergeten te vertellen,' zei hij. 'Die fotograaf van dat blad komt volgend weekend. Hij komt zaterdagmiddag foto's nemen voor bij dat artikel.'

'Ik neem aan dat dat betekent dat je het nog eens goed overdacht hebt en dat je besluit vastligt?'

'Dat ik de wereld wil laten zien wat een bofkont ik ben? Inderdaad. Jeffrey Walker en Nora Sinclair zijn een gelukkig getrouwd paar. Ik sta er alleen nog maar positiever tegenover om in de openbaarheid te treden.'

Ze onderdrukte een lach.

'Wat?'

'Het lijkt wel alsof je het over een beursgang hebt,' zei ze. 'Alsof het een zakendeal is.' Nora keerde zich weer om naar de pit en liet Jeffreys omelet op een bord glijden. Het was ook de hoogste tijd dat hij ging eten.

Een minuut lang zat ze zwijgend toe te kijken hoe hij hap na hap naar binnen slokte. Hij zag er blij en tevreden uit. En waarom ook niet?

'Vertel eens wat meer over je boek,' zei ze ten slotte. 'Het eindigt bij de galg?'

Hij knikte. 'Ik heb al over guillotines geschreven, zwaardduels, vuurpelotons, maar nog nooit over een lekkere ouderwetse gang naar de galg.' Opeens sloeg hij zijn handen om zijn keel en maakte een stikkend geluid voor hij in lachen uitbarstte.

Nora deed haar best om ook te lachen.

'Weet je, Nora, we zouden eens moeten praten over...'

'Wat is er?'

Jeffrey deed zijn ogen langzaam open. 'Niks,' zei hij met een brok in zijn keel. Hij schraapte zijn keel. 'Wat wilde ik ook alweer zeggen? O ja, we zouden eens moeten praten over...'

Weer zweeg hij. Nora keek aandachtig naar zijn gezicht. Het gif had wel enig effect, maar ze was bang dat ze er een tikkeltje te weinig door had gedaan. Hij had al een stuk verder moeten zijn. Er moest iets misgegaan zijn.

'Wat zei ik nou ook alweer?' vroeg hij terwijl hij met moeite zijn stem in bedwang kon houden.

Die vraag was nog maar net over zijn lippen of hij begon heen en weer te zwaaien in zijn stoel. Opeens klonk hij als een plaat die bleef hangen. 'We moeten praten... praten... over onze huwelijksreis.' Hij greep naar zijn buik en zijn adem stokte van de pijn. Hij keek Nora hulpeloos aan.

Ze ging staan en liep naar het aanrecht waar ze een glas met water vulde. Met haar rug naar hem toe schudde ze er snel het poeder in, een stevige overdosis Prostigmin of, zoals haar eerste echtgenoot Tom het altijd noemde: de doodschop. Gecombineerd met de chloroquine die Nora door de omelet had geroerd, zou het het optreden van de ademhalingsstilstand versnellen en het daarop volgende hartfalen. En dat alles terwijl het volledig door het lichaam zou worden opgenomen.

'Hier, drink dit maar,' zei ze tegen Jeffrey terwijl ze hem het glas overhandigde.

Hij hoestte en proestte. 'Wa... Wat is dat?' vroeg hij, nauwelijks nog in staat zijn ogen scherp te stellen op het bruisende drankje.

'Drink het maar gewoon op,' zei Nora. 'Dan komt alles goed. Bubbel, bubbel. Bruis, bruis.'

91

Hij wilde meer weten; hij moest de juiste verbinding zien te leggen. Hij moest het patroon vinden in de puzzelstukjes.

Opeens lag het allemaal heel persoonlijk voor O'Hara, de toerist.

Het mysterieuze bestand dat hij gered had bij het Centraal Station.

De lijst van namen, adressen, bankrekeningen en bedragen.

Een pizzabezorger die hem had willen vermoorden.

Maar wie zat daar achter? De oorspronkelijke verkoper, de afperser?

Zijn eigen mensen?

Wat wilden ze? Wisten ze dat hij het bestand gekopieerd had? Vermoedden ze het alleen? Of deden ze het alleen maar voor de zekerheid voor het geval hij het gedaan mocht hebben?

Ze vertrouwen me niet. Ik vertrouw hen niet.

Is dat niet knus en gezellig?

Zo zit de wereld tegenwoordig in elkaar.

Maar goed, hij was dus elk vrij moment dat hij had, zoals na zijn geweldige dag met de jongens in het Yankeestadion, aan het worstelen met de namen in het bestand in een poging erachter te komen wat ze betekenden. Maar om de waarheid te zeggen was hij niet bepaald een genie in dat soort zaken.

Maar hij was wel al een eind gekomen.

Alle personen in het bestand hadden illegale bankrekeningen in het buitenland.

Ter waarde van meer dan een miljard dollar.

Hij had een paar van de banken op de lijst gebeld, maar dat was waarschijnlijk toch niet de beste manier om dit aan te pakken.

Hij had een paar van de besmette personen op de lijst thuis gebeld, maar ook dat was geen goede manier. Wat verwachtte hij dat ze toe zouden geven?

Toen, op een late zondagavond, zat hij de *New York Times* te lezen, het lifestylekatern. Eigenlijk om andere redenen. Redenen die met Nora Sinclair te maken hadden. Dingen waarover hij met haar zou kunnen praten.

En daar stond het!

Pats boem!

Bingo!

Drie, vier, vijf, negen, elf namen van 'de lijst', allemaal samen op hetzelfde feest van een stel bobo's in het Waldorf Astoria.

En uiteindelijk viel alles op zijn plaats: de afpersing, de zwendel, de paniek erover, zelfs waarom hij erbij geroepen was om zeker te zijn dat alles goed zou verlopen. En vervolgens ook waarom iemand hem zou willen vermoorden, alleen maar omdat hij heel misschien iets wist.

Wat, naar nu bleek, ook zeker het geval was.

O'Hara wist veel meer dan hij wilde weten.

Over allebei zijn undercoverzaken.

92

Gauw, gauw, O'Hara. Schiet een beetje op. Susan wilde een arrestatie en dat betekende dat ik in de haaststand stond en waarschijnlijk zou het me niet kwalijk genomen worden als ik me niet al te strak aan de regels hield. Dat was in elk geval mijn interpretatie. Natuurlijk hoor ik wel eens wat ik wíl horen.

In een stoel tegenover Steven Keppler gezeten vielen me onwillekeurig al een aantal zaken op. Op de eerste plaats had de man zijn haar overdwars over zijn schedel gekamd. Er was veel te veél oppervlak voor veel te weinig haar. Op de tweede plaats was Nora's belastingadviseur zenuwachtig. Natuurlijk gebeurt het vaker dat mensen zenuwachtig worden van een FBI-agent, de meesten van hen zonder enige reden.

Ik sloeg de beleefdheidspraatjes over en trok een foto uit de zak van mijn jasje. Het was een afdruk van een van de digitale foto's die ik die eerste dag in Westchester gemaakt had.

'Herkent u deze vrouw?' vroeg ik, terwijl ik de foto in de lucht hield.

Hij boog zich voorover over zijn bureau en antwoordde gehaast. 'Nee, ik geloof het niet.'

Ik strekte mijn arm uit zodat hij hem beter kon zien. 'Kijkt u maar even beter. Alstublieft.'

Hij nam de foto aan en bestudeerde hem als een acteur in een B-film dat zou doen: gefronste wenkbrauwen, lang staren met toegeknepen ogen en ten slotte een overdreven schouderophalen en hoofdschudden. 'Nee, ze komt me niet bekend voor,' zei hij. 'Knappe vrouw wel.'

Steven Keppler gaf de foto terug en ik krabde aan mijn kin. 'Dat is wel vreemd,' zei ik.

'Wat?'

'Dat deze knappe vrouw aan uw visitekaartje gekomen is zonder dat u haar kent.'

Hij schoof ongemakkelijk heen en weer in zijn stoel. 'Misschien heeft ze het van iemand gekregen,' zei hij.

'Dat zou natuurlijk kunnen. Maar dat zou nog niet verklaren waarom ze me dan verteld heeft dat ze u kent.'

Keppler bewoog zijn ene hand naar zijn das, terwijl hij met zijn andere tegelijkertijd door zijn haar streek. Zijn onrustfactor had nu officieel alle records gebroken.

'Mag ik die foto misschien nog eens zien?'

Ik gaf hem de foto en keek, ervan overtuigd dat ik nog meer slecht acteerwerk te zien zou krijgen. Dat bleek correct.

'O, wacht even! Ik geloof dat ik al weet wie dit is.' Hij tikte een paar keer met zijn wijsvinger op de foto. 'Simpson... Singleton?'

'Sinclair,' zei ik.

'Natuurlijk, Olivia Sinclair.'

'Om precies te zijn: Nora.'

Hij schudde zijn hoofd. 'Nee, ik weet bijna wel zeker dat haar naam Olivia is.'

En dat kwam van een man die een minuut geleden nog beweerde dat hij niet wist wie ze was.

'Ik neem aan dat ze een cliënt van u is,' zei ik. 'Knappe vrouw, zoals u al zei. Het verbaasde me dan ook dat u zich haar niet herinnerde.'

'Ik heb wel eens wat voor haar gedaan, ja.'

'Wat voor iets?'

'U weet dat ik daar niets over kan zeggen, agent O'Hara.'

'Natuurlijk wel.'

'U weet wat ik bedoel.'

'O, ja? Het enige wat ik weet is dat u beweerde een van uw klanten, die toevallig het onderwerp is van een onderzoek dat ik uitvoer, niet te kennen. In andere woorden: u hebt gelogen tegen een federaal agent.'

'Moet ik u eraan herinneren dat u het tegen een jurist hebt?'

'Moet ik u eraan herinneren dat ik over een uur terug kan zijn met een huiszoekingsbevel om uw kantoor ondersteboven te halen?'

Ik staarde Keppler aan in de verwachting dat hij eieren voor zijn geld zou kiezen en zou bezwijken. Maar nee, de man bleek heel wat meer lef te hebben. Hij ging zelfs in de aanval.

'Uw absurde dreigementen zullen bij sommigen misschien effect sorteren,' zei hij met opgeheven kin, 'maar de privacy van mijn cliënten is heilig voor mij. U kunt nu vertrekken.'

Ik stond op van mijn stoel.

'U hebt gelijk,' zei ik met een diepe zucht. 'U moet u aan uw beroepsgeheim houden en ik ga veel te ver. Mijn verontschuldigingen.' Ik grabbelde in mijn jasje. 'Luister, hier is mijn kaartje. Als u van gedachten verandert of als u in aanmerking wenst te komen voor politiebescherming, kunt u altijd bellen.'

Zijn gezicht betrok. 'Politiebescherming? Wilt u zeggen dat die vrouw gevaarlijk is? Olivia Sinclair? Wat is dat eigenlijk voor onderzoek?'

'Dat kan ik u helaas niet vertellen, meneer Keppler. Maar ik weet zeker dat als ze u haar vertrouwen heeft geschonken, ze ervan overtuigd moet zijn geweest dat u nooit iets over uw cliënten zou onthullen.'

Zijn stem klonk opeens een octaaf hoger. 'Ho even, waar is Olivia Sinclair nu? Ik bedoel: u volgt haar toch?'

'Dat is het hem nou net,' zei ik. 'Dat deden we, maar we weten niet waar ze is. Ik kan u niet alles over deze zaak vertellen, meneer Keppler, maar wel het volgende. Het draait om moord. En mogelijk zelfs meer dan één.'

Nu was het gedaan met het lef van de man en de bescherming van de privacy van zijn cliënt. Toen hij eindelijk weer in staat was iets begrijpelijks uit te brengen, vroeg hij of ik weer wilde gaan zitten.

'Met alle plezier,' zei ik.

93

Het hoofdstuk Jeffrey was afgesloten. Zijn bankrekening was zo goed als leeggehaald en er was geen enkele instantie die achterdocht had getoond. De fotograaf van *New York Magazine* had zijn foto's niet kunnen maken en het interview zelf was geschrapt. Nora wist dat ze al met al heel tevreden kon zijn met de manier waarop alles in Boston was verlopen. Maar eenmaal terug in Manhattan en in haar appartement in Soho wist ze dat het goed fout zat.

Ze dacht aan O'Hara.

Ze bleef even staan voor ze haar mobiel pakte. Ze prentte zichzelf in voorzichtig te zijn; ze mocht niet laten merken wat ze wist.

Ten slotte toetste ze zijn nummer in en drukte op SEND.

'Hallo?' Nou, nou, de stoute jongen zelf.

'Is dat mijn telefoonsekspartner?' vroeg Nora.

Gniffelend ontspande hij zich. 'Hé mam, leuk dat je belt.'

Ondanks alles schoot ze in de lach.

'Getver, viezerik.'

'Ik vond het eigenlijk wel grappig.'

'Zo, meneer Craig Reynolds, waarom heb je me niet vanuit Chicago gebeld? Had je het te druk?'

'Erg, hè? Het spijt me,' zei hij. 'Ik heb me laten meeslepen door dat seminar.'

'Dat moet dan wel wat geweest zijn. Je hebt het zeker goed gedaan? Je hebt ze eens wat laten zien?'

'Je hebt geen idee.'

Nora onderdrukte een gniffel. Meer dan je denkt, John O'Hara.

'Luister,' vervolgde hij. 'Ik zal het goedmaken.'

'Daar ga ik van uit. Wat zijn je plannen voor vanavond?'

'Hetzelfde wat ik al de hele middag doe. Werken.'

'Ik dacht dat je dat in Chicago al gedaan had.'

'Geloof het of niet, maar ik moet een verslag schrijven over dat seminar. Ik zit tot over mijn oren in het werk...'

'Gelul!' onderbrak Nora hem. 'Ik zie je zitten. Je zit tv te kijken. Volgens mij is het een honkbalwedstrijd.'

Hij kon alleen nog maar stamelen. 'Wat... hoezo... ?'

'Kijk eens naar buiten, Craig. Zie je die rode Benz? Zie je die knappe meid achter het stuur? Ze zwaait naar je. Hallo, Craig.'

Nora zag O'Hara voor het raam verschijnen. Hij zag er al even verdwaasd uit als hij klonk. 'Hoelang sta je daar al?' vroeg hij.

'Lang genoeg om je op een leugen te betrappen. Honkbal? Vind je honkbal interessanter dan mij?'

'Ik had even een kleine pauze tussen de verslagen door. Dat is alles.'

'Ja, ja. En? Kan Craig buiten komen spelen of niet?'

'Waarom kom jij niet binnen?'

'Ik ga liever een eindje rijden,' zei ze.

'Waarheen?'

'Dat is een verrassing. Zet nu je "werk" maar uit.'

'Over werk gesproken...' Hij viel stil.

'Wat is er?'

'De omstandigheden waaronder onze relatie zich heeft ontwikkeld, gaan me een beetje benauwen,' zei hij. 'Technisch gesproken ben je een klant van me, Nora.'

'Is het niet een beetje te laat voor dat soort technische details?'

Hij zei niets, dus Nora drong nog wat verder aan. 'Kom op, Craig, je weet best dat je bij mij wilt zijn. En ik wil bij jou zijn. Zo simpel ligt het.'

'Dat stond ik net te bedenken.'

'En ik heb over jou zitten denken. Ik weet niet wat het is, maar jij bent anders dan alle anderen die ik ooit ontmoet heb,' zei ze. 'Ik heb het gevoel dat ik jou alles kan vertellen.'

Het was even stil aan de andere kant van de lijn.

Hij zuchtte. 'Een eindje rijden, hè?'

94

Ik was niet echt in de stemming voor een ritje bij maanlicht, maar toch was ik hier beland. Alleen met Nora Sinclair.

Het dak van de cabrio was neergeslagen en de avondlucht was koel en fris. De weg, de borden, alles schoot voorbij. Nora veranderde de landweggetjes rond Westchester in haar eigen *Autobahn* en ik zat er alleen maar bij als passagier.

Wat doe ik hier?

Dat was de meest voor de hand liggende vraag. Helaas had ik daar geen antwoord op.

De informatie waarvan Steven Keppler met zijn overdwars gekamde haar me zo ruimhartig had voorzien, was doorgespeeld aan Susan. Zij had die weer doorgegeven aan de computerjongens van de FBI die zich een weg zouden banen naar Nora's buitenlandse bankrekening en haar stortingen en overboekingen zouden traceren. Allemaal. Wie weet hoeveel het er zouden blijken te zijn. Ze zouden vooral uitkijken naar boekingen waar ene Connor Brown mee gemoeid was. Zowel voor als na zijn dood. Geef ze 24 uur, had Susan gezegd: 36, hooguit.

Intussen hoefde ik maar één ding te doen: uit de buurt van Nora blijven. En toch zat ze hier naast me; mooier, betoverender en verleidelijker dan ooit. Was dit een laatste uitspatting?

Was het ontkenning?

Of tijdelijke ontoerekeningsvatbaarheid?

Hoopte ik ergens dat de computerjongens geen verband zouden vinden, helemaal niets zouden vinden? Dat ze misschien onschuldig was? Of wilde ik dat ze wegkwam met moord?

Ik draaide me naar haar toe. 'Sorry... wat zei je?'

Ze had iets gezegd, maar ik had het door het brullen van de motor van de Benz en het nog hardere lawaai in mijn hoofd niet verstaan.

Ze probeerde het nog eens. 'Ik zei, ben je blij dat je meegekomen bent?'
'Dat weet ik nog niet,' antwoordde ik bijna schreeuwend. 'Ik weet nog steeds niet waar we heen gaan.'
'Dat zei ik toch: dat is een verrassing.'
'Ik hou niet van verrassingen.'
'Nee,' zei ze. 'Je vindt het niet prettig om de situatie niet in de hand te hebben. Dat is goed om te weten.'
Voor ik iets terug kon zeggen, scheurde ze scherp de bocht om, haar voet niet eens in de buurt van de rem. Met gillende banden maakte de cabrio een slingerbeweging en leek op het punt te staan om over de kop te slaan. Nora gooide haar hoofd in haar nek en lachte in de wind. 'Dit is pas leven!' schreeuwde ze.

95

Er was een rood licht voor nodig om haar uiteindelijk te kalmeren.

Nadat we ruim een halfuur hadden gereden, kwamen we bij het stadje Putnam Lake. Er was maar één kruising en onze auto was de enige die er stopte. Het was even voor negenen. Ik herinner me nog elk detail.

'Zijn we er bijna?' vroeg ik.

'Bijna,' zei ze. 'Dit wordt echt iets voor jou, Craig. Ontspan je nou maar.'

Ik keek naar rechts terwijl zij aan de knop van de radio morrelde. Er stond een oude man met een petje van de universiteit van Connecticut bij een Mobil tankstation zijn Jeep Cherokee vol te gooien. Heel even keken we elkaar aan. Hij leek een beetje op mijn vader. De dingen zijn niet altijd wat ze lijken.

Het licht sprong op groen en Nora gaf weer gas.

'Heb je haast?'

'Ja. Ik ben een beetje opgewonden om heel eerlijk te zijn. Ik heb je gemist. Jij mij ook?'

We reden een paar kilometer zonder iets te zeggen, terwijl de schallende radio concurreerde met alle acht de cilinders. Ik kon bijna niet horen welk nummer het was, tot het me opeens daagde, *Hotel California*. Zoals Nora momenteel scheurde, had het beter *Life in the Fast Lane* kunnen zijn.

We sloegen weer een bocht om.

Ik zag nergens borden en de weg was smal en donker. Ik keek naar de lucht. Als er maanlicht was van het sikkeltje aan de hemel werd dat nu tegengehouden door de enorme bomen. We waren letterlijk het bos ingestuurd.

'Disneyland valt nu definitief af,' zei ik.

Ze lachte. 'Dat wordt ons volgende tripje.'

'Maar je weet wel waar je heen gaat?'

'Hoor ik daar wantrouwende geluiden?'

'Het was maar een vraag.'

'Natuurlijk.' Ze wachtte even. 'Ik had trouwens wel gelijk.'

'Waarover?'

'Je kunt er echt niet tegen als je de situatie niet in de hand hebt.'

Een minuut later hield de verharde weg op, maar wij reden gewoon door. De wielen reden alleen nog maar over zand en losse steentjes en de weg was nog smaller geworden. De cabrio was maar matig als terreinwagen en terwijl hij rammelend voortbonkte keek ik Nora zwijgend van opzij aan.

'Nog maar een klein stukje,' zei ze, nog steeds met diezelfde lach op haar gezicht.

En inderdaad kwamen we na een meter of honderd bij een open plek. Ik probeerde het silhouet voor ons wat beter te zien. Een of ander klein huisje. En erachter een meer of een vijver.

Nora reed tot vlak bij het trapje naar de voordeur en zette de auto in zijn vrij. 'Is dit niet ongelooflijk romantisch?'

'Van wie is het?'

'Van mij.'

Ik keek naar het huisje. Mijn ogen begonnen te wennen aan het donker en met behulp van de koplampen van de Benz kon ik nu de lange, dikke stammen zien waaruit het was opgetrokken. Het was eenvoudig, maar goed onderhouden, maar niet het soort huis dat ik bij Nora vond passen.

'Verrassing!' zei ze. 'Wat zeg je daarvan? Hoe vind je mijn huisje aan het water?'

'Mooi, wat zou ik er anders van moeten vinden?'

Ze zette de motor af en we stapten uit. Het was inderdaad een fraai plekje, om niet te zeggen perfect. Maar waarvoor?

'Ik had eigenlijk geen tandenborstel bij me,' zei ik.

'Rustig maar, voor alles is gezorgd. Ook voor jou, Craig.'

Ze drukte de afstandsbediening in en meteen sprong de kofferbak open. Het kleine beetje laadruimte dat de cabrio te bieden had, zat tot op de laatste centimeter volgepropt.

'Je komt niet onvoorbereid,' zei ik starend naar een weekendtas en een kleine koelbox. Voorbereid waarop?

'Ik heb alles bij me voor een fantastisch soupeetje. Plus nog wat meer, waaronder inderdaad een tandenborstel voor jou. Waar sta je dus nog op te wachten?'

Versterking, wilde ik zeggen.

Ik pakte de tas en de koelbox en we beklommen het oude houten trapje. Eenmaal binnen schudde ik lachend het hoofd. Van buitenaf gezien leek het huisje op iets waar Abe Lincoln zijn jeugd had doorgebracht. Vanbinnen was het een pagina uit een designtijdschrift. Dat had ik kunnen weten.

'Dit huisje is van een klant van me geweest,' zei Nora, terwijl we het eten uitpakten. 'Ik wist dat hij tevreden was met mijn inrichting, maar ik was compleet overdonderd toen hij het me naliet.'

Ze liep naar me toe en sloeg haar armen om me heen. Zoals altijd rook ze heerlijk en voelde ze nog beter aan. 'Genoeg over het verleden. Laten we het liever over de toekomst hebben, zoals wat we eerst zullen doen. Vrijen of koken?'

'Mmmm, dat is geen eenvoudige beslissing,' zei ik met een uitgestreken gezicht.

Dat zou het natuurlijk niet moeten zijn. Dat wist zij en dat wist ik. Wat ze niet wist, was dat het voor mij eigenlijk wel gold. Vroeg of laat zou er aan de seks een einde moeten komen.

Je kunt hier niet mee door blijven gaan, O'Hara. Stop!

Dat was gemakkelijker gezegd dan gedaan. Ze drukte zich tegen me aan. De gedachten schoten door mijn hoofd, de verleiding was te groot om te kunnen weerstaan.

'Zeg maar dat ik gek ben, maar ik heb sinds vanochtend niks meer gegeten,' zei ik.

'Oké, je bent gek, maar laten we dan eerst maar eten. Er is alleen één heel klein probleempje.'

'Wat dan?'

Ze draaide zich om naar het fornuis. Het was houtgestookt en er was geen hout. 'Aan de achterkant buiten, zo'n vijftig meter verderop, is een schuurtje. Zou jij de honneurs willen waarnemen?'

Ik graaide een zaklamp van een tafeltje bij de voordeur en liep naar het schuurtje. Zelfs met de zaklamp was het er erg donker. Ik ben niet gauw bang, maar ik hoorde een hard geritsel in de struiken langs het pad en dat leek me niet van Bambi afkomstig.

Waar is dat schuurtje, verdomme?

Moet ik dit eigenlijk wel doen?

Uiteindelijk vond ik het en ik stapelde genoeg hout voor de hele avond in mijn armen. Vervolgens aanvaardde ik de terugweg. Het was echt huiveringwekkend. Misschien was het wel de oude man die ik bij het benzinestation gezien had. Wat het ook mocht zijn, ik moest meteen weer denken aan mijn vader. De dingen zijn niet altijd wat ze lijken.

96

Ik keerde met mijn armen vol hout terug en slaagde erin het fornuis aan te krijgen. Vervolgens vroeg ik Nora wat ik nog meer kon doen om haar te helpen.

'Helemaal niets,' zei ze en ze kuste me op mijn wang. 'Vanaf nu regel ik alles.'

Ik liet Nora alleen in het keukentje en ging op de bank in de woonkamer liggen met het enige leesvoer dat ik kon vinden, een vier jaar oud nummer van *Field and Stream*. Midden in een dodelijk saai artikel over vissen op zalm in Sheen Falls Lodge in Ierland riep Nora: 'Het eten is klaar.'

Ik liep naar de keuken en ging zitten voor een maaltijd van gebakken sint-jakobsschelpen, wilde rijst en een salade van Romaanse sla en radicchio. Er stond een fles Pinot Grigio op tafel. Het leek regelrecht uit een trendy magazine te komen.

Nora hief het glas en toastte. 'Op een gedenkwaardige avond.'

'Op een gedenkwaardige avond,' herhaalde ik.

We klonken en gingen eten. Ze vroeg me wat ik daarnet had zitten lezen en ik vertelde haar over het artikel over de zalm.

'Vis je?' vroeg ze.

'Heel vaak,' loog ik en daar ging ik vrolijk op door. Geheel in lijn met het karakter van mijn relatie met Nora. 'En weet je, als je dan eindelijk die kanjer binnenhaalt waar je al zo lang van droomde, weet je dat alles niet voor niets is geweest.'

'Waar vis je?'

'Hmmmm. Er zijn best aardige meren en stroompjes in de buurt te vinden. Je kunt hier echt wel iets groots aan de haak slaan. Maar het is natuurlijk niets vergeleken bij de eilanden. Jamaica, St. Thomas, de Caymaneilanden. Daar ben je vast wel eens geweest.'

'Klopt. Nog niet zo lang geleden zelfs.'

'Op vakantie?'

'Voor zaken.'

'O?'

'Ik heb er een strandhuis ingericht voor een bankier. Prachtig plekje aan het water.'

'Interessant,' zei ik knikkend. Ik nam nog een hap van de sint-jakobsschelpen. 'Dit is trouwens heerlijk.'

'Gelukkig.' Ze legde haar hand op de mijne. 'Ben je dus wel een beetje blij dat je hier bent?'

'Zeker.'

'Gelukkig, want het zat me niet zo lekker, dat je vanmiddag zei dat ik een klant van je ben.'

'Het gaat eigenlijk meer om de omstandigheden,' zei ik. 'Geef toe, als Connor niet was overleden, hadden we hier niet gezeten.'

'Dat is waar. Dat valt niet te ontkennen. Maar...' Ze viel stil.

'Wat wilde je zeggen?'

'Iets wat misschien niet zo verstandig is.'

'Dat geeft niet,' zei ik. Ik keek om me heen en lachte. 'We zijn hier alleen.'

Ik kreeg een halfslachtig lachje terug. 'Ik wil niet ongevoelig overkomen, maar als er één ding is dat ik tijdens mijn werk wel geleerd heb, is dat je op meer dan één huis verliefd kan worden. Is het niet naïef om dan te denken dat dat niet ook voor mensen zou gelden?'

Ik keek haar diep in de ogen. Waar wilde ze heen? Wat probeerde ze me te vertellen?

'Is dat wat dit is, Nora? Zijn we verliefd?'

Ze hield mijn blik vast. 'Volgens mij wel,' zei ze. 'Ik geloof dat ik verliefd aan het worden ben op jou. Is dat zo erg?'

Ik luisterde naar haar woorden en moest even stevig slikken. En toen was het alsof alles aan deze vreemde avond tot ontploffing kwam in mijn buik. Ik voelde me opeens doodziek. Was dat mijn reactie op wat ze gezegd had?

Hou je hoofd koel, O'Hara.

Ik dacht aan wat er de vorige keer gebeurd was toen ze voor me gekookt had. Hoe kon ik dit nog aan een bedorven schelp wijten?

Ik zei dus niets. Ik hoopte dat het voorbij zou gaan. Dat moest gebeuren. Maar het gebeurde niet.

En voor ik het wist, kon ik helemaal niet meer spreken. Ik kon niet meer ademen.

97

Nora zat toe te kijken hoe O'Hara hulpeloos van zijn stoel tuimelde en een gat in zijn hoofd viel op de hardhouten vloer. Het bloed spoot uit een snee boven zijn rechteroog. Het was een gemene snee, maar hij leek er niets van te merken. Hij had het duidelijk te druk met wat er zich binnen in hem afspeelde.

Zo ging het altijd.

Toch was hij van alle mannen, inclusief Jeffrey, Connor en haar eerste echtgenoot Tom Hollis, wel de moeilijkste. De vonk die er tussen haar en de man die ze kende als Craig Reynolds was overgesprongen, was echt geweest en zijn aantrekkingskracht op haar was nog niets verminderd. Ze viel op zijn humor, zijn charme, zijn uiterlijk. En op de slimheid, die ze gemeen hadden. Hij stak op alle punten met kop en schouders boven de anderen uit en ze miste hem nu al, betreurde het dat het zo moest eindigen.

Maar het moest echt.

Hij lag te kronkelen en te stikken in zijn eigen kots. Vervolgens wilde hij opstaan, wat niet lukte. Het eerste medicijn zou hem nog niet doden, het diende alleen ter voorbereiding, maar nu vroeg ze zich bezorgd af of ze misschien te veel gebruikt had.

Ze dwong zichzelf iets te zeggen, te doen alsof ze zich zorgen maakte. Ze werd verondersteld een onschuldige omstander te zijn die niet wist wat er aan de hand was. 'Ik zal wat voor je halen. Wacht even.'

Ze rende naar het aanrecht en vulde een glas met water. Uit een buisje in haar zak schudde ze het poeder erbij. Er schoten kleine belletjes naar het oppervlak, alsof het champagne was. Nora draaide zich om... en weg was hij.

Waar was hij heen?

Hij kon niet ver zijn. Ze deed twee stappen en hoorde toen een deur in de gang dichtslaan en een slot omdraaien. Hij had de badkamer weten te vinden.

Nora rende de gang op met het glas in haar hand. 'Gaat het, lieverd?' riep ze. 'Craig?'

Ze hoorde hem kokhalzen, de arme kerel. Hoe gruwelijk het ook klonk, het was een goed teken. Hij was nu klaar voor de bubbels. Als ze hem nou eerst maar zover kreeg dat hij de deur opendeed.

Ze klopte zachtjes. 'Lieverd, ik heb iets voor je. Dan zul je je meteen beter voelen. Ik weet wel dat je dat niet gelooft, maar het is echt zo.'

Toen hij geen antwoord gaf, riep ze nog eens. Toen dat niet werkte, begon ze op de deur te bonzen.

'Toe, je moet me geloven.'

Eindelijk riep hij tussen twee aanvallen van kokhalzen door: 'Dat zal wel!'

'Echt, Craig, je moet me je laten helpen,' zei ze. 'Je hoeft alleen dit maar op te drinken. Dan verdwijnt de pijn vanzelf.'

'Je kunt de pot op!'

Nora kookte van woede. Dus zo wil je het spelen, hè? Dan krijg je je zin. 'Weet je het zeker?' vroeg ze. 'Weet je zeker dat je de deur niet even open wilt doen, O'Hara?'

Ze luisterde naar de stilte die volgde en stelde zich zijn totale verbluffing voor. O, wat had ze de blik in zijn ogen nu graag willen zien.

Ze tergde hem nog even verder vanaf haar kant van de deur. 'Zo heet je toch eigenlijk? John O'Hara?'

Nu verbrak hij zijn zwijgen. 'Ja,' brulde hij woedend terug. 'Zoals in agent John O'Hara van de FBI.'

Nora's ogen werden groot toen haar angstigste vermoedens juist bleken. Maar de reactie die kwam, was uitgerekend lachen. 'Echt? Ik ben diep onder de indruk. Zie je wel, ik zei toch dat je voor iets beters in de wieg gelegd was dan verzekeringen! Ik denk...'

Hij onderbrak haar en zijn stem klonk krachtiger. 'Het spel is uit, Nora. Ik weet te veel en ik zal blijven leven om het door te kunnen vertellen. Je hebt Connor voor zijn geld vermoord, net als je eerste echtgenoot.'

'LEUGENAAR!' schreeuwde ze.

'Jij bent de leugenaar, Nora. Of is het Olivia? Hoe dan ook, zeg maar dag met je handje tegen je geld op de Caymaneilanden. Maar maak je maar geen zorgen: waar je heen gaat zijn logies en maaltijden gratis.'

'IK GA NERGENS HEEN, KLOOTZAK! MAAR JIJ WEL!'

'Dat zullen we nog wel zien. Als je me nu wilt excuseren. Ik moet even een belletje plegen.'

Nora luisterde naar de drie piepjes die uit de badkamer kwamen. Hij belde het alarmnummer.

En weer begon ze te lachen. 'Idioot. We zitten midden in de rimboe. Hier heb je echt geen bereik.'

Nu was het zijn beurt om te lachen. 'Dat had je gedacht, schat.'

98

Ik lag languit op de badkamervloer en zat onder het bloed en de kots en andere lichaamssappen die duidelijk niet bedoeld waren om het daglicht te zien.

Maar opeens was ik zo blij als een varkentje dat door de modder rolt.

Het maakte niet uit dat alles overal pijn deed, vanbinnen en vanbuiten. Ik lééfde.

En ik had een telefoon.

'Met de alarmcentrale, zegt u het maar...'

De satellieten hadden me verbonden. Over een paar minuten zouden er hulptroepen arriveren. Het enige wat ik moest doen, was zeggen waar ik was.

Ik begon te praten tegen de telefoniste. 'Ik ben agent John O'Hara van de FBI en ik...'

Word beschoten!

Ik hoorde het schot en zag het hout van de badkamerdeur versplinteren. Een kogel floot langs mijn oog en verbrijzelde de tegel aan de muur achter me. Het was in één tel gebeurd, maar het leek een eeuwigheid te duren.

Tot het tweede schot volgde. Het enige gevoel dat ik daarbij had was gruwelijke pijn. Bij het eerste schot had ik nog geluk gehad. Bij het tweede niet meer. Het schot raakte me in mijn schouder en scheurde er dwars doorheen. Mijn ogen vlogen naar het gat in mijn shirt waar het bloed doorheen begon te sijpelen.

Jezus, ik ben getroffen.

De telefoon viel uit mijn hand en heel even verstijfde ik. Als het langer dan heel even was geweest, was ik dood geweest.

In plaats daarvan rolde ik automatisch naar links, weg van de deur, uit de vuurlinie.

Nora's derde schot kwam met veel geweld door de deur geknald en ver-brijzelde de tegel aan de muur waartegen ik zonet nog had gelegen. Hij zou regelrecht mijn borst ingedrongen zijn.

'Hoe vond je dat, O'Hara?' gilde ze. 'Dat is míjn verzekeringspolis!'

Ik zei niets. Praten was om nog een kogel vragen. Ik wachtte of Nora nog meer zou zeggen, maar dat deed ze niet.

Het enige geluid was de gedempte, ingeblikte stem van de telefoniste die uit de telefoon aan mijn voeten kwam.

'Meneer? Bent u er nog? Wat gebeurt er?'

Of zoiets. Dat kon ik niet goed verstaan. Het kon me ook niet schelen. Het enige wat er op dit moment toe deed, was niet de telefoon.

Traag trok ik mijn been naar me toe en strooptte mijn broek een eindje op. Ik had geen tandenborstel voor de nacht meegenomen, maar wel iets anders.

Ik maakte de holster los en haalde de Beretta 9 mm tevoorschijn. Als Nora nog van plan was binnen te komen stormen, was ik daar klaar voor.

Ik pakte het pistool in beide handen en wachtte.

Waar ben je Nora, mijn grote liefde?

99

Overal in het huisje heerste stilte, ook in mijn telefoon. De telefoniste had mijn naam en ook al had ik de locatie niet door kunnen geven, dat zouden de satellieten wel doen. Maar dan moest de telefoniste wel actie ondernemen: zij moest haar chef waarschuwen, de chef moest de FBI waarschuwen, de FBI moest de coördinaten natrekken die uit mijn telefoon met GPS afleesbaar zijn en het dichtstbijzijnde politiebureau inseinen. Het leek zo simpel.

Ik hoefde er alleen maar voor te zorgen dat ik nog ademde als ze arriveerden.

Dat verklaarde nog niet waarom ik niet teruggeschoten had op Nora.

Ik wist wel waarom. Ik wist alleen niet wat ik met het antwoord aan moest.

Ik probeerde zonder geluid te maken overeind te komen van de badkamervloer. Door de helse pijn in mijn schouder viel dat niet mee. Ik sloop naar de deur en zakte tegen de muur aan. Met mijn ene hand hield ik het wapen vast, de andere strekte ik uit naar het slot op de knop. Ik draaide het langzaam om.

Ik haalde diep adem en knipperde een paar keer met mijn ogen. Ik wist niet of Nora nog aan de andere kant van de deur stond, maar daar moest ik wel achter zien te komen. Mijn enige voorsprong was dat de deur van me af openging, de gang in.

Drie.

Twee.

Een.

Met alles wat ik nog in me had, trapte ik tegen de deur. Die vloog open. Ik stormde gebukt en zo laag mogelijk bij de grond naar buiten. Met getrokken pistool. Ik zwaaide met mijn armen naar links en naar rechts om te zien of er ergens iets bewoog. Ik hield een lamp onder schot. En ik schoot bijna mijn eigen spiegelbeeld in een spiegel aan het eind van de gang neer.

Geen Nora.

Ik deed een paar stappen opzij in de richting van de keuken. 'Je bent niet de enige die gewapend is,' riep ik. 'Ik schiet je liever niet dood.'

Geen reactie.

Ik kwam aan bij de deur naar de woonkamer. Keek snel naar binnen.

Geen beweging. Geen Nora.

De keuken was een paar passen verder. Ik hoorde iets. Gekraak. Voetstappen. Ze wachtte me daar op.

Ik deed mijn mond open om iets te zeggen. Maar ik kon geen woord uitbrengen. De duizeligheid verraste me volkomen. Ik strekte mijn arm uit naar de muur om mijn evenwicht te bewaren. Mijn knieën waren van rubber.

Ik hoorde nog steeds gekraak. Kwam ze eraan? Ik tilde mijn arm op en richtte het pistool. De loop schudde. Meer gekraak. Het klonk harder en harder.

Jezus, O'Hara!

Opeens snapte ik het. Het gekraak was eigenlijk geknetter. Het verraadde zichzelf door een doordringende lucht. Er brandde iets aan.

Ik schoof voorzichtig naar de deuropening van de keuken. Waagde een blik naar binnen. Ik zag de pan op het vuur en rook. De overgebleven rijst stond nog op het vuur en was intussen aan het aanbranden.

Ik liet een zucht ontsnappen. Vervolgens schrok ik me rot!

Ik hoorde een deur dichtslaan. Buiten. Probeerde Nora te ontsnappen?

Ik strompelde het huisje uit en hoorde de motor van de Benz brullen. Ik miste de eerste tree van het oude houten trapje en gleed onderuit. Landde op mijn zij. Ik hapte naar adem; de pijn was gruwelijk.

Nora zette hem in zijn één terwijl ik overeind krabbelde. Heel even wierp ze een blik achterom. Onze blikken kruisten elkaar.

'Nora. Stop!'

'Dat had je gedroomd, O'Hara. In de naam van de liefde, zeker?'

Ik stak mijn arm uit, maar hij trilde. Ik mikte op de achterkant van de cabrio, voorzover ik die zien kon in het maanlicht.

'Nora!' schreeuwde ik nog eens.

Ze reed naar de rand van de open plek en was al bijna op het zandpad. Eindelijk haalde ik de trekker over, en daarna nog eens, op goed geluk. Toen werd alles zwart.

100

Die aangebrande wilde rijst op het fornuis was nog potpourri vergeleken bij de lucht van het vlugzout.

Toen ik mijn hoofd wild wegtrok en mijn ogen opendeed, keek ik vanaf de grond omhoog naar twee vertegenwoordigers van de plaatselijke politie. De oudste zat een geïmproviseerd drukverband om mijn schouder aan te leggen, terwijl de jongste, hooguit 22, ongelovig op me neerkeek. Ik hoefde geen gedachten te kunnen lezen om te weten wat hij dacht.

Wat is er in vredesnaam met jou gebeurd, kerel?

Maar ik had eerst nog een vraag. 'Hebben jullie haar?' vroeg ik met een dikke tong.

'Nee,' zei de oudste. 'Maar we weten ook niet precies waar we naar uit moeten kijken. Het enige wat we hebben is een naam. We hebben verder geen idee hoe ze eruitziet of in wat voor auto ze rijdt.'

Heel langzaam bracht ik ze op de hoogte. Een volledige beschrijving van Nora, van de rode Benz cabrio, haar adres in Briarcliff Manor. Dat wil zeggen, het adres van Connor Brown. Hoewel het natuurlijk hoogst onwaarschijnlijk was dat ze daarheen zou gaan. Dat zou ze toch niet durven?

De jongste van de twee agenten gaf de informatie door via zijn radio. Hij vroeg ook waar de ambulance bleef, mijn ambulance.

'Ze hadden er al moeten zijn,' zei hij.

'Ik sta nooit hoog op prioriteitenlijstjes,' grapte ik.

Intussen legde zijn collega een knoop in het verband. 'Zo, dat zal wel even blijven zitten tot de ambulance er is.'

Ik bedankte hem. Ik bedankte hen allebei. Opeens viel het me op dat ze wel vader en zoon konden zijn. Ik vroeg het en het klopte. Agent Will en agent Mitch Cravens. Als dat geen schitterend voorbeeld was van de gouden tijden van het leven in een provinciestadje wist ik het ook niet.

Ik wilde overeind krabbelen.

'Ho, ho, ho,' hoorde ik ze eensgezind roepen. Ik moest blijven liggen en me rustig houden, zeiden ze.

'Ik moet mijn telefoon hebben.'

'Waar is die?' vroeg Mitch Cravens. 'Dan pak ik hem wel.'

'Ergens in de badkamer. En zet het fornuis meteen even uit,' zei ik.

Mitch knikte naar zijn vader. 'Ik ben zo terug.'

Terwijl hij naar binnen liep, herinnerde ik me opeens dat Nora had gezegd dat het huis van haar was, dat een vroegere klant het haar had nagelaten. 'Hé, Will,' zei ik. 'Misschien ken je Nora zelfs wel. Dit huisje is van haar. Ze heeft het gekregen van een klant die is overleden.'

'Heeft ze je dat verteld?'

Door de toon waarop hij dat zei, wist ik al wat er ging komen.

'Heeft ze nog verteld hoe die zogenaamde klant heette?' vroeg hij.

'Nee, maar ze had wel de sleutels.'

Will schudde het hoofd. 'Dit huis is van een man die Dave Hale heet. Of hij wel of niet een klant van haar is, weet ik niet, maar ik verzeker je dat hij nog springlevend is.'

'En is hij toevallig ook rijk?'

Hij haalde zijn schouders op. 'Dat zal best. Ik heb hem maar een paar keer gesproken. Hij woont in Manhattan. Hoezo? Denk je dat hij in gevaar is?'

'Vóór vanavond waarschijnlijk wel,' zei ik. 'Maar ik denk dat het gevaar nu wel geweken is.'

Mitch kwam weer naar buiten, met mijn telefoon in de hand. 'Gevonden.'

Ik pakte hem en klapte hem open. Ik wilde Susan net bellen, toen hij overging. Ze was me net voor.

'Hallo?'

'Je hebt de verkeerde geneukt,' klonk haar stem. 'Je hebt er een verschrikkelijke zooi van gemaakt, O'Hara.'

Ik had het mis, het was Nora.

Ze was niet hysterisch. Integendeel, ze was heel kalm. Veel te kalm. En voor het eerst was ik bang voor Nora Sinclair.

'Nu ga ik je treffen op de plaats waar het echt zeer doet, O'Hara... echt,' zei ze. 'Zegt Riverside je iets?'

Klik.

De telefoon viel uit mijn handen. Ik kwam wankelend overeind. De twee politiemannen grepen me vast.

'Wat is er?' vroeg Mitch, de zoon.

'Mijn gezin,' zei ik. 'Ze heeft het op mijn gezin gemunt.'

101

Ze begrepen het meteen. Iedere diender zou het gesnapt hebben, maar Will en Mitch Cravens, vader en zoon, nog net een beetje meer. Ik wilde niet langer wachten op de ambulance. Ik bloedde nog liever dood dan nog een minuut langer in dit bos te moeten blijven.

Ik zakte op de achterbank van hun patrouillewagen neer. Mitch, met zijn jonge, scherpe reflexen, reed met loeiende sirenes weg, terwijl Will de politie in Riverside vast via zijn mobilofoon opriep met spoed naar mijn huis te gaan. Intussen belde ik daarheen met mijn mobiel.

'Kom op, kom op, kom op,' mompelde ik terwijl hij overging.

En bleef overgaan.

'Shit! Er neemt niemand op!'

Uiteindelijk werd ik met het antwoordapparaat verbonden en ik sprak een paniekerige boodschap in voor mijn ex dat ze naar de buren moesten gaan en op de politie moesten wachten.

Er schoten de meest gruwelijke en afschuwelijke gedachten door mijn hoofd. Was Nora er al? En hoe wist ze waar dáár was?

Will hing de mobilofoon terug. Hij draaide zich naar me om. 'De politie van Riverside is over een paar minuten bij uw huis.' Hij knikte naar mijn mobiel. 'Nemen ze niet op?'

'Nee,' zei ik.

'Hebben ze ook een mobiel?'

'Die ga ik meteen bellen.'

Ik drukte de snelkeuzetoets in, maar kreeg de voicemail. Ik liet dezelfde boodschap achter met dezelfde angstaanjagende intro. Het was net als in de film. 'Met mij, John. Als jij en de jongens thuis zijn, ga dan nu meteen weg! Als jullie op weg naar huis zijn, ga dan ergens anders heen.'

Ik leunde met mijn hoofd tegen de achterbank en schreeuwde mijn frustratie uit. Het drukverband moest opboksen tegen de adrenaline. De duizeligheid kwam weer terug. Ik wilde rustig worden en niet meteen het ergste vrezen. Dat lukte niet.

'Sneller, jongens!'

We reden al harder dan 120 kilometer per uur. We waren de grens naar Connecticut gepasseerd en namen de kortste route naar Riverside. Ik voelde me ontzettend machteloos toen ik opeens een idee had. Bel Nora. Misschien was dat ook wel precies wat ze wilde. Misschien, hopelijk, was haar dreigement ook niet meer dan dat, was het haar bedoeling om mij de stuipen op het lijf te jagen en het spel aan de gang te houden. Zou ze alleen maar vals lachen als ik haar zou bellen en was Riverside alleen maar een afleidingsmanoeuvre. Was zij allang kilometers de andere kant op gereden.

Was het maar waar.

Ik toetste haar nummer in.

Tien keer ging hij over.

Geen voicemail.

Geen Nora.

De mobilofoon kwam met veel geruis tot leven. We werden doorverbonden met een patrouillerende agent in Riverside. Hij stond voor het huis. De deuren waren op slot en er was licht aan; voorzover hij kon zien, was er niemand aanwezig.

Ik keek op mijn horloge. Tien over negen. Ze zouden er moeten zijn. Negen uur was bedtijd voor de jongens.

Will drukte de spreekknop in. 'Geen sporen van braak?'

'Nee,' hoorden we.

'Hebt u bij de buren gekeken?' vroeg Mitch, die langzamer ging rijden om een bocht te nemen. De voor- en achterbanden piepten in stereo.

'Ik denk dat ze in dat geval bij de overburen zou zitten, de Picottes,' vulde ik hem aan. 'Mike en Margi Picotte. Vrienden van ons.'

'Dat moeten we nog doen,' zei de agent. 'Hoe ver zijn jullie hier nog vandaan?'

'Tien minuten,' zei Will.

'Agent O'Hara, bent u daar?' vroeg de politieman.

'Ja, ik ben hier,' zei ik.

'Ik zou graag het slot van een van de deuren willen forceren. Is dat goed? Om te controleren of er echt niemand binnen is.'

'Natuurlijk,' zei ik. 'Desnoods met een bijl.'

'Begrepen.'

Zijn stem werd gevolgd door nog meer geruis. Buiten de wagen loeide de sirene de stilte van de nacht in. Binnen heerste stilte. Plattelandsagenten Will en Mitch Cravens en ik.

Ik keek in de ogen van Mitch in het achteruitkijkspiegeltje. 'Ik weet het, ik weet het,' zei hij. 'Sneller.'

102

Mitch zette er de vaart in en reed de afstand van tien minuten in vijf. We kwamen met een remspoor van twintig meter tot stilstand voor mijn huis. De gloed van zwaailichten verlichtte de straat, het rood en blauw zwiepte door het donker. Groepjes buren stonden op hun gazon toe te kijken, zich afvragend wat er aan de hand kon zijn in het huis van de O'Hara's.

Op dat moment niet veel.

Ik rende door de openstaande voordeur en trof vier agenten in de hal die met elkaar stonden te praten. Ze hadden net alle kamers van het huis doorzocht.

'Leeg,' zei een van hen tegen me.

Ik liep naar de keuken. Er stond wat afwas op het aanrecht en er lag een rol huishoudfolie. Ze hadden thuis gegeten. Ik liep naar de telefoon die naast de koelkast aan de muur hing. Het lampje van het antwoordapparaat knipperde, maar er was maar één boodschap. De mijne.

Alle politiemensen, ook Will en Mitch, hadden zich in de hobbykamer verzameld. Ik liep naar ze toe.

'We moeten een plan van aanpak opstellen,' zei ik. 'Ik heb er ook nog geen. Ik ben momenteel niet in mijn beste doen.'

Een kleine, donkerharige agent die Nicolo heette nam de leiding. Hij was erg praktisch en zei dat er al een oproep was uitgegaan naar alle omringende staten om uit te kijken naar Nora's rode Mercedes. De beveiliging van het vliegveld was gewaarschuwd. Hij was nog midden in zijn verhaal en vroeg net of hij het huis kon gebruiken als 'commandocentrum' toen ik opeens iets bedacht.

De rode Mercedes... een auto... de garage. Ik had nog niet gekeken of de stationwagen er nog stond.

Ik had net twee stappen genomen, toen ik, achter mijn rug de hele kamer een gezamenlijke zucht van opluchting hoorde slaken. Ik draaide me om om te zien wat zij zagen.

Daar, in de deuropening van de keuken, stonden Max en John jr., gevolgd door hun moeder. Ze hadden allemaal een ijsje in hun hand. Van de Italiaan in het centrum.

Hun mond was al opengevallen toen ze al die politiemensen zagen, maar toen ze mij zagen en hoe gemolesteerd ik eruitzag, zakte hun kin bijna op de grond.

Ik rende naar ze toe om ze te omhelzen. Daar werd ik zo door in beslag genomen dat ik de telefoon niet eens hoorde overgaan.

Mitch Cravens wel. Hij liep erheen en stond op het punt op te nemen, toen zijn vader hem tegenhield. Will Cravens legde zijn wijsvinger tegen zijn mond om ons tot stilte te manen. Toen drukte hij op de meeluister-knop.

'Mooi, er wordt dus geluisterd,' hoorde ik haar stem.

Elk hoofd in de kamer draaide als door een adder gebeten dezelfde kant op. Er werd zeker geluisterd. Nora had de onverdeelde aandacht van iedereen en vooral van mij.

Maar ik was deze keer niet degene die ze belde.

'Ik weet dat u daar bent, mevrouw O'Hara,' zei ze op diezelfde rustige toon. 'Ik wilde u alleen even iets laten weten. Ik heb met uw man geneukt. Nog een prettige avond verder.'

Nora hing op.

Het was doodstil in de kamer terwijl ik mijn vrouw in de ogen keek. Om precies te zijn, de vrouw die al twee jaar mijn ex was.

Ze schudde haar hoofd. 'En jij vraagt je af waarom ik wilde scheiden. Lul die je bent!'

Deel 5

Omranging

Deel 5

Ontsnapping

103

Dat was alles. Zo simpel. Afgelopen.

'Hé, ik had je niet herkend zonder je vertrouwde rugzak, Fitzgerald,' zei de toerist.

'Heel grappig, O'Hara, maar dankzij jou ben ik er wel zonder kleerscheuren van afgekomen. Nog bedankt. Ik denk dat ik het zelf ook wel aan had gekund, maar misschien ook niet.'

De toerist zat met het meisje met de rugzak aan een tafeltje bij de zelfbedieningsrestaurants op het vliegveld LaGuardia. De afperser, de verkoper, kon elk moment arriveren. Als alles volgens plan verliep.

'Dit is wel heel idioot. Denk je dat de verkoper op zal komen dagen?' vroeg ze.

O'Hara nam een slok van zijn enorme beker cola van McDonald's. 'Alleen als hij zijn geld wil en ik neem aan dat hij dat wil. Twee miljoen is reden genoeg om op te komen dagen.'

Fitzgerald fronste haar wenkbrauwen en schudde haar hoofd. 'Stel dat hij inderdaad komt. Hoe weten wij dan dat hij alles aan ons overdraagt? Al zijn kopieën. En ons niet belazert?'

'Je bedoelt, net zoals wij hem probeerden te belazeren bij het Centraal Station? Nou ja, wijlen zijn vertegenwoordiger, dan.'

'Hé, híj is de boef, O'Hara. Weet je nog wel?'

'Ja, dat moet ik niet vergeten. Hij is de boef, hij is de boef.'

Op dat moment kreeg O'Hara een boodschap via zijn oortelefoontje. 'Hij komt eraan. We weten wie hij is. Hij is het deze keer zelf.'

Fitzgerald snapte het nog steeds niet. 'Waarom komt hij dan hier? Heeft hij niet door dat dit een valstrik kan zijn?'

O'Hara boog zich naar haar over. 'Vraag het hem zelf maar. Hij heeft er vast wel een goed antwoord op.'

Een man van begin dertig in blauw zakenkostuum en met een Aviator zonnebril en een koffertje nam plaats aan ons tafeltje. Hij viel meteen met de deur in huis. 'Heb je deze keer mijn geld wel bij je?'

O'Hara schudde het hoofd. 'Nee. Geen geld. Maar blijf nog even zitten. We hebben hier overal mensen staan die foto's van je nemen voor in de USA *Today* en *Time Magazine*. En voor de bajeskrant.'

'Je maakt een grote fout, vriend. Je bent gestoord,' zei de man in het pak. Hij maakte aanstalten op te staan.

Maar O'Hara trok hem weer op zijn stoel.

'Dat denken wij dus niet. Nu moet je even goed naar me luisteren, want hier komt onze deal. Je krijgt géén geld voor het document dat je eerst gestolen hebt en daarna weer terug wilde verkopen aan ons. Maar we laten je wel gaan. Natuurlijk laat je wel je koffer en de kopieën die je gemaakt hebt bij ons achter. We weten wie je bent, agent Viseltear. Als je nog eens zoiets flikt, of als iets hiervan ooit uitlekt, ga je eraan. En dat meen ik. Dat is onze deal. Niet slecht, toch?'

O'Hara keek de man in het pak, Viseltear, een financieel analist uit Quantico en een dief, lang en doordringend aan. 'Kun je het nog volgen? Is het duidelijk?'

Viseltear schudde langzaam zijn hoofd. 'Jullie willen me niet voor de rechter hebben,' zei hij. 'Dit moet buiten de rechtbank gehouden worden. Ik snap het.'

O'Hara haalde zijn schouders op. 'Als je ons nog eens lastigvalt, ben je er geweest. Als je dat maar begrijpt.'

Vervolgens haalde hij uit en sloeg hij Viseltear voluit met zijn vuist op zijn kaak, zodat die bijna onderuitging. 'Net zoals jij mij via die pizzabezorger wilde uitschakelen in Pleasantville. En nu opzouten. En laat die tas hier.'

Viseltear, die nog steeds over zijn kaak wreef, stond op van de tafel.

Hij stond nog wat wiebelig op zijn benen, maar liep toch weg. En toen was het voorbij.

Nou ja, nog niet helemaal, schoot het meteen door O'Hara heen, want hij wist immers veel te goed wat er allemaal echt speelde.

Hij had in de koffer gekeken, had de Flash Drive bekeken, het stukje in het lifestylekatern van de *Times* gelezen, het een en ander gecombineerd met als uitkomst 1,2 miljard.

Maar misschien, heel misschien, zou dat voor hem goed uit kunnen pakken.

En misschien ook niet.

De dingen zijn niet altijd wat ze lijken.

104

'O'Hara.'

'Susan. Goed dat ik je zie.'

'Zelfs onder de huidige omstandigheden?'

'Altijd. Onder alle omstandigheden.'

We waren onderweg naar de kamer van Frank Walsh op de elfde verdieping van het FBI-kantoor in Manhattan. Susan en ik werkten allebei onder de supervisie van Walsh, maar meestal niet op dezelfde afdeling. Frank Walsh gaf leiding aan verschillende afdelingen van het kantoor in New York.

'Susan. John,' zei hij, toen wij binnenkwamen, en hij liet zijn tanden zien. Walsh is een begenadigd glimlacher, causeur en handjesschudder, maar dat wil nog niet zeggen dat hij niet slim is. Hij is tenslotte Susans en mijn baas.

We liepen voor het gesprek naar zijn vergaderkamer. 'Ik zou graag nog wat met jullie babbelen, maar ik heb niet zoveel tijd vandaag. Misschien kunnen we binnenkort eens een hapje gaan eten bij Neary's. Susan, jij kunt hier helaas niet bij zijn. Sorry.'

'Natuurlijk,' zei Susan. Ze is minder overtuigd van Franks slimheid dan ik, maar ze duldt hem.

'Aan de slag dan maar,' zei Walsh, terwijl we samen de kamer ernaast binnenliepen. 'Dan verklaar ik de vergadering hierbij voor geopend.'

Het was een benauwde, ongemakkelijke ruimte die ontworpen leek om je met een schuldgevoel op te zadelen. Zo'n kamer die je al meteen, voordat je nog maar één woord gezegd had, luid en duidelijk liet weten: je hebt het verprutst, O'Hara.

Ik ging in de enkele stoel tegenover de tuchtcommissie zitten. Na de avond dat Nora was verdwenen, was ik van het ziekenhuis naar het beklaagdenbankje verhuisd, met een weekje tijd ertussen om mijn schou-

267

der te laten herstellen. Om maar niet te spreken van wat undercoverwerk dat ik nog had moeten afronden op het vliegveld LaGuardia. Ik denk dat de commissie wilde dat ik fit en gezond voor ze zou verschijnen voor een officiële schop onder mijn kont.

Frank Walsh gaf de aftrap met een kort overzicht van mijn achtergrond. De commissie luisterde ingespannen, terwijl een cassetterecorder die voor Frank op tafel stond elk woord registreerde.

Agent John Michael O'Hara... voormalig kapitein in het leger... voormalig rechercheur bij de politie van New York, tweemaal onderscheiden... tegenwoordig werkzaam bij de afdeling Contraterreur van de FBI, in het bijzonder de sectie Terroristische Financieringsoperaties... verschillende belangrijke undercoveropdrachten.

'Frank?' klonk een stem. Die was afkomstig van een oudere man die aan het andere eind van de tafel zat. Behalve dat hij zitting had in de tuchtcommissie, werkte hij normaal op de Unit Seriemoorden. Hij heette Edward Vointman.

'Kun je misschien nog even uitleggen hoe het kwam dat agent O'Hara ingezet werd voor het onderzoek naar Sinclair?'

Ik onderdrukte een grijns. Vointmans vraag was een beleefde variant op een andere vraag: waarom was ik hier verdomme niet van op de hoogte? Walsh fronste zijn wenkbrauwen. In bijna geen enkel bedrijf, laat staan een overheidsapparaat, wist de linkerhand wat de rechter uitspookte. In deze situatie was het gebrek aan communicatie echter iets verdachter. De rechterhand wist in dit geval niet eens waar een van zijn vingers mee bezig was.

Walsh strekte zijn arm om de cassetterecorder uit te zetten. Nu het bandje niet meer draaide, verdween ook zijn gereserveerdheid.

'Dat zit zo, Ed,' begon hij. 'De Divisie Terrorisme hier in New York werkt samen met de financiële afdeling van de afdeling Contraterreur en de Binnenlandse Veiligheidsdienst aan het volgen van de geldstromen die het land inkomen en uitgaan.'

Vointman deed zijn mond open alsof hij iets wilde zeggen, hoogstwaarschijnlijk 'wat bedoel je met "volgen"?' toen Walsh hem de mond snoerde.

'Meer kan ik er niet over zeggen, Ed, dus doe geen moeite.' Hij schraapte zijn keel. 'Maar goed, wat er gebeurde was dat we een tijdje terug geattendeerd werden op een grote transactie van ene Connor Brown uit Westchester.

Na verder onderzoek stuitten we op een merkwaardig toeval. De verloofde van de man, Nora Sinclair, was eerder getrouwd geweest met een arts uit New York die op dezelfde manier als Brown was overleden. En die vent was nota bene cardioloog. Het goede nieuws was dat ze waarschijnlijk geen terroriste was. Het slechte nieuws dat ze waarschijnlijk in beide sterfgevallen de hand had gehad.'

Weer deed Vointman zijn mond open. Zijn vraag bleek nu zelfs nog relevanter. Als sectiehoofd van de Unit Seriemoorden had deze zaak absoluut op zijn bureau terecht moeten komen.

Net als eerder, was Walsh hem ook nu voor. 'Het zit zo,' zei hij. 'We konden het niet doorspelen naar jouw groep, Ed, vóór we honderd procent zeker waren dat die Nora geen dekmantel voor iets anders was of, hoe onwaarschijnlijk dat nu ook mag lijken, dat ze zelf een geheim agent was. Om een lang verhaal kort te maken, namen we O'Hara hiervoor, omdat hij met beide scenario's vertrouwd was. Hij had vier jaar lang undercover gewerkt bij de politie en zijn profiel paste perfect in het beoogde plan. Hij werkte op dat moment zelfs aan een gerelateerde opdracht. Met andere woorden, hij had zijn uiterlijk mee en hij zou zich niet snel laten naaien.' Hij wierp me een ijskoude blik toe. 'Toen wisten we nog niet dat dat alleen voor zaken gold die zich boven de gordel afspelen.'

Walsh strekte nogmaals zijn arm uit en drukte weer op de opnameknop. 'Maar ik ben het er niet mee eens,' zei hij.

Vanaf dat punt ging het alleen nog maar bergafwaarts.

Het daaropvolgende uur kreeg ik vragen over alle aspecten van mijn onderzoek naar Nora Sinclair. Over elke beslissing die ik genomen had en alle beslissingen die ik niet genomen had. Vooral over die die ik niet genomen had. Het panel was meedogenloos. Ik was hun menselijke boksbal en ze zorgden allemaal dat ze ruimschoots aan de beurt kwamen om een flinke dreun uit te delen.

Toen het afgelopen was, bedankte Walsh iedereen en zei dat de bijeenkomst afgelopen was. Ik nam aan dat ik dus ook mocht gaan. Dat was het moment waarop hij me vertelde dat ik nog even moest blijven zitten.

105

De rest van de tuchtcommissie druppelde de kamer uit en alleen wij drieën bleven over: Walsh, ik en de cassetterecorder. Het bleef doodstil. Twintig, misschien wel dertig seconden lang, bleef hij me alleen maar aanstaren.

'Word ik geacht iets te zeggen?' vroeg ik.

Hij schudde het hoofd. 'Nee.'

'Word jij geacht iets te zeggen?'

'Waarschijnlijk niet. Maar ik ga de vraag toch stellen.' Hij leunde achterover in zijn stoel en sloeg zijn armen strak over elkaar. Zijn ogen boorden zich in de mijne. 'Ik zal wel een telefoontje van boven krijgen, zeker?'

Ik kreeg de zenuwen van die vent. 'Waarom denk je dat?'

'Noem het een voorgevoel,' zei hij, langzaam knikkend. 'Je bent te slim om zo stom te zijn.'

'Dat zal ik maar als een compliment beschouwen.'

Hij negeerde het sarcasme. 'Je bent letterlijk met je broek op je schoenen betrapt, maar iets zegt me dat je je toch wel op de een of andere manier ingedekt zult hebben.'

Ik gaf niet meteen antwoord. Ik wilde weten of ik hem aan de praat kon houden, zodat hij misschien zou onthullen hoe hij aan dat 'voorgevoel' kwam. Dat was niet het geval.

'Ik ben diep onder de indruk, Frank.'

'Dat is niet nodig,' zei hij. 'Je gezicht spreekt boekdelen.'

'Ik kan het je nog steeds bijzonder moeilijk maken.'

'Dat is me genoegzaam bekend.'

'Niets kan veranderen wat je gedaan hebt, wat een zootje je ervan gemaakt hebt.'

'Daar ben ik me van bewust.'

Hij sloeg zijn dossiermap dicht. 'Je kunt gaan.'

Ik stond op.

'O, en nog één ding, O'Hara.'

'Wat dan?' vroeg ik.

'Ik weet alles van je andere opdracht. Ik ken het hele verhaal. Ik ben er ook bij betrokken. Ik weet dat jij de toerist bent.'

106

Toen ik een paar minuten later Susans kamer binnenliep, stond ze voor het raam te staren naar de miezerige, bewolkte middaglucht. Het was moeilijk de symboliek te negeren van het feit dat ze met haar rug naar me toegekeerd stond.

'Hoe erg was het?' vroeg ze, zonder zich om te draaien.

'Heel erg.'

'Op een schaal van één tot tien.'

'Achttien, negentien.'

'Nee, even serieus.'

'Een negen, misschien,' zei ik. 'Ik weet pas over een week meer.'

'En tot die tijd?'

'Zit ik met dikke ketens aan mijn voeten aan mijn bureau gekluisterd.'

'Ze kunnen beter iets anders aan de ketting leggen.'

'Even voor alle duidelijkheid: dat is al de tweede stoot onder de gordel van vandaag.'

'Wat had je dan verwacht?'

'Geen idee, maar ik zou het erg prettig vinden om niet de hele tijd tegen je rug aan te moeten praten.'

Susan draaide zich om. Ze was een stoere tante en bijna altijd onverstoorbaar, al zou je dat niet gezegd hebben als je haar gezicht nu gezien had. De bezorgdheid en teleurstelling waren onmiskenbaar.

'Dit was niet goed voor mijn reputatie, John.'

'Dat weet ik,' zei ik snel. Een beetje te snel.

'Nee, ik bedoel, echt helemaal niet goed.'

Ik staarde een aantal seconden uitgebreid naar de grond. 'Het spijt me,' zei ik zachtjes.

'Jezus, het was al niet helemaal in de haak dat we dit via mijn afdeling hebben laten lopen.'

Ik zei niets. Ik kende Susan goed genoeg om te weten dat dit haar manier was om de woede, de frustratie en de teleurstelling kwijt te raken. Ik ging ervan uit dat ze waarschijnlijk nog één stevige oerbrul in zich had voor ze verder kon.

'VERDOMME, JOHN, HOE KON JE NOU ZOIETS ACHTERLIJKS DOEN?'

Dat was hem.

Toen het gebouw niet langer op zijn fundamenten schudde, had ze haar gebruikelijke stoïcijnse kalmte weer terug. Er was nog steeds een serie-moordenares op vrije voeten en die moest gepakt worden. Helaas boden de berichten die ons vanuit het veld bereikten weinig reden tot optimisme. Nora leek compleet van de aardbodem te zijn verdwenen.

'Is er nog geen nieuws van onze mensen op de Caymaneilanden?' vroeg ik.

'Niks,' antwoordde Susan. 'Op de Cariben, in Briarcliff Manor, in haar appartement hier in de stad en op alle verbindingswegen tussen die punten is ze nergens gesignaleerd.'

'Jezus, waar hangt ze dan uit?'

'Dat is de hamvraag.' Susan keek naar een vel papier op haar bureau, waarop het bedrag gekrabbeld stond dat bevroren was op Nora's bank-rekening. 'Of moet ik het de vraag van acht miljoen vierhonderdzesen-twintigduizend dollar noemen?'

Het was een verbijsterend bedrag.

'Dat is ook zo,' zei ik. 'Hoe zit het met die fiscalist, die Keppler?'

'Degene die jij hardhandig aan de praat gekregen hebt?'

'Ik noem het liever informatie aftroggelen.'

'Hoe dan ook, Nora heeft geen contact meer met hem opgenomen.'

'Misschien kan ik hem nog eens een bezoekje brengen en...'

Ze onderbrak me. 'Jij zit aan je bureau geketend, weet je nog? En wie weet hoe je er volgende week voor staat.' Ze moest ondanks alles even lachen. 'Van de andere kant kun je, als je geschorst wordt, meer tijd met de jongens doorbrengen.'

'Dat weet ik nog zo net niet,' zei ik. 'Dat hangt ervan af of hun moeder dat goedvindt.'

Susan draaide zich om en staarde weer naar buiten. 'Weet je, als je als echtgenoot net zo goed was geweest als je als vader bent, hadden we mis-schien nooit hoeven scheiden.'

107

Ik heb nooit goed stil kunnen zitten. En nu werd ik geacht dat voor on-
bepaalde tijd te doen. Na twee dagen aan mijn bureau geketend te hebben gezeten, was ik al compleet doorgedraaid. Er waren genoeg administratieve klusjes, maar ik deed ze niet. Het enige wat ik deed, was uit het
raam staren naar de grijze, sombere straat. En piekeren.

Waar kon ze nou toch uithangen?

De berichten die binnenkwamen waren kort maar allerminst vrolijk-
stemmend. Geen teken van Nora. Geen spoor. Hoe kon ze verdomme
zo totaal verdwenen zijn?

Ik werd er gek van. De telefoon begon te rinkelen, ik nam op en luisterde
naar het laatste nieuws en gooide vervolgens de hoorn weer op de haak.

De frustratie vrat aan me. Er had een papiertje op mijn rug kunnen hangen met: waarschuwing! HOUDER ONDER ZEER HOGE DRUK.

De telefoon rinkelde weer. Ik nam op en bereidde me vast voor op meer
van hetzelfde. 'O'Hara,' zei ik.

Ik hoorde niets aan de andere kant.

'Hallo?'

Nog steeds niets.

'Is daar iemand?'

'Ik heb je gemist,' zei ze zachtjes.

Ik schoot overeind in mijn stoel.

'Nou? Ga je niks zeggen?' vroeg Nora. 'Heb jij mij niet gemist? Zelfs de
seks niet? Dat niet eens?'

Ik stond op het punt iets terug te zeggen. Ik had mijn mond al openge-
daan om woedend tegen haar uit te varen, maar net op tijd wist ik mezelf
te beheersen. Ik moest zorgen dat Nora aan de lijn bleef.

Ik drukte op de opnameknop van mijn telefoon en daarna op de knop
waarmee ik het telefoontje kon laten natrekken. Ik haalde diep adem.

'Hoe is het met je, Nora?'

Ze lachte. 'Hou op, zeg. Schreeuw dan in elk geval tegen me. De man die ik kende was niet het type om zich in te houden.'

'Bedoel je Craig Reynolds?'

'Je gaat je toch niet verschuilen achter de verzekeringsagent?'

'Hij was niet echt. Niets was echt, Nora.'

'Dat had je gewild. Het enige wat nu echt is, is dat jij niet kunt beslissen. Je weet niet of je me wilt neuken of vermoorden.'

'Daar ben ik eigenlijk al wel uit,' zei ik.

'Dat is je gekwetste ego,' zei ze. 'Over gekwetst gesproken, hoe voel je je? Je zag er die avond niet al te best uit.'

'Dat had ik aan jou te danken.'

'Ik zal je eens wat zeggen, O'Hara. Het doet pijn om te weten dat we elkaar nooit meer zullen zien.'

'Daar zou ik maar niet zo zeker van zijn,' zei ik knarsetandend. 'Je mag er rustig op vertrouwen dat ik je wel weet te vinden.'

'Wat een gek woord is dat toch. Vertrouwen. Ik zou me zo kunnen voorstellen dat je vrouw niet veel vertrouwen meer in je heeft de laatste tijd. Goh, wat rot nou toch, dat ik je huwelijk kapot heb moeten maken.'

'Als dat je een slecht geweten bezorgt, kun je weer rustig slapen. Je timing was een beetje verkeerd. Ze is al twee jaar mijn ex.'

'Echt waar? Dus je bent beschikbaar, O'Hara?'

Ik keek op mijn horloge. Ze was al langer dan een minuut aan de lijn. Blijven praten, O'Hara.

Ik veranderde van onderwerp. 'Weet je je een beetje te redden zonder geld?' vroeg ik.

Ze gniffelde. 'Geld zat. Aan geld geen gebrek.'

'Was het je daar allemaal om begonnen? Om geld?'

'Je zegt het alsof het iets verderfelijks zou zijn. Een vrouw moet toch een beetje voor haar toekomst zorgen?'

'Wat jij hebt gedaan, gaat wel wat verder dan zorgen voor een goed pensioen.'

'Oké, het is natuurlijk ook een beetje voor de sport. We zijn kwaad, O'Hara. De meeste vrouwen zijn woedend op mannen. Word wakker en ruik die lucht van verkoold vlees.'

Ze begon zich op te winden. Misschien had ik een gevoelige snaar geraakt. Mooi zo.

'Wat heb je dan tegen mannen, Nora?'

'Heb je een uur? Of een paar eigenlijk.'

'Ja, hoor. Ik heb alle tijd van de wereld.'

'Maar ik helaas niet,' zei ze. 'Ik moet ophangen.'

'Wacht!'

'Geen tijd, O'Hara. Ik zie je wel in je dromen.'

Klik!

Ik draaide mijn pols en keek naar de secondewijzer van mijn horloge. Ik belde de technische afdeling. 'Zeg alsjeblieft dat je haar gelokaliseerd hebt!'

De stilte die viel was oorverdovend. 'Sorry,' klonk het daarna. 'Niet gelukt.'

Ik pakte de telefoon, het hele geval, en smeet hem tegen de muur. Hij viel in stukken op de grond.

Ik zie je wel in je dromen.

108

De grijsharige techneut die de volgende ochtend mijn nieuwe telefoon kwam installeren, keek peinzend naar de stukken van mijn oude. Toen keek hij me met de alwetende glimlach aan van iemand die alles al eens gezien heeft. 'Van uw bureau gevallen, hè?'

'Er zijn wel eens vreemdere dingen gebeurd,' zei ik. 'Dat is één ding dat zeker is.'

Een paar minuten later was de nieuwe telefoon er weer helemaal klaar voor. Dat gold helaas niet voor mij. Ik zat nog steeds aan mijn bureau geketend, werd gek van verveling, om maar niet te spreken over alle twijfels aan mezelf en de busladingen schuldgevoel.

De nieuwe telefoon ging over.

Mijn eerste gedachte was dat er een toegift zat aan te komen, dat Nora me nog eens wilde spreken, de duimschroeven nog meer wilde aandraaien. Bij nader inzien wist ik beter. Alles aan haar telefoontje van de vorige dag wees op een eenmalige gebeurtenis.

Ik nam op. Dat het Nora niet was, was meteen duidelijk.

Het was die andere vrouw in mijn leven die het momenteel op me gemunt had. Het is natuurlijk overduidelijk dat Susan en ik nu niet de beste vrienden waren. Maar we hielden het zakelijk.

'Heb je al nieuws van het audiolab?' vroeg ik meteen. De opname van mijn gesprek met Nora werd geanalyseerd op mogelijke achtergrondgeluiden die aanknopingspunten zouden kunnen bieden wat betreft het soort of de precieze locatie waar ze zich bevond. Het geluid van golven; een buitenlandse taal die door een voorbijganger werd gesproken. Dat ik niets gehoord had, betekende nog niet dat er niets was.

'Ja, ik heb het rapport binnen,' zei Susan. 'Ze hebben niets kunnen vinden.'

Technisch gesproken was dat nog meer slecht nieuws, maar de manier waarop ze het zei, alsof het niet terzake deed, was veelzeggend.

Susan wist iets.

'Wat is het laatste nieuws?' vroeg ik.

'Wat het laatste nieuws is? Je bent nog steeds een ongelooflijke debiel, John. Als je me had kúnnen kwetsen, zou je mijn hart nog eens gebroken hebben.'

Ze ontweek mijn vraag.

'Dat weet ik, Susan. Maar er is iets.'

Ze gniffelde om mijn intuïtie. 'Hoe snel kun je hier zijn?'

109

Twintig minuten later reden we met een flinke vaart New York aan de noordkant uit en na één uur en vijftig minuten draaiden we het terrein op van Pine Woods, een psychiatrisch verzorgingshuis in Lafayetteville, New York.

'Dit zal je wel interesseren,' zei Susan, toen we mijn auto uitstapten en naar het hoofdgebouw toe liepen, een bakstenen flat van zeven verdiepingen. 'We gaan bij mams op bezoek. Nora's moeder woont hier, O'Hara.'

Ik lachte flauwtjes. Susan genoot merkbaar.

Even later zaten we in een kleine vergaderkamer op de bovenste verdieping van het tehuis. Tegenover ons zat de hoofdverpleegster van de gesloten afdeling.

Het was niet duidelijk of de forsgebouwde vrouw nou bang was of gewoon zenuwachtig. Ze maakte in elk geval de indruk in het geheel niet op haar gemak te zijn. Dat hebben mensen wel vaker als ze tegenover een stel FBI-agenten komen te zitten.

'Agent John O'Hara, dit is Emily Barrows,' zei Susan, die het eerste contact met de mensen van Pine Woods gelegd had.

Ik wendde me tot de vrouw en stak mijn hand uit. 'Aangenaam.'

'Ik geloof dat Emily waardevolle informatie voor ons heeft over Nora,' zei Susan.

Ik zat daar als een opgewonden kind op de avond voor kerst. Geen moment lieten mijn ogen de vrouw los, die een witte broekrok aanhad en een eenvoudige witte blouse en haar haar met speldjes opzij van haar hoofd had vastgezet. Ze was vrij van enige opsmuk tot haar Zweedse muilen aan toe.

'Ja,' begon ze met een wat beverige stem, 'een van onze patiënten hier in Pine Woods is een vrouw met de naam Olivia Sinclair.'

Zoveel was me al bekend.

'Nora is de dochter van Olivia,' zei Emily. 'Althans, dat denk ik. Ik bedenk alleen opeens dat ik daar nooit enig bewijs van heb gezien.'

'Ik wel,' zei Susan. 'Nadat ik je aan de telefoon had gehad, Emily, heb ik haar gevangenisdossier erop nageslagen.'

Ik trok mijn wenkbrauwen op. 'Gevangenisdossier?'

'Olivia Sinclair is tot levenslang veroordeeld toen Nora zes was,' zei ze.

'Waarvoor?'

'Moord,' zei Susan.

'Meen je dat nou?'

Susan knikte. 'Het wordt nog mooier, O'Hara. Ze heeft haar man vermoord. En het dochtertje van het stel, Nora, was erbij toen dat gebeurde.'

Susan vervolgde: 'Toen Olivia een paar jaar in de gevangenis had gezeten, leek ze haar greep op de werkelijkheid te verliezen. Toen is ze overgeplaatst naar Pine Woods. Intussen stuiterde Nora van het ene pleeggezin naar het andere. Ze verhuisde zo vaak, dat er nooit een fatsoenlijk dossier over haar is samengesteld.'

Susan keek naar Emily die er nu helemaal verloren bij zat.

'Sorry,' zei Susan tegen haar. 'We hebben goede redenen te veronderstellen dat Nora haar eerste echtgenoot een paar jaar geleden vermoord heeft. Met die kennis in ons achterhoofd, plus wat er verder nog gebeurd is, hebben we zelfs nog meer reden te denken dat ze ook haar tweede echtgenoot vermoord heeft.'

'Ze was alleen nog maar verloofd met Connor Brown,' hielp ik Susan herinneren.

'Ik heb het over Jeffrey Walker,' zei ze.

Nu snapte ik er nog minder van dan Emily. 'Jeffrey Walker?'

'Je kent hem wel, die man die van die sappige historische romans schrijft. Of schreef, moet ik eigenlijk zeggen.'

'Ja, ja, ik ken hem wel. Wil je zeggen dat Nora en hij...'

'Getrouwd waren.'

'Jezus,' zei ik, toen alle puzzelstukjes op zijn plaats vielen. 'Op het nieuws zeiden ze dat hij aan een hartaanval gestorven was. En wacht eens,' zei ik. 'Hij woonde zeker in Boston?'

Susan tikte met haar vinger tegen haar neus.

'Wat ons weer terugbrengt bij Emily,' zei ze. Ze keek naar de verpleeg-ster. 'Ga door. Vertel maar wat je weet. Dit is fraai, O'Hara.'

Emily knikte en vroeg of we haar wilden volgen. 'Ik zal het u laten zien,' zei ze. 'Gaat u maar even mee naar Olivia.'

110

We liepen de ziekenhuisgang door naar de kamer van Nora's moeder Olivia. Al die jaren had ze hier onder haar meisjesnaam gezeten, Conover, wat onze zoektocht naar haar nogal had bemoeilijkt.

'Het ene moment had ik het nog met Nora over de schrijver Jeffrey Walker en het volgende moment lees ik in de krant dat hij dood is,' zei Emily, terwijl we door de gang liepen.

Susan en ik luisterden alleen. 'Natuurlijk zag ik geen enkel verband. Ik wist niet eens dat Nora in moeilijkheden zat tot ik dat op tv zag.'

Emily bleef stil staan. Er was blijkbaar iets wat ze ons wilde vertellen voor we Olivia's kamer binnen zouden gaan. 'Weken terug, misschien wel een maand geleden, las ik toevallig een briefje dat Olivia aan Nora had geschreven. In dat briefje stond een geheim dat ons allemaal paf deed staan. Maar het maakte ons veel duidelijk over Olivia en misschien ook wel over Nora. U zult het zo zelf zien.'

Emily liep weer verder. Ze passeerde nog een paar deuren voor ze haar hand uitstrekte naar een van de deurknoppen. 'Dit is de kamer van Olivia.'

De verpleegster deed de deur open en ik zag een heel oude dame rechtop in bed zitten. Ze zat een boek te lezen en keek niet op toen we met zijn drieën binnenkwamen.

'Hallo, Olivia. Dit is het bezoek waar ik je over verteld heb,' zei Emily op heldere, duidelijke toon.

Nu keek Olivia dan toch op. 'O, hallo,' zei ze. 'Ik hou erg van lezen.'

'Ja, Olivia houdt van lezen,' beaamde Emily en haar mondhoeken trilden. De verpleegster draaide zich naar Susan en mij om.

'Heel lang heeft Olivia haar werkelijke toestand voor ons verborgen weten te houden. Ze hield ons met allerlei trucjes voor de gek en wilde ons doen geloven dat ze er heel wat erger aan toe is dan ze in werkelijkheid is. Ze heeft een keer, toen Nora er was, een epileptische toeval gesimuleerd, omdat haar dochter iets wilde onthullen wat ze beter niet kon doen. Olivia wist dat we bandopnamen maken van alle keren dat een patiënt visite krijgt. Olivia is een erg goede actrice. Dat is toch zo, hè?'

Olivia keek naar Susan en mij, maar ze luisterde wel naar wat de verpleegster te zeggen had. 'Dat zal wel.'

'Nou, we vonden dat Olivia hier toch in Pine Woods mocht blijven en zij vond dat ze u moest helpen.'

Olivia knikte, terwijl ze naar Susan en mij bleef staren.

'Ik zal helpen,' fluisterde ze. 'Ik zal wel moeten' waarop ze haar boek neerlegde en het bed uit klom.

Terwijl Olivia naar haar kast liep, zei Emily: 'Elke keer dat Nora op bezoek kwam, nam ze een boek voor haar moeder mee, hoewel ze eigenlijk niet geloofde dat Olivia die boeken ook echt las.'

Olivia trok een kartonnen doos tevoorschijn uit de kast. Ik zag al vanuit de verte dat hij helemaal vol zat met boeken en ook met verpakkingen en enveloppen.

'Een paar weken geleden hielden Nora's bezoekjes opeens op. Maar toen kwamen er pakjes, geadresseerd aan Olivia. Die waren van Nora. In een van de pakjes zat zelfs een briefje,' zei Emily.

Ik voelde mijn opwinding stijgen. Pakjes. Dit ging natuurlijk over het traceren waar die vandaan kwamen. Was Nora zo stom geweest om het adres van de afzender erop te zetten? Dat zou te mooi zijn om waar te zijn.

Dat was het ook.

Emily legde uit dat er aan de pakjes niets af te lezen viel wat ook maar een tipje van de sluier zou kunnen oplichten omtrent Nora's verblijfplaats.

'Geen afzender. Geen speciale poststempels of markeringen.'

Ze keek Olivia aan. 'Wil je agent O'Hara het briefje geven dat je gekregen hebt?'

Ik pakte het aan, vouwde het open en las het hardop voor.

'Lieve moeder, sorry dat ik je niet kan komen opzoeken. Ik hoop dat je blij bent met het boek. Veel liefs, zoals altijd, van je dochter Nora.'

Ik las het briefje nog eens en schudde toen het hoofd. 'Wat is hier zo bijzonder aan?'

Nu gaf Susan antwoord. 'Alles. Hoe voorzichtig Nora ook was, ze was niet voorzichtig genoeg.'

Ze staarde Emily aan.

Ik staarde Emily aan.

Ten slotte legde Emily uit wat ze kennelijk ook al aan Susan verteld had. 'Kijk maar eens heel goed naar dat papier, agent O'Hara. Hou het maar eens tegen het licht,' zei ze. 'Ziet u dat? In de rechter onderhoek?'

Ik hield het briefje in de richting van het raam en bekeek het toen van heel dichtbij.

Godallemachtig.

Het briefpapier had een watermerk.

Ik keek weer naar de anderen en zag dat Olivia huilde. 'Ze is zo'n goede dochter. Zo'n schat.'

111

Nora liep in de late namiddagzon naar haar privé-terras met niets anders dan een pastelblauw bikinibroekje aan en een stralende lach op haar gezicht. Ze nam een slok van een flesje Evian en drukte dat vervolgens tegen haar wang. Ze was het uitzicht op het strand van de Baie Longue en het schitterende witte zand nog niet moe, zoals het samen leek te smelten met de turkooizen wateren van de Caraïben. Ze had het zelf niet fraaier kunnen ontwerpen.

La Samanna op het eiland Sint Maarten had een welverdiende reputatie als exclusief schuiloord. Het was Nora vooral te doen om het schuilen. Overdag was ze, verscholen achter haar Chanel zonnebril, een rijke dame uit de mondaine kringen die luierde bij het zwembad. En 's avonds, tja, dan waren Jordan en zij vooral in de slaapkamer te vinden en dineerden ze meestal via de roomservice op hun kamer.

Op sommige dagen kwamen ze hun bungalow zelfs helemaal niet uit, alsof ze een stelletje op huwelijksreis waren. Gelukkig verzorgde La Samanna ook een uitstekend ontbijt en een prima lunch via de roomservice.

'Waar heb je vandaag meer zin in, lieverd? De Duval-Leroy of de Dom Perignon?' riep Jordan vanuit de slaapkamer.

Beslissingen...

'Beslis jij maar, schat,' zei Nora.

Jordan Mauch, een miljonair die rijk geworden was met onroerend goed in Dallas, was een geboren beslisser. De beslissing die hem het meeste had opgeleverd, was het inzicht dat Scottsdale in Arizona het nieuwe West Palm Beach ging worden, voordat iemand anders op die gedachte was gekomen. Zijn laatste beslissing was er een in zijn persoonlijke leven geweest. Wat een goede zet was het geweest om Nora Sinclair in de arm te nemen om zijn nieuwe huis net buiten Austin te laten inrichten en haar vervolgens te trakteren op een reisje naar de Caraïben.

Hij riep nog iets naar haar vanuit de slaapkamer, nadat hij de bestelling voor de lunch had doorgegeven. 'Lieverd, je beseft toch hoop ik wel dat je niet bepaald gekleed bent?'

Op effen toon antwoordde Nora: 'Ik wil alleen maar streeploos bruin worden.' Ze luisterde hoe hij lachte. 'We zijn hier trouwens toch aan de Franse kant van het eiland, schat,' zei ze.

Eerder die week waren Jordan en zij via Grand Case naar het naaktstrand aan de Baie Orientale gereden. Als het aan Nora had gelegen, was ze meteen uit de kleren gegaan en had ze het zichzelf daar gemakkelijk gemaakt. Maar dat was niks voor Jordan. Vergeet het maar. Dat was een van de lokale gebruiken waaraan hij weigerde mee te doen. Nora probéérde hem niet eens om te praten. Ze had allang geleerd dat steenrijke mannen met buitenlandse bankrekeningen hun kleren nooit in het openbaar uittrokken. Dat zou wel iets te maken kunnen hebben met het beschermen van hun bezittingen.

Nora liep de bungalow weer in en trok een van de zachte, dikke ochtendjassen van het hotel aan. Ze genoot van het aangename gevoel tegen haar huid. Ze klom terug in bed bij Jordan en nestelde zich tegen zijn brede borst.

Er was maar één probleem.

Ze kreeg John O'Hara maar niet uit haar hoofd. Zijn geur, zijn smaak, de manier waarop hij het beter dan wie ook in haar leven voor elkaar gekregen had om zich in haar gedachten te nestelen.

Dat maakte haar woedend. Ze wilde die gedachten niet, ze wilde niet in de armen van een ander liggen, Jordan Mauch of wie dan ook, en denken aan O'Hara. Dat deed te veel pijn. Wat is er verdorie toch mis met me? Ik word toch nooit verliefd?

'Aarde zoekt contact met Nora...' zei Jordan.

Met één klap was ze weer terug. 'Sorry, lieverd,' zei ze. 'Ik zat alleen te bedenken hoe volmaakt alles is.'

Hij glimlachte. 'Een van de vele dagen in het paradijs.'

Ze kusten elkaar, maar werden daarbij gestoord door een klop op de deur. De lunch was gearriveerd.

Jordan klom het bed uit en trok de deur open. 'Dank u,' zei hij tegen de bedienden van de roomservice die een enorme serveertafel naar binnen reden. Ze hadden hun gebruikelijke Docksiders schoenen en korte broek aan, met linnen shirts en grote strooien hoeden.

Opeens gingen de hoeden af.

'Hallo, Nora. Ik zei toch dat we elkaar nog wel eens zouden zien,' zei O'Hara.

'Waag het niet tegen haar te praten,' snauwde Susan. Ze trok haar pistool en richtte dat nauwgezet op Nora op het bed. 'Je bent erbij, kutwijf!'

Toen keek ze Jordan Mauch aan. 'En jij… jij hebt erg veel geluk gehad.'

112

Die middag gebeurde er iets heel vreemds en onverwacht aangenaams. Ik kreeg een paar uur vrij en die mocht ik doorbrengen met Susan. Het leek ons een goed idee om het strand bij La Samanna maar eens te gaan verkennen, dat lang, breed en oogverblindend wit was. Er lag zelfs een aangespoeld scheepswrak.

'Weten we zeker dat we die plaatselijke jongens kunnen vertrouwen?' vroeg ik Susan toen we in de zon lagen.

'Je doet net alsof ze de Keystone cops zijn of zo,' zei ze.

Ik had het over de gendarmerie, de politie van Sint Maarten.

Ze hadden Nora in verzekerde bewaring gesteld tot de uitleveringspapieren voor haar terugkeer naar New York binnen zouden zijn.

'Misschien ligt het aan mij, hoor,' zei ik, 'maar ik vind het erg moeilijk om vertrouwen te hebben in politiemensen die shorts dragen. En dan hebben we het nog niet eens over normale shorts. Zag je dat? Ze zaten zo strak dat je kon zien wat hun geloof was.'

Susan staarde me ongelovig aan, zoals ze me al zo vaak aangekeken had.

'Hou je kop nou maar en neem nog een slok van je cocktail, John.'

Daar zat wat in, zoals in alles wat ze zei.

Ons politiewerk zat erop. Nora zat veilig vast en de zaak was afgerond. We hadden zelfs nog even naar huis gebeld om te vragen of John jr. en Max het naar hun zin hadden bij hun opa en oma, de ouders van Susan, die mij ondanks alles toch nog wel mochten.

Susan en ik verdienden het om hier te zitten, al was het maar heel kort. Zij aan zij in comfortabele strandstoelen op dit ongelooflijke rijkeluisstrand kijken naar de zon die onderging tegen de achtergrond van een prachtig oranje verlichte hemel. We hadden zelfs nog samen gezwommen.

Ik hield mijn mai-tai in de lucht. 'Op zuster Emily Barrows.'

Susan klonk met haar pina colada tegen mijn glas.

Ik leunde achterover in mijn stoel en ademde diep in. Ik voelde een enorme tevredenheid en eenzelfde hoeveelheid opluchting door me heen gaan. Ik voelde ook iets knagen waar ik niet helemaal mijn vinger op kon leggen, maar het was niet erg aangenaam. Laten we het maar schuldgevoel noemen.

Ik wierp een blik op Susan die er mooi en sereen uitzag. Ik had haar veel verdriet gedaan en dat vond ik afschuwelijk. Ze verdiende beter.

Ik pakte haar hand en kneep er zachtjes in. 'Het spijt me heel erg.'

Ze kneep terug. 'Dat weet ik,' zei ze zachtjes.

En dat was het dan. Gelukkiger kon het niet eindigen. Ik had een mai-tai in de ene hand en met de andere lag ik hand in hand met de eerste vrouw van wie ik ooit echt gehouden had. En Nora Sinclair zou binnenkort tot levenslang veroordeeld worden voor de moorden die ze gepleegd had.

Natuurlijk had ik beter moeten weten.

113

De vrijdag daarop was ik in Susans kantoor in New York. Niet uit mezelf. Ik was er ontboden. Ze had net Frank Walsh aan de lijn gehad.

'O'Hara, ik weet niet hoe ik je dit moet vertellen.'

'Gewoon recht voor zijn raap, denk ik. Ik heb alles tenslotte over mezelf afgeroepen.'

'Dat is het niet, John. Ik... de aanklacht tegen Nora Sinclair wordt ingetrokken.'

Het nieuws trof me als een vuistslag. Hard, pijnlijk en volledig onverwacht. Ik was een paar seconden sprakeloos voor ik weer iets uit kon brengen.

'Hoe bedoel je ingetrokken?'

Susan keek me vanachter haar bureau zonder met haar ogen te knipperen aan. Ik zag aan haar blik hoe kwaad ze was, maar het was een uiterst beheerste woede.

In tegenstelling tot de mijne.

Ik begon te ijsberen en te vloeken en alle dreigementen te uiten die ik maar kon bedenken. Ik zou om te beginnen naar de *New York Times* stappen.

'Ga eens even zitten, John,' zei ze.

Dat kon ik niet. 'Ik snap het niet. Hoe kunnen ze dat nou doen? Ze is een koelbloedige moordenares.'

'Dat weet ik. Ze is een ongelooflijk giftige slang. Ze is gestoord.'

'Waarom zouden we haar dan laten gaan?'

'Dat ligt ingewikkeld.'

'Ingewikkeld. Je kunt m'n rug op. Het is onacceptabel.'

'Ik kan je alleen maar gelijk geven,' zei Susan op afgemeten toon. 'En als razen en tieren je troost, ga dan gerust je gang. Maar als je ermee klaar bent, ben je nog precies even ver als eerst. Alles is al in kannen en kruiken boven.'

Ik haatte het als Susan gelijk had. Zoals die keer dat ze tegen me gezegd had dat ik het te druk had met mezelf om ons huwelijk te kunnen redden. In de roos.

Ik ging uiteindelijk toch maar zitten en haalde diep adem. 'Oké, waarom?'

'Eigenlijk weet je dat zelf ook wel, als je even nadenkt.'

Ze had alweer gelijk. Noem het ontkenning of wensdenken, maar eigenlijk wist ik wel dat de aanklacht tegen Nora wel eens een serieus probleem zou kunnen vormen voor degenen die aan 'de goede kant' stonden. Mijn gedrag zou openbaar worden tijdens het proces en de hoge heren van de FBI waren niet bepaald blij met de gênante situatie die dan zou ontstaan, wat onafwendbaar was, maar nog niet eens het ergste.

Er was iets veel ergers, besefte ik. Veel en veel erger.

Jezus, ik was er tenslotte zelf bij betrokken geweest, toen ik undercover was gegaan als de toerist.

De koffer speelde er een rol in. En de lijst met namen en bedragen die erin had gezeten.

Mijn gerollebol met de verdachte viel totaal in het niet vergeleken bij een veel groter belang. Iets wat veel gevoeliger lag en mogelijk nog veel gênanter was. Dat wil zeggen, als het ooit in de openbaarheid zou komen.

Frank Walsh had er een zinspeling op gemaakt bij mijn verhoor voor de tuchtcommissie: het geld dat het land in en uit gesluisd werd. Het spreekt vanzelf dat het onderzoek daarnaar niet plaatsvond via vrijwillige opgaven van plaatselijke banken. Dat ging via geheime afspraken tussen de binnenlandse veiligheidsdienst, de FBI en verschillende multinationale banken. Wat de gedachte daarachter was? Het enige wat gevaarlijker is dan een terroristische groepering is een terroristische groepering met een solide financiële basis. De gedachte was simpel. Stop hun geldstroom en ze verdwijnen vanzelf. Of, beter nog, spoor hun geldstroom op.

Dan heb je hen te pakken.

De enige regel was dat er geen regels waren, wat wil zeggen dat een heleboel hiervan, laten we zeggen, illegaal was. Niemand werd smetteloos geacht of boven alle verdenking verheven. Van casino's tot liefdadigheidsinstellingen, van grote bedrijven tot *day traders*. Overal ter wereld. We braken overal in. Als er geldstromen waren, bekeken wij ze. En als we het vermoeden hadden dat er sprake was van heimelijke transacties, keken we nog veel beter. Opeens waren privé-rekeningen allesbehalve privé.

En zo verscheen Connor Brown ten tonele.

En daarmee ook Nora.

'Dus nu is het over en uit?' zei ik tegen Susan.

'Tja, wat kan ik zeggen? Nora vertegenwoordigt voor hen de minste van twee kwaden.' Ze trok een gezicht. 'Ik bedoel, wat zijn nou een paar dode kerels vergeleken met het beschermen van de democratie in de wereld of weet ik veel? Ze gaan haar vrijlaten, O'Hara. Misschien is ze zelfs wel al vrij.'

114

Nora reed met grote vaart in haar rode Benz door Manhattan tot ze zeker was dat ze niet gevolgd werd. Niet door de pers noch door de politie. Toen schoot ze de roestige achtbaan op die bekendstaat onder de naam West Side Highway en zette koers richting Westchester. Ze had wat tijd voor zichzelf nodig.

Al snel vloog ze met een vaartje van bijna 135 kilometer per uur in haar cabrio over de weg. Godzijdank, ze was vrij en wat was dat een heerlijk gevoel. Dit was het mooiste wat haar ooit was overkomen. Ze zou nog wat dagen in het huis van Connor blijven rondhangen, eindelijk al het meubilair verkopen en dan haar volgende zetten bepalen.

Ze kreeg tot haar eigen verbazing het gevoel dat het nu misschien wel tijd werd om een nestje te gaan bouwen. Echt met iemand te trouwen en misschien wel een stel kinderen te krijgen. Bij die gedachte schoot ze in de lach, maar ze verwierp hem niet meteen. Er gebeurden wel vreemdere dingen, zoals haar vrijlating uit de gevangenis.

Voor ze het wist, reed ze de oprit van Connors huis al op, de plaats van het misdrijf om het zo maar te zeggen. Wat was dit merkwaardig, en verrukkelijk. Ze was echt vrij; ze had ongestraft kunnen moorden. En die paar dagen dat ze in de gevangenis had gezeten, op het beroemde Riker's Island vlak bij het vliegveld LaGuardia, maakten dat alleen maar extra bijzonder. Buitengewoon eigenlijk.

Nora stapte uit en meende iets te horen. Dat deed haar denken aan Craig, of O'Hara. Wat had dat toch allemaal te betekenen gehad? Ze wist het nog steeds niet, behalve dat zijn aantrekkingskracht op haar enorm was geweest, en heel echt, en erg emotioneel.

Maar ze was nu wel over Craig heen, toch?

Je bent over hem heen.

Nora liet zichzelf binnen. Het huis rook een beetje muf en zeer stoffig, maar het viel wel mee. Ze zou hier toch maar kort zijn. Ze kon wel wat ontberingen hebben.

Ze liep naar de keuken en zwaaide de deur van de koelkast open, de Traulsen. Getver, wat smerig! Rottende groente en kazen!

Ze pakte een flesje Evian dat vooraan stond en smeet de deur toen snel weer dicht voor ze moest kokhalzen.

'Jezus, wat walgelijk.'

Ze veegde het flesje schoon met een doek, draaide het open en dronk het bijna half leeg.

Wat nu? Een warm bad misschien? Een duik in het zwembad? De sauna? Opeens greep Nora naar haar buik en merkte ze dat ze niet meer overeind kon blijven staan.

Mijn maag brandt, dacht ze, terwijl ze de keuken rondkeek, maar er was niemand.

De pijn explodeerde in haar keel en Nora dacht dat ze niet meer kon ademen. Ze wilde overgeven, maar dat lukte al evenmin.

Toen stortte ze neer, niet in staat haar val te breken.

Het zou kunnen dat ze met haar gezicht op de tegels was gevallen, maar daar kon ze niet mee zitten. Niets deed er meer toe, behalve die afschuwelijke brand die haar van binnenuit verteerde. Ze zag alles als door een waas. De vreselijkste pijn die ze ooit gehad had, had haar in zijn macht, had bezit van haar genomen.

Toen hoorde Nora iets. Voetstappen die dichterbij kwamen.

Er was iemand in huis.

115

Nora móést weten wie daar liep. Wie was daar? Ze kon niet goed zien. Alles was zo wazig. Ze had het gevoel alsof haar lichaam uit elkaar ging vallen.

'O'Hara?' riep ze. 'Ben jij dat? O'Hara?'

Toen zag ze iemand de keuken binnenkomen. Het was niet O'Hara. Maar wie dan wel?

Een blonde vrouw. Lang. Ze had iets bekends. Wat? Ze was intussen bij Nora aangekomen en torende boven haar uit.

'Wie ben je?' fluisterde Nora terwijl een vreselijk vuur haar keel en borst verbrandde.

De vrouw stak haar handen in de lucht en haalde haar hoofd eraf. Nee, het was haar haar, een pruik die ze afzette.

'Is dat beter, Nora?' vroeg ze. 'Herken je me nu wel?'

Ze had kort, zandkleurig, blond haar en toen wist Nora het opeens. 'Jij!' stamelde ze.

'Ja, ik.'

Elizabeth Brown. Connors zus. Lizzie.

'Ik heb je een hele tijd gevolgd, Nora. Gewoon om uit te vinden waar jij mee bezig was. Moordenares! Ik wist niet eens of je je wel zou herinneren wie ik was,' zei ze. 'Soms maak ik geen al te diepe indruk.'

'Help me,' fluisterde Nora. Het vreselijke branden zat nu ook in haar hoofd, op haar gezicht, overal en het was gruwelijk, de ergste pijn die ze zich kon voorstellen.

'Help me toch,' smeekte ze. 'Toe, Lizzie?'

Nora kon het gezicht van Connors zus niet meer zien, maar ze hoorde haar woorden wel.

'Loop naar de hel, Nora. Daar zul je trouwens over niet al te lange tijd vanzelf wel aankomen.'

116

Iemand had een mysterieuze boodschap doorgebeld naar de politie van Briarcliff Manor: 'Ik heb de moordenaar van Connor Brown voor jullie gevangen. Ze is op dit moment in zijn huis. Kom haar maar halen.'

De politie had me in New York gebeld en ik was er als een speer heen gereden, een dodenrit van een minuut of veertig door de stad, vervolgens over de Saw Mill Parkway en ten slotte de verraderlijke Route 9.

Er stonden al een stuk of zes politiewagens op de oprit voor het huis van Brown. En ook een ambulance van het ziekenhuis van Westchester. Ik haalde diep adem, liet die weer ontsnappen en snelde naar binnen. Ik trilde als een espenblad.

Ik moest mijn legitimatie laten zien aan een agent die in de hal op wacht stond. 'Ze zijn in de keuken. Dat is van hieruit...'

'Ik weet de weg,' zei ik.

Ik wist dat ik hier nog niet klaar voor was, toen ik door de woonkamer en de eetkamer naar de keuken liep. Alles in de kamer was me zo vertrouwd en misschien werd het daardoor alleen maar moeilijker. Dat weet ik niet. Ik was er, maar ik was er ook niet, alsof je jezelf in een heel nare droom bezig zag.

De mensen van de technische recherche waren al bezig, wat betekende dat de rechercheurs klaar waren. Ik herkende Stringer en Shaw van het bureau in White Plains. Ik had kort met ze samengewerkt toen we het verzekeringstoneelstuk hadden opgezet waarmee we Nora te pakken wilden krijgen.

Ze lag er nog, naast het aanrecht. Er lag een kapotte waterfles naast en overal lagen glasscherven. Een politiefotograaf was foto's aan het nemen en elke flits bezorgde me opnieuw een schok.

'Iemand heeft haar goed te grazen genomen.' Shaw kwam naast me staan. 'Ze is vergiftigd. Heb jij nog briljante ideeën?'

Ik schudde het hoofd. 'Nee. Maar op de een of andere manier heb ik zo'n idee dat we ook niet al te veel moeite zullen gaan doen om dit op te lossen.'

'Het is zeker haar verdiende loon?'

'Zoiets. Wel een rotmanier om aan je eind te komen, trouwens.'

Ik liep weg van Shaw omdat ik heel erg de neiging kreeg om hem een duw te geven, of om hem bewusteloos te slaan, wat hij in het geheel niet verdiende.

Toen ging ik naar Nora toe.

Ik gebaarde dat de fotograaf even weg moest gaan. 'Geef me één minuutje.'

Ik hurkte neer, bereidde mezelf zo goed mogelijk voor, en keek naar haar gezicht. Ze had op het laatst geleden, dat was duidelijk, maar ze was nog steeds mooi, nog steeds Nora. Ik herkende de witlinnen blouse die ze aanhad zelfs nog en de diamanten armband om haar pols die ze zo graag droeg.

Ik wist niet wat ik geacht werd te voelen, maar ik kreeg een brok in mijn keel. Ik treurde een beetje om haar, maar ook om mezelf en om Susan en onze kinderen. Hoe had dit toch in godsnaam allemaal kunnen gebeuren? Ik weet niet hoelang ik naar Nora's lijk heb zitten staren, maar toen ik uiteindelijk weer opstond, zag ik dat het heel stil was geworden in de keuken en dat iedereen naar me keek.

Ongepast. Ik wist het. Echt weer iets voor mij.

117

Die middag reed ik terug naar Manhattan. De radio stond nogal hard aan, maar dat gaf niet. Ik was ergens anders met mijn gedachten. Ik wist precies wat ik wilde doen; wat ik moest doen. Nora's dood had me opeens een heleboel duidelijk gemaakt. Ik wist niet eens of ik wel van haar gehouden had. We hadden elkaar gebruikt en dat had alleen maar ellende gebracht.

Ik reed terug naar mijn kantoor en liep er alleen even binnen om een envelop te pakken. Er was een ander kantoor waar ik snel heen moest. Boven, waar de grote jongens toeven.

'U kunt nu naar binnen,' zei de secretaresse van Frank Walsh.

Ik liep de kamer in en nam plaats voor het imposante eikenhouten bureau van Walsh.

'John, waar heb ik dit genoegen aan te danken?' vroeg hij.

'Ik moet je even spreken over een paar dingen. Nora Sinclair is trouwens dood.'

Walsh keek verrast op en ik vroeg me af of hij dat echt was. Er ontging hem weinig en dat was waarschijnlijk ook de reden dat hij het al die jaren gered had bij de FBI in Manhattan.

'Dat vereenvoudigt de zaken, neem ik aan,' zei hij. 'En hoe is het met jou?'

'Met mij gaat het best, Frank.'

Hij plaatste de toppen van zijn dunne, knoestige vingers tegen elkaar. 'Maar niet al te best zeker? Wat is er?'

'Ik wil met verlof. Betaald verlof, Frank. Ik heb te hard gewerkt. Dubbele diensten gedraaid en zo.'

Er waren toch nog dingen waar je Frank Walsh mee kon verrassen.

'Wauw,' zei hij ten slotte. 'Zijn er, voor ik je verzoek afwijs, nog dingen die je me wilt vertellen?'

k knikte. 'Ik heb een kopie,' zei ik.

k schoof de envelop naar hem toe.

'Wil je me vertellen wat daarin zit?'

'De inhoud van een koffer die heel wat van de wereld gezien heeft, Frank. Er zaten ook wat kledingstukken in, ik denk alleen maar als vulling, of misschien voor het geval de verkeerde de koffer zou openmaken.'

Walsh knikte. 'Volgens mij heeft de verkeerde hem opengemaakt.'

'Of misschien de goede. Susan zei dat het er allemaal alleen maar om draaide om de wereld veiliger te maken. Terroristische geldstromen het land in en uit in de gaten houden, illegale buitenlandse bankrekeningen controleren. Zo zijn we bij toeval ook op Nora gestuit. Zij maakte een hele hoop geld in één keer over en wij betrapten haar daarop.'

Walsh knikte en glimlachte toen. Het was dat gladde lachje dat hem verraadde. Een beetje onoprecht en in elk geval zenuwachtig. 'Zo is het gegaan, John.'

'Min of meer,' zei ik, 'maar niet helemaal. Susan slikte je verhaal, Frank, maar ik had er wat meer moeite mee. Wie zou er moeite mee hebben als de FBI en de Binnenlandse Veiligheidsdienst hier en daar niet helemaal egaal te werk gingen bij het opsporen van terroristengeld? Daar zou het volk wel begrip voor hebben.'

Frank Walsh lachte nu niet meer, maar luisterde ingespannen.

'Oké, ik heb in die koffer gekeken. Toen ik dat deed, dacht ik dat het misschien ooit wel van pas zou kunnen komen om wat druk uit te kunnen oefenen met wat erin zat. Puur uit eigenbelang. Ik had geen idee. Maak die envelop maar open, Frank. Kijk maar. Bereid je voor op een enorme schok. Of misschien ook wel niet.'

Hij zuchtte diep, maar maakte hem toen toch open.

Wat hij aantrof, was iets ter grootte van een wijsvinger. Het was een kleine Flash Drive, een van die externe USB-opslaggevalletjes die je in elke computer kunt pluggen. Ze kosten iets van 99 dollar bij de computerzaak om de hoek. Mijn kopie van het origineel.

'Ik heb het ook geprint. Maar het is wel raar. Dat zijn geen terroristengelden, Frank.'

'Nee?' zei Walsh en hij schudde rustig het hoofd. 'Wat zijn het dan, John?'

Nu lachte ik dan toch. 'Weet je, dat is me niet helemáál duidelijk en ik moet dit even laten voorafgaan door de mededeling dat ik geen uitgesproken aanhanger ben van de Republikeinen noch van de Democraten. Ik heb aan beide kanten zo mijn favorieten onder de presidenten. Hoe noem je zo iemand als ik? Een agnost?'

'Wat staat er op die uitdraai, John?'

'Dit is wat ik denk dat het is: iemand van de FBI heeft het spoor gevolgd van geld dat op verschillende buitenlandse bankrekeningen gestort werd en dat eraf werd gehaald. Van mensen die geld wilden verdoezelen, grote bedragen, bijna anderhalf miljard. En voorzover ik weet, Frank, is iedereen op die lijst een sponsor of "vriend" van de oppositiepartij. Wat zeg je daarvan?

Het zou natuurlijk wel heel pijnlijk zijn voor de FBI en de zittende partij, als dat tijdens het moordproces van Nora Sinclair in het openbaar was gekomen. Dat zou erg illegaal en hoogst onethisch gevonden worden. Erger nog dan het neuken van Nora Sinclair, waar ik me trouwens verschrikkelijk voor schaam.'

Ik stond op en merkte dat ik nu toch wat bibberig op mijn benen stond. Om de een of andere reden strekte ik mijn arm uit en gaf ik Frank Walsh een hand, misschien omdat we allebei wisten dat ik afscheid nam.

'Betaald verlof,' zei hij. 'Dat is goed, John. Je hebt het verdiend.'

Toen liep ik de deur uit en ging op weg naar huis, naar Riverside.

Naar Max, John jr. en Susan, als ze me nog wilde hebben. En om heel eerlijk te zijn, heb ik de hele rit naar Connecticut zitten duimen dat dat het geval zou zijn.

En Susan, die ongelooflijke, geweldige Susan, wilde dat uiteindelijk wel.